類型閱讀 02

大逃殺（下）

BATTLE ROYALE

高見 廣春（Koushun TAKAMI）著
楊哲群 譯

木馬文化

類型閱讀 02

大逃殺（下）
BATTLE ROYALE

作　　者　高見 廣春（Koushun TAKAMI）
譯　　者　楊哲群
總 編 輯　汪若蘭
主　　編　管中琪
編輯協力　巫維珍
行銷企畫　謝玟儀
封面構成　黃暐鵬
電腦排版　梅健呈
社　　長　郭重興
發行人兼出版總監　曾大福
出　　版　木馬文化事業股份有限公司
發　　行　遠足文化事業股份有限公司
地址　231台北縣新店市中正路506號4樓
電話　02-22181417　傳真　02-86671065
網址　sinobooks.com.tw
email: service@sinobooks.com.tw
郵撥帳號　19588272　木馬文化事業股份有限公司
客服專線　0800221029
法律顧問　華洋國際專利商標事務所　蘇文生律師
印　　刷　成陽印刷股份有限公司
初版十六刷　2005年10月
定　　價　300元

ISBN　986-7475-62-3

國家圖書館出版品預行編目資料

大逃殺（下）/高見 廣春（Koushun TAKAMI）著；楊哲群譯. --初版. --臺北縣新店市：木馬文化出版：遠足文化發行，2005 [民94]
面； 公分. --（類型閱讀；02）
譯自：BATTLE ROYALE

ISBN 986-7475-62-3（平裝）

861.57　　94010816

目次

上冊

下冊

生存遊戲再度開始，你準備好了嗎？

香川縣城岩町立城岩中學三年B班「男」學生名簿：原計21人，剩餘11人

【男生】

一號　赤松義生（亡）
二號　飯島敬太
三號　大木立道（亡）
四號　織田敏憲
五號　川田章吾
六號　桐山和雄
七號　國信慶時（亡）
八號　倉元洋二（亡）
九號　黑長博（亡）
十號　笹川龍平（亡）
十一號　杉村弘樹
十二號　瀨戶豐
十三號　瀧口優一郎
十四號　月岡彰
十五號　七原秋也
十六號　新井田和志（亡）
十七號　沼井充（亡）
十八號　旗上忠勝
十九號　三村信史
二十號　元淵恭一（亡）
二十一號　山本和彥（亡）

香川縣城岩町立城岩中學三年B班「女」學生名簿：原計21人，剩餘11人

【女生】

一號　稻田瑞穗
二號　內海幸枝
三號　江藤惠（亡）
四號　小川櫻（亡）
五號　金井泉（亡）
六號　北野雪子（亡）
七號　日下友美子（亡）
八號　琴彈加代子
九號　榊祐子
十號　清水比呂乃
十一號　相馬光子
十二號　谷澤遙
十三號　千草貴子（亡）
十四號　天堂眞弓（亡）
十五號　中川典子
十六號　中川有香
十七號　野田聰美
十八號　藤吉文世（亡）
十九號　松井知里
二十號　南佳織（亡）
二十一號　矢作好美（亡）

【第二部】中盤戰（續）

目前剩餘學生二十二人

43

麥金塔‧Power Book 150發出尖銳的嗶嗶聲，網路連線被迫中斷以來，已經過了將近五個小時。三村信史在如今已失去連線、僅剩計算機功能的150畫面裡，不停上下捲動、瀏覽視窗中的文件，一邊發出嘆息。

自連線中斷後，重新設定電話了許多次，確認連接的狀況，試著再度重新開機，但150的黑白畫面，還是只顯示出同樣的訊息。最後他將數據機和電話的連接線暫時全部拆除，下了一個結論：手機已經完全失去作用了。如果不能連結上電話線路，就連接通到信史自宅的電腦也是不可能的。就算想一個個打電話給現在正在交往的女友們，流著淚告訴她們：「我馬上就要死了，我最愛的人是妳。」當然也是不可能了。還是說，自己有什麼地方弄錯了呢？甚至想將那隻手機拆開來——不過，信史突然停下手上的作業。

背脊一陣涼意。

之所以沒有辦法連線，理由已經很清楚了。也就是，政府將信史辛苦製作的特製電話，正確說來應該是辛苦僞造的「第二唯讀記憶體」、ＤＴＴ①的技術人員用來做線路檢查的電話號碼阻斷，那麼這條線路也就和其他一般電話一樣，完全無法接通。問題是——爲什麼政府會知道要採取這樣的因應措施呢？自己應該沒有做出像蹩腳駭客一樣洩了老底的蠢事才對。關於這點，他有相當的自信。

這麼一來，想得到的理由就只有一個了。政府是用除了電腦線路內部的防禦系統、警戒系統，和以手動操作方式進行的監視以外，還有別的方法可以得知信史正在嘗試駭客行動。而得知這項情報之後——信史和察覺到了「那玩意兒」的存在時一樣，再次伸手摸了摸箍在脖子上的項圈。

當計畫被政府知道後，就算立刻遙控引爆項圈裡的炸藥來殺了自己，也一點都不奇怪。或許連阿豐也難逃一死吧。

拜這種情況所賜，中午過後，吃著政府配給的麵包和水充飢時，更加感到難以下嚥。

阿豐看到信史停止操作電腦，開口詢問目前的狀況時，信史最後也只能這麼回答：「不行。我也不知道爲什麼，不過就是不行。說不定是電話壞了。」

阿豐也是自那時開始，就一副完全頹喪消沉的模樣，和早上一樣，一直坐在同一個位置上。除了對於時而響起的槍聲彼此零星交談幾句之外，一直保持著沉默。因爲阿豐大嘆「好厲害」的三村信史之華麗逃脫計畫，已經宣告破滅了。

不過——

我要讓你們後悔沒有馬上殺了我。絕對要讓你們後悔。

稍微想了想之後，信史將手伸進褲袋，拿出一把從小學時代便不曾離手的老舊小刀。那把小刀的鑰匙環上，掛著一個金屬製的小圓筒。信史將那個外表都是擦痕的小圓筒高舉到眼前。

小刀，這也是叔叔很早以前送給自己的。而圓筒則和左耳上的耳環一樣，是在叔叔死後，信史才留在身邊的遺物之一。叔叔和自己現在一樣，總是隨身攜帶著一把小刀。

圓筒的大小約和姆指相同，那是一個蓋子內層裝有橡膠圈的防水盒。一般士兵們帶著那樣的小盒子，是爲了裝寫有姓名、血型、病歷等資料的紙片，以備在戰場上負傷時之需。也有人會在裡面裝火柴。一直到叔叔死前，信史都以爲圓筒裡面裝的也是這一類的物品。可是叔叔過世，信史將蓋子打開後，發現裡面裝的是完全不一樣的東西。不，就連盒子本身的材質都是用特殊合金製成，內側還有兩個同樣的小盒子在裡頭。當然，信史也將裡面兩個盒子的內容物打開。乍看之下，看不出那是什麼。但唯一能馬上理解的就是：這兩樣東西似乎是要組合在一起使用的。一邊的螺紋和另一個正好相符。之所以會拆成兩部分，妥善保管在不同的容器內，應該是因爲組合在一起後，會有不太妙的事情發生。後來經過多方調查，明白了那東西的作用之後（當然要拆成兩份保管，否則實在太過危險，更別提是隨身帶著走了），完全不了解叔叔將這東西帶在身上的企圖是什麼。這東西在一般的情況下並派不上用場，還是說，和現在信史帶著這東西的心情相同，叔叔也和信史無法放棄耳朵上戴的耳環一樣，單純只是因爲思念某人，才將之帶在身上的也說不定。不管怎麼說，這個東西也成爲信史推測叔叔的過去的其中一個線索。

發出些微吱嘎的摩擦音，信史將蓋子旋開。自從叔叔死後那一次以來，這算是第一次打開它。將裝在裡面的兩個小盒子倒在手心，再打開其中較小的一個封口。

爲了防止衝擊，裡頭塞滿了棉花。而在棉花堆裡可以看見一個暗淡的黃銅色。

信史朝那東西看了一會兒，將蓋子蓋回去。和另一個小盒子一起裝回原來的那個大盒子。其實——原先以爲就算眞的要使用這個東西，也應該是從這個島上逃脫之後的事情。或者，讓那所分校的電腦當機之後，備齊必要的東西，再向坂持發動奇襲時，說不定也能派上用場——不過不管怎麼說，如今也只能靠這東西了。

信史將蓋子旋緊之後，將折疊在小刀柄裡的刀身抽起。太陽已經向西邊的天空傾斜了一大半，在銀色鋼鐵所映照出的樹叢裡，看起來更顯昏黃。接著，自學生服口袋裡掏出鉛筆。這就是遊戲在開始前，大家一起用來寫下「我們要自相殘殺」的鉛筆。因為用來標記地圖上哪些區域是禁區、在學生名冊上確認死者姓名等，尖端已經變得圓滑。信史用小刀削了削鉛筆，接著將收在學生服的另一個口袋裡的地圖拿出來。翻到背面。當然，是一張白紙。

「阿豐。」

聽見信史喊自己，抱著膝蓋、視線無神地落在地面上的阿豐，將頭抬起。他的眼睛閃著光輝。

「你想到什麼辦法了嗎？」

此時不知阿豐什麼地方惹得信史不快。是說話的語氣嗎？還是那句話本身呢？總之，信史心裡的某處，瞬間傳出了「你這算什麼」的聲音。我想破了頭、拚命找出逃脫方法的時候，你就只會呆呆坐在那裡就好嗎？還嚷著要幫金井泉報仇什麼的，講得那麼大聲、那麼像回事，卻也沒看你想出任何方法啊！你以為你是來速食店消費的客人，而我是店員嗎？可惡，那你要不要順便來份薯條呢？

不過，信史把這些心聲都壓抑了下來。

阿豐圓臉上的雙頰消瘦了不少，顴骨的線條看得很清楚。這也難怪，在這場不知要持續到什麼時候的殺戮的緊張感中，想必十分疲憊了。

信史從小時候起，體育成績就從來沒有比別人差過（升上中學二年級後出現了兩個例外。一個是

WILD SEVEN七原秋也，另一個是桐山和雄。如果比籃球也就罷了，其他的競技項目是不是還能贏過他們，就沒有自信了）。從小叔叔就常帶自己去登山，如果單純較量體力，自己有自信可以贏過其他人。可是並不是每個人都有像「第三之男」三村信史一樣的基礎體力，更何況，阿豐對體育本來就不拿手，感冒流行的季節也常請假在家。和信史相較，疲憊的程度不同。可能連腦袋瓜也無法順利思考了吧。

接著，信史因意識到某件事而嚇了一跳。剛才只因為一點小事就生阿豐的氣，這不正是自己疲累的證據嗎？當然，在這個幾乎完全沒有獲救機會的情況下，說不定是神經還能保持正常的人反而奇怪吧。

這樣不行。

非得小心一點不可。否則——若這只是籃球比賽輸球、讓人不甘心而已也就罷了——以這場遊戲來說，失敗者的下場只有死路一條。

信史稍微搖搖頭。

「怎麼了？」

阿豐問道。信史把頭抬起來，露出笑容。

「沒什麼。我想跟你討論一下地圖，可以嗎？」

阿豐將身體靠向信史。

「啊！」信史發出驚呼。「你身上有蟲在爬！在脖子上！」

阿豐一聽，嚇一大跳，連忙作勢將手伸向脖子。

信史制止他：「我來幫你看看。」然後接近阿豐，專心看著阿豐的脖子——實際上看的卻是另一件東西。

「啊，跑掉了。」

信史說完，繞到阿豐背後，更專心地看著。

「信史。抓到了嗎？信史？」

信史一邊聽著阿豐因膽怯而變得高亢的聲音，一邊仔細觀察。

接著，用手在阿豐的脖子上拂了一下。快速地將虛構的蟲子踩在運動鞋腳底，然後將蟲子捏起（只是裝個樣子），丟到樹林深處去（這也是裝的）。

「解決掉了。」信史說道。回到阿豐面前，又補充說：「好像是一隻小蜈蚣。」

「討厭，眞是的。」阿豐擦著自己的脖子，皺起眉毛，看著信史將蟲子丟棄（假裝的）的方向。

信史笑了一下，對他說：「來吧，看地圖。」

阿豐於是看向地圖——看見那張地圖被翻到背面，又蹙起眉毛。

信史豎起食指搖了搖，制止他出聲，然後握著鉛筆，在地圖背面書寫起來。就算信史用的是自己擅用的左手，寫出來的字仍然像狗啃一般，那些草寫字在紙的一角排列著。

「我想我們被竊聽了。」

阿豐臉色一變，問道：「眞的嗎？你怎麼知道？」信史連忙用手捂住阿豐的嘴。阿豐會意後，眼睛睜得大大地點點頭。

信史將手放開後，說：「我當然知道。我對蟲子也有研究，那隻沒有毒。」接著，爲求愼重起見，又動起鉛筆。

「我們現在在看地圖，不要說出有可能被懷疑的話。」

「聽好，駭客計畫已經失敗，我們現在束手無策了。」

信史爲了掩飾而說道，繼續寫下去。

「所以政府聽見我對你做的說明，把我ＭＡＣ的連線給切斷了。我太大意了。政府方面應該早就知道可能出現像我們這類的反抗。所以最簡單有效的預防措施就是竊聽。這也是當然的。」

阿豐也自口袋取出鉛筆，緊鄰在信史的草字下面寫著。阿豐的字比信史要好看多了。

「這麼大的島都裝了竊聽氣？」

「聽」這個字是學著信史的字寫下來的。「氣」字就寫錯了，沒關係。反正現在又不是在上國文課。

「所以我覺得應該要先去找其他人。只有我們兩個人什麼也沒辦法做。再說……」

信史一邊說，一邊用指尖輕輕敲了敲裝在自己脖子上的項圈。阿豐眼睛睜大點點頭。

信史又用鉛筆動手寫著。

「我剛才檢查過你的項圈，看起來不像裝有攝影機的樣子。只有竊聽器。還有，這附近似乎也沒有裝設監視器。雖然人造衛星挺讓人擔心的，不過，這裡被樹的枝葉遮蓋著，他們應該看不見我們正在做什麼才對。」

阿豐的眼睛又睜大，稍微抬頭看著頭上。將兩人完全與蔚藍的天空隔開的樹梢，正隨風搖動著。

阿豐接著突然想到什麼似的，臉上堆滿緊張的表情。用力握緊鉛筆，朝地圖的背面寫去。

「電腦的事情，都是因為對我說明的關係，才會失敗的吧。如果我不在的話，一定進行得很順利才是。」

信史用握著鉛筆的左手食指，戳了戳阿豐的肩膀，露出微笑。然後又再次振筆疾書。

「正是如此，不過你不用在意。那是我太粗心了。政府發現的時候，其實說不定立刻就會引爆我們兩個的項圈。我們現在還能活著，只能說是他們突然大發慈悲吧。」

阿豐再次將手伸向箍在脖子上的項圈，露出吃驚的表情。他望著信史的臉一會兒，接著用力抿緊嘴唇，點了點頭。信史也跟著點頭表示回應。

「可是，我們根本不知道大家都躲在哪裡……」

「注意喔，所以現在我會將我的計畫寫在這裡。我會隨便講幾句話敷衍一下，你配合我答些話。」

阿豐點頭，急忙說道：「嗯，可是，好像沒幾個可以相信的人呢。」

幹得好啊，信史想，於是他露出了笑容。阿豐亦報以笑顏。

「也對。不過如果是七原的話，那應該沒問題吧。得想辦法和七原會合。」

「有件事我先說在前面。如果當初駭客成功的話，說不定可以連其他同學一起救出來。但是現在我們只能以讓自己全身而退為優先了。這樣可以嗎？」

阿豐稍微想了想，接著寫道：

「那連秋也都不找了嗎？」

「沒錯。雖然很難過，但我們已經沒有可以幫助其他人的」餘力，信史原本以爲這個字他會寫，但卻不會。信史也不是國文成績好的那種人。「ㄩˊ力。這樣你明白了嗎？」

阿豐咬著嘴唇，最後，點點頭。

信史也回點了頭。「不過，如果我心裡想的事情進行順利的話，這個遊戲就會暫時停止。這麼一來，其他人說不定就有趁隙逃走的機會。」

阿豐輕輕點了兩次頭。

「大家都像我們一樣躲在山裡嗎？還是說有些人也會躲在屋子裡呢？」

「這個嘛……」

信史在想接下來要寫什麼時，阿豐就先動起筆來。

「你心裡在想的事情是什麼？」

信史點頭，重新握好鉛筆。

「其實自從早上失敗以來，一直到現在，我都在等某件事情發生。」

阿豐這次不使用鉛筆，對著信史歪了歪頭。

「就是遊戲中止的宣告。其實我現在也還在等。」

阿豐露出略顯吃驚的表情，又再次側了側頭。信史笑了笑。

「在我對你做說明之前，一進到分校的電腦裡，首先做的就是去搜尋裡頭所有檔案的備份資料。而且我立刻就發現了檔案檢查軟體。為求保險起見，我在下載資料之前，就先傳送電腦病毒給這兩個檔案。」

「病……毒？」阿豐動動口，不發出聲音。喂，阿豐，你怎麼可以偷懶不動手寫字呢？

信史動手寫道：「總而言之，就是讓那些傢伙以為出了什麼問題，看是要執行檔案檢查，或是用備份檔將檔案整個覆寫回去，到時病毒就可以進到分校的電腦系統內部。這麼一來，系統就會變得亂七八糟，這場遊戲也就進行不下去了。」

阿豐佩服得不得了，連連點頭。信史心裡想著：寫這件事還眞是浪費時間，但還是很想寫，所以就寫了出來。

「這可是我自己設計出來、空前絕後的病毒喔。若有可以藉由空氣傳染的香港腳，那我的病毒可比它更厲害百倍！」

阿豐一邊強忍著笑聲，一邊露出開朗的笑容。

「一旦開始運作之後，會將所有的檔案資料破壞殆盡，然後永無止盡地播放《星條旗之歌》。一向對美帝很感冒的政府人員，可能會瘋掉吧。」

阿豐快要忍不住笑了，只能抱著肚子，摀著嘴巴。信史也費了好大的勁，才克制住沒爆笑出來。

「總之，」信史寫道，「駭客的行動被發現，我想他們說不定會執行檔案回復作業。這麼一來，遊戲就只好暫時中斷。可是，事情並沒有發生。也就是說，他們只有做一些簡單的確認動作而已。哎，實際上我根本沒有動過本體的任何檔案。」

「那一間一間調查好了？」

「可是，這樣不是很危險嗎？」

「是啊。不過，我們至少還有槍在手上……」

「所以，我的計畫就是要讓那些傢伙去執行檔案回復的指令。這麼一來病毒就會發作。」

信史將Power Book 150拉到跟前，讓阿豐看自己剛才一直在瀏覽的文件。那是一頁「四十二行」②的文字檔。檔案下載的動作被中斷了，在那之前下載完畢的檔案裡面，信史認爲這個檔案最爲重要。橫式書寫的平凡無奇的文章，各行的最左邊由「M01」排序到「M21」，接下來則是「F01」到「F21」的連續號碼，接下來是十位數的、乍看像是電話號碼的數字，這也是一連串的連續號碼。最後是看起來像是亂數排列、但實際上是十六位數的號碼。各行第三個文字列用一個半形的小數點符號區隔開來。檔案本身的名字，也是開頭部分讓人看得一頭霧水的Guada1cana1-shiroiwa 3b ③之類的名字。

「這是什麼？」阿豐寫道。

信史點頭。「我認為這大概是管理這個項圈的號碼。」

阿豐像是在說「原來如此！」似的用力點頭。沒錯，也就是說「M01」是男子一號（赤松義生），「F01」則是女生一號（是稻田瑞穗，那個有點不按牌理出牌的女生）。

「雖然只是我的猜測，但簡單說來，這就像是手機的系統一樣。每個項圈都有自己的號碼，同時也都設有密碼。下達爆破指令的時候，大概也是要用到這個號碼吧。」

信史停下筆，看看阿豐的臉。又繼續寫道：

「如果資料檔案被病毒破壞，特別是這個檔案被破壞掉的話，我們就用不著擔心會被項圈給炸得身首異處了。病毒會一個接一個不斷感染，就算他們有磁碟片之類的備份檔也沒用。萬一他們重新寫一個檔案來代替被破壞的程式，那就麻煩了。不過到時系統本身已經被破壞，多少可以爭取到一些時間吧。」

「我們可以鎖定幾個可疑的目標，然後用大量的小石塊如下雨般扔過去，看看有沒有人會從裡面逃出來如何？」

「慢著，如果對方是女生，很可能會大聲尖叫。那就不只是我們會身陷險境，那個女生也很危險啊。這個嘛……也還要那個女生不是什麼壞孩子的情況才行啦。」

「嗯。」

「那要怎麼樣才能讓他們那麼做呢？」

信史點頭，自己又動手寫起來。

「從那所分校出發的時候，有沒有看見防衛軍那群人待的房間？」

阿豐點頭。

「那裡有電腦，你還記得嗎？」

阿豐又睜大了眼睛搖搖頭，寫道：「我根本沒有ㄩ力去注意。」

信史輕輕笑了。「我可是把他們的狀況看得一清二楚。一整列的桌上型電腦排在一起，還擺了一台大型伺服器。再加上有個看起來和其他人感覺不太相同的傢伙。」徽章。國字。這我哪會寫啊。「我看他軍服上的記號就知道了，是電腦技術專門的軍官。也就是說，坂持講得沒錯，讓這場遊戲運作下去的電腦一定就在那個地方。所以我們兩個就要去攻擊那所分校，讓他們誤認為資料檔案可能遭受到」哎唷，又有不會寫的字了「ㄙㄨㄣ傷就可以了。不，如果材料收集順利的話，應該可以將那裡的電腦整部毀掉。也就是說……」

信史暫時停下筆來，像魔術師施展障眼法的動作般將手張開。之後又在地圖的背面繼續寫「我要弄個炸彈丟進分校。接下來我們就可以從海上逃走。」

阿豐這次眼睛張得可大了。「炸彈？」嘴巴上做出形狀。

信史微微笑了一下。

「說不定我們先去找可以當武器使用的東西比較好。你光靠手上的那把叉子，也沒辦法戰鬥吧。」

「嗯，說的也是。」

「我真正想要的是汽油。原本以為港口那裡應該會有加油站，但沒有看到。這座島上多少會有幾輛車吧。雖然不知道裡面還有沒有汽油，總之，先找到了再說。就算是最爛的輕油也行。還有，肥料也要。」

肥料？阿豐不解地蹙起眉毛。

信史點頭，本來想將肥料的名稱寫出來，但是不知道國字要怎麼寫。這說不定是習慣用電腦打字的不良影響吧。沒關係。知道分子式就足夠了。

「是一種叫做$NH_4NO_3$④的東西。這也不知道到底找不找得到。不過，只要有這東西和汽油，就能製造炸彈。」

信史自口袋裡，拿出小刀和鍊在上面的圓筒，展示給阿豐看。

「這裡面有雷管——引爆裝置。要說明為什麼我會有這種東西太過麻煩了，所以省略。反正我有就對了。」

阿豐稍微想了一下，接著寫道：

「是你那個叔叔？」

信史苦笑著點頭。自己老是愛講叔叔的事情，阿豐他也能想像得到吧。

接著，阿豐寫道。

「不過，我們要怎麼才能把炸彈丟到分校去呢？沒有辦法靠近呀。難不成要用木頭做一個巨大的彈珠台之類的東西嗎？」

哈哈。信史笑了。不過這個方法的準度不夠，如果能重複攻擊好幾次也就算了，手上的雷管只有一個，機會也只有一次。

「用繩索和滑車。」

阿豐啊的張開了嘴。

「簡單地說，就是纜車。我們的確已經無法接近分校那個區域。不過，這裡的山地，一直到分校的對面平地，都還沒有列入禁區。」

信史將地圖翻回正面，指給阿豐看後，又翻了過來。

「由山地朝向平地，不對，是從平地朝向山地拉一條繩索。大概需要整整三百公尺以上吧。然後，快速拉緊繩索，自山地那一邊讓裝上滑車的炸彈向下滑。到了分校上面，切斷或是放鬆繩索。給他來一個特製的灌籃！」

阿豐連連點頭，再次表現他的欽佩。

「趁天亮時活動，比較容易找吧？」

「嗯，也對。總比找特定的人來得簡單。」

「這樣對我們進行作業也比較方便。我記得在某個地方的水井上看到過滑車。汽油可以到車上去收集。問題是繩索和肥料。不知道有沒有那麼長的繩索。」

兩人一時陷入沉默，但阿豐馬上興奮地寫道：

「不過我們也只有這個辦法了。試試看吧。」

信史點頭，繼續寫：

「如果順利，說不定可以一口氣幹掉坂持及大部分的防衛軍。可是，就如同我剛才說過、寫過的一樣；只要能讓他們意識到資料可能受損就足夠了。這麼一來，」指著自己的項圈。「就不會被這東西給害死。」

「接下來要逃到海上去嗎？」

信史點頭。

「可是，我不太會游泳。」阿豐不太有把握地看著信史。「還有，速度也慢得不像在游泳。」

信史將阿豐的手按住，自己寫道：

「今天是滿月，可以利用潮流。按照我的計算，若是時機能配合得上的話，可以以時速六、七公里的速度將我們帶走。只要配合潮流拚命地游，不用二十分鐘就可以到達最近的島嶼。」

阿豐這次光是睜大眼睛還不夠似的，搖著頭表示他的讚嘆。

「那麼，監視船呢？」

信史點頭。

「當然，會有被發現的危險。可是那些傢伙相當依賴電腦，船上的人應該都很放心才對。東西南北各一艘船，算是戒備鬆散。這就是我們的可乘之機。只要電腦一當機，他們就掌握不到我們的行蹤。監視船只能用肉眼來搜索我們。就算政府出動人造衛星之類的設備來找，一到晚上，那些攝影機也幾乎都發揮不了作用。再說，也不需要擔心會被項圈炸死。所以，我們有成功逃走的機會。」

「不過，即使是這樣也不容易逃得了吧？」

「關於這點，我還有一個法子。」

信史將手伸進背包，拿出一個小型的無線電對講機。這也是在民宅裡找到的東西。

「我打算將之稍作調整，增加它的發信強度。應該是花不了多少工夫。然後等我們到了海上，到了適當的地方，再發出海難求救的訊號。可以藉口說是海釣船翻覆了，或是其他什麼的。」

阿豐的臉上現出光采。

「這樣說不定真的能逃走呢！應該會有船過來把我們救起來。」

、

信史搖搖頭。

「不對。就算是政府那群人，也想得到這點程度的伎倆。所以，我們要說一個假的地點。一個和我們逃走的方向完全相反的地點。」

阿豐再次搖搖頭，特意寫道：

「信史。你真行。」

信史搖著頭笑了。

「好，那麼……」看著手錶。已經過了四點。

「五分鐘後開始行動。」

「好。」

平常很少寫字，信史疲累地將鉛筆丟下。地圖的背面，大量的字簡直就像是電腦的通訊指令一樣，排得密密麻麻（眞是的，與其要用鉛筆寫字，倒寧可敲鍵盤打字要好多了。如果阿豐他也會打字的話，就可以用Power Book 150來筆談了）。

最後信史再次握著鉛筆，補充寫道：

「這不能算是很理想的計畫。平安無事脫逃的可能性也很小。不過，我也想不出其他的辦法了。」

聳聳肩膀，看著阿豐的臉。

阿豐露出微笑寫道：

「也只能這麼做了。」

【殘存人數22人】

44

北部山地的南側，一名男子坐在覆蓋著厚實綠意的斜坡一角，左手拿著的小鏡子，右手拿著梳子，仔細梳理前髮高聳的飛機頭。其實自遊戲開始以來，包含女孩子在內，三年B班中能表現得這麼悠閒自如的，恐怕也只有他了。不過這也難怪。與他粗獷的容貌不相配的是：他其實是個極度重視外在儀表的男孩。B班幾乎所有的人都不知道正確的理由，但同伴們都叫他「小月」，不，以現在這個時間點來看，這位曾經被這麼稱呼的男孩，其實……

是個人妖。

就位置關係來說，他所在的地點，水平距離三村信史和瀨戶豐一直躲藏到剛剛才離開之處，約是正西方兩百公尺左右。此外，以七原秋也等三人所在的診療所而言，約在西北方六百公尺左右。也就是說，正好在七原秋也目擊南佳織被清水比呂乃射殺的農家正上方附近。再將視線向上移，可以清楚看見夕陽餘暉正照射在日下友美子及北野雪子仍陳屍於內的展望台上。

而現在正梳理著頭髮的他，看過了日下友美子和北野雪子的屍體，南佳織的屍體也是。不光是如此，南佳織的屍體，已經是他看到的第七具屍體了。

嗯，眞討厭，又沾上葉片了。只不過躺了一會兒，馬上就變成這副德性。

男子動了動拿著梳子的右手小指，將沾在頭髮上的草屑撥掉；接著越過鏡中自己的臉孔的倒影，望向眼下二十公尺左右的樹叢。

桐・山・同・學。你・睡・著・了・嗎？

男子歪著豐厚的嘴唇，笑了。

太大意了喔？不過就算是你也沒想到吧，沒被你殺掉的我，現在正在這裡監視著你。

沒錯，現在手裡拿著鏡子和梳子的人妖，正是當初未出現在桐山和雄所指定的集合場所，因此逃過桐山的虐殺，如今是桐山家族成員中唯一還存活著的月岡彰（男子十四號）。而正如他所說，他目前向下望的樹叢裡，那個自遊戲開始以來便已殺害六個人的「桐山和雄」，就在那兒。他在那裡一動也不動，已經兩個小時以上了。

阿彰將目光轉回到鏡中的自己，這次是一邊檢查肌膚的狀況，一邊想起以前常因「桐山同學」這樣的稱呼法，與同是桐山家族的沼井充發生爭執。「喂，小月。對著老大就要叫老大啊。」可是天不怕、地不怕的阿充，面對這種「娘娘腔」，似乎也感到有些棘手；阿彰則一派輕鬆地邊送秋波邊說：「哎喲，不要在意這種小事嘛。一點男子氣概也沒有。」阿充也只能露出有苦難言的表情，沒辦法回嘴。

叫他老大？阿彰讓左右眼的眼角交互映在鏡中，心裡想著：可是你啊，被那個老大給幹掉了不是嗎？眞是笨到家了。

是的，他，月岡彰，多少比沼井充謹愼一些。雖然他對桐山和雄的了解，還不到阿充在死前所猜測的：「或許月岡彰早已經發現到這點了？」但簡單說來，月岡彰只是隨時存有這樣的想法：「背叛這種事情是常會發生的，這個世界就是如此。」關於這點，和只會逞兇鬥狠、粗暴蠻橫的沼井充相比，從小就進出父親經營的同志酒吧、在夾縫裡窺見成人世界的阿彰，多少比較懂些人情世故也說不定。

阿彰離開分校後，並未直接前往約定好的島嶼南端，而是繞進距海岸稍偏內陸的地帶，從林木之間穿過。因此多花了一些時間，但最多也不過浪費了十來分鐘而已吧。

在緊臨海岸的雜木林中，阿彰看到了——在將沙灘區隔成兩塊、延伸到海中的岩石上，有三個身穿學生服和水手服的人倒在那裡，岩石凹處因月光照射而形成的陰影中，桐山和雄一個人靜靜佇立著。

緊接著，沼井充來了。在滿布血水的那塊岩石上（血腥味飄到阿彰所在之處）和桐山交談過兩、三句後，就這麼成爲機槍下的犧牲品。

哎呀呀！和阿彰心裡想的一樣。眞糟糕。

後來，阿彰開始尾隨離開現場的桐山和雄，此時他的心裡已經決定了今後的行動方針。

這場遊戲最具冠軍相的人，毫無疑問就是桐山和雄。雖然聽不見桐山和阿充說了些什麼，不過既然桐山已經決定投入這場遊戲，那麼最後是他勝出的結局，幾乎就成爲不會出錯的事實了。再加上他的手裡還握有機槍（這是配發給桐山的武器？還是配發給被他殺害的三人之一的武器呢？）和阿充帶來的手槍。如果正面衝突的話，恐怕沒有任何人是桐山的對手吧。

然而，月岡彰對自己所擁有的某種能力非常有自信。簡單地說，就是悄悄潛入某一處，趁對方大意之際下手偷竊，或是跟蹤之類的事（只要看見他喜歡的男孩子，就會發揮跟蹤狂的本領去跟蹤對方）；也就是說，只要是偷偷摸摸的行爲——怎麼說人家偷偷摸摸啊，眞沒禮貌——他全都在行。再加上阿彰背包裡找到的武器，是一把HI-STANDARD的點二二口徑二連發掌心雷。裡頭裝的是麥格農子彈⑤，雖然在相當近的距離內可以造成致命傷，但掌心雷本身恐怕不適合用來進行槍戰。

因此阿彰心想，假設桐山和雄一路朝著優勝直線前進，在過程中勢必會出現與他匹敵的對手——大概是那個川田章吾，或是三村信史（哎呀，三村同學是人家喜歡的類型呢）之類，要是他們手上有槍的話，彼此互鬥的結果，應該多少會造成桐山負傷，屆時也會因爲戰鬥而讓他疲勞不已。

這樣的話，人家只要一路跟在桐山同學後面，到了最後一刻，從他背後開槍攻擊不就好了嗎？當桐山同學殺掉最後一個人，精神鬆懈下來的那一瞬間，人家就用這把掌心雷賞他個痛快。即使厲害如桐山同學，也沒想到自己其實也被人尾隨在後吧？特別是被人家這個一開始集合就沒有露面、早就不知道逃到哪裡去的人給跟在後面啊。

同時這也是在這場必須一個個殺害自己同班同學的遊戲裡，用不著弄髒自己的雙手，便能勝出的方法。關於這點，絕非因月岡彰的道德感較強所致，他心裡想的是：人家才不想殺害無辜的同學呢，這麼做一點也不優雅。殺人的是桐山同學，人家只是跟在他後面而已。就算他在人家面前殺害了某人，也不是人家阻止得了的，太危險了！到了最後再用正當防衛的理由，殺了桐山同學就可以了。因爲不殺了他，他就會殺了人家嘛——大概就這麼回事。

另外，跟在桐山和雄後面還有別的好處。只要正確地跟著桐山走過的路線前進，就比較不用擔心會遭人突襲。萬一被人襲擊，只要想辦法避開第一擊，接下來桐山就會察覺到，而有所動作。只要盡快找地方躲藏起來，桐山應該會把那個敵人給收拾掉才對。不過，之後就沒辦法再跟蹤桐山，計畫也就宣告失敗了；因此盡可能不要讓那種事情發生才好。

經過一番考量，基本的跟蹤間隔距離是二十公尺。桐山前進，我就前進；他停下來，我也停下來即可。麻煩的是那個「禁區」問題。桐山他心裡當然也會將這點考量進去，多少會和禁區保持一段安全距離吧。基本上只要緊跟著桐山，應該用不著擔心會誤觸禁區才對。每次停下腳步的時候，只要仔細確認地圖，小心不要踩進禁區就行了。

接下來，事情就如同阿彰所想的一樣進行著。

桐山離開島的南端，一度進入村落中兩、三間民宅（一定是爲了要拿一些必需品），後來不知基於什麼樣的判斷，朝著北方山地前進，並在那兒坐下休息。到了早上，遠方傳來槍聲時，他似乎想前往那個方向查看情況，不知是否因爲考慮到距離的遠近，最後還他是沒有採取行動。但是過了一會兒，一聽到日下友美子和北野雪子就在頭上不遠的山頂處用擴音器喊話，他立刻就出動了；確認沒有任何人呼應她們的喊話之後（說到這裡，那時還響起來別的槍聲。那槍聲怎麼想，都像是在催促友美子和雪子停止喊話，躲藏起來似的。哎呀，眞了不起。原來還有人道主義的人在呢。阿彰心裡覺得蠻感動的。不過，也只有感動而已），開槍將兩人射殺了。接下來由山的北側斜坡走下山。中午前又聽見一聲遠遠的槍響，桐山並沒有去管它。然後，就在不久之前，將近三點鐘時，山的這一邊響起槍聲，他便立刻出動了。不過，循著槍聲過來的桐山看到的（所以阿彰也跟著看到），只有倒在看起來像是農家的農機具小屋裡的南佳織屍體而已。桐山可能是要去確認她的行李吧，向下移動到該處檢查佳織的屍體，看起來行李已經被某人拿走的樣子。

接下來又稍微移動了一下位置……

現在，就待在這裡，人家下面的樹叢裡。

桐山的作戰計畫看起來很簡單，至少目前是如此。一知道某人的所在地，便衝過去賞他一陣槍林彈雨。雖然桐山狠心對日下友美子和北野雪子辣手摧花的行徑，讓阿彰有些不以爲然，但如果這樣一一去挑桐山的毛病，根本沒辦法繼續進行自己的計畫。算了。總之，現在只要桐山還沒有察覺到自己的存在，就應該感到滿足了。

桐山似乎正靜靜地休養身體。說不定就如阿彰所推測，已經睡著了。

關於這點，阿彰完全不可以睡覺，而他自己也有這個自信。當然呀，女生的基礎體力要比男生好得多了嘛。不知是哪本書上寫的，但總之就是這樣啦。

其實眞正使他難受的，是他這個大煙槍不能來上一根煙。香菸的煙霧，還有氣味，搞不好會隨風飄散，使桐山發現自己的存在。不，電子打火機的點火音才是最致命的。畢竟，自己就位在桐山的身旁。

阿彰自口袋裡掏出進口香菸——維珍妮涼煙（他喜歡這個名字。在這個國家裡，算是不容易弄到手的物品，不過會有的地方還是會有，再來把它偷回家就成了。公寓式住宅的家裡，自己的房間內，這個牌子的香菸堆得像座小山似的），將那細長的紙卷輕輕叨在雙唇之間。煙葉和特有的薄荷味道微微傳至鼻腔，多少可以緩和一下煙癮。心裡雖然很想將香菸滿滿地吸進整個胸腔，但總算是克制下來了。

人家現在可還不能死哪。年紀還這麼輕，還有很多好玩的事兒沒做過呢。

爲了消愁解悶，他拿起左手的鏡子，照著自己叨著香菸的臉。將臉稍稍傾向一邊，觀察自己眉來眼去的模樣。

啊啊，阿彰心想，人家怎麼這麼漂亮啊。而且還如此冰雪聰明。當然囉，這場遊戲人家贏定了。世上只有美麗的事物才能生存下來。這是上天的……

視界的一角，視線下方的樹叢稍微晃動了一下。

阿彰急忙將香菸自嘴邊拿下，和鏡子一起收進口袋，換將掌心雷掏了出來。左手拿起背包。

樹叢的一端，桐山和雄全向後梳的包頭出現了。慢慢地將視線掃過左右，接著朝向北方——正好在阿彰的左手邊，斜坡的上方——看了過去。

阿彰躲在開滿粉紅色花朵的杜鵑樹下，看著他的動作，眉毛略向上挑了挑。

發生什麼事？

並沒有聽見槍聲。也沒有什麼特別的聲響。桐山看的那個方向，到底有什麼呢？

阿彰將視線轉向那個方向，並沒有發現有什麼特別不尋常的動靜。

桐山迅速自樹叢中露出全身。左肩揹著背包，右肩掛著機槍，握把握在手上。像是要將兩側林木縫起來似地呈Z字前進，登上斜坡。旋即到達阿彰所在的高度，接著繼續向上走。於是阿彰也起身自後跟了上去。

阿彰的動作，和身高一百七十七公分的高大身軀完全不相襯，輕巧地像隻貓似的。和身著黑色學生服，在林木間隙中時而出現、時而消失的桐山身影，保持著剛好二十公尺的距離。由此可見，阿彰確實有過人的能力可爲他的自負來背書。

而不斷前行的桐山，動作也是正確又迅速。不時停在樹蔭處觀察前方的狀況，遇上林木特別茂密的地形，更是將膝蓋撐在地面上，一邊確認一邊前進。只不過……

背後門戶洞開囉，桐山同學。

就這麼前進了將近一百公尺左右。那座山頂上的展望台，正好出現在左上方處。此時，桐山停下了腳步。

左右排列的林木生長到桐山前方就停止了，眼前橫著一條未舖整的小路。路寬不到兩公尺，不知道有沒有辦法容下一輛汽車通過。

對了，阿彰心想，這是通往山頂的道路——剛才也曾經穿越過，就在看見南佳織的屍體前的時候。

而目前桐山正望過去的右手方向，那裡有個位在通往山頂路上的中繼站之類的地方，形成一個小型廣場。廣場上設有單腳長凳，還有一個米色的組合式流動廁所。

桐山環顧四周，甚至還回頭看了看背後阿彰所在的地方，阿彰當然早就將身子藏進樹叢的陰暗處了。

於是，桐山快速踩上小路，跑向那座廁所。打開一個正好面對著阿彰方向的廁所門，進到裡頭。又再次確認四周的狀況，靜靜將門關上。或許是爲了因應突發狀況發生，門並沒有完全關上，還留了一道小縫。

眞是的！阿彰用手遮住嘴。怎麼這樣！

阿彰依然保持著身體壓低的姿勢，用力咬緊牙關，免得笑出聲來。

的確，阿彰跟了桐山這麼久，從來沒有看到桐山上過廁所。有可能在天還沒亮前，他進到民宅的時候，順道借用了洗手間。不過，怎麼說這種事也不太可能憋上個整整一天吧。原本還以爲他靜靜躲在樹叢裡的時候，已經想辦法解決了（阿彰就是這麼做，好辛苦才沒有發出聲響）。可是現在看來並非如此。桐山和雄不管怎麼說都是有錢人家的公子哥兒，若不是在乾淨的廁所，說不定就沒有辦法解決生理需求。一定是他想起剛才經過這裡的時候曾經看到過廁所，所以才會回到這裡來。

是啊，應該是這樣。就算是桐山同學，他也不可能不用上小號吧？嘻嘻嘻，不過，他還眞是可愛哪。

緊接著，應該是水打在馬桶上吧，淅瀝淅瀝的聲響傳進阿彰的耳中。於是，阿彰又再次噗呼呼地努力強忍著笑意。

跟著，阿彰想起什麼似的將左手腕翻了過來，看看手錶。這一帶，記得沒錯應該是坂持說過，五點開始會成爲「禁區」的D＝8附近。

排列著優雅斜體數字的女用錶面板上，指針正指著下午四點五十七分（時間配合坂持的廣播時間調整過，準確性沒有問題）。於是阿彰急忙將地圖拿出來，看著北側山地周邊。可是，地圖上只有顯示代表山路的點線，以縱橫實線所區隔出來的D＝8區域，不管是裡面也好，外面也罷，都沒有標示出眼前的休息站和公共廁所。

阿彰一瞬間緊張起來，下意識將手伸向脖子上那個金屬製項圈，心裡有股應該要立刻順著來時的路往回走的衝動……

望向仍持續傳出水聲的廁所，阿彰聳聳肩輕吐了一口氣。

桐山和雄，沒錯，正因爲是那個桐山和雄，不管自然的生理需求有多麼強烈，也不可能不事先確認自已所在的位置。當他自藏身的樹叢裡走出來前，之所以會那麼愼重地看著這個方向，恐怕就是在目測這個廁所是不是涵蓋在D＝8區的範圍裡。而自己目前所在的位置，距離桐山進去的廁所西方三十公尺左右。

桐山的位置比較接近禁區的邊緣，如果桐山在那裡的話，也就是說，自己也是在安全的範圍裡面。沒錯，如果此時因為莫名其妙的恐懼感而離開桐山，好好的計畫就泡湯了。

阿彰把剛才收進口袋裡的維珍妮涼煙再次拿了出來，放進嘴裡叨著。接著，抬頭看著即將黃昏的天空。以這個季節來說，到日落為止應該還有兩個小時左右，變得幾分濃重的青空由西側開始混上橘色的光彩，浮在空中的兩、三朵小雲的一側，將那橘色光彩反映得更加鮮明。眞美啊！就和人家一樣。

淅瀝淅瀝的聲音，還在繼續著。阿彰又露出了微微的笑容。你還忍得眞久呢，桐山同學。

聲音還持續傳來。

啊啊，眞想抽根煙啊。也想沖個澡、修修手指甲、調上一杯自己喜愛的螺絲起子，將那杯子微微傾斜，一邊慢慢享受呑雲吐霧之樂……

聲音還在持續著。

眞是的，趕快把這件事解決掉嘛。桐山同學，不要光會尿尿，快點回去工作啦。

可是，聲音還在繼續。

阿彰到了此時才皺起有點下垂的濃眉，將香菸自嘴上取下，迅速將身體自地面撐起來。沿著樹叢稍微靠近廁所，定睛凝視著。

淅瀝淅瀝的聲音仍繼續著。而且門板就和桐山先前做的一樣，微微留了一條小縫。

時機配合的正好——或許可以這麼說吧。此時刮來一陣風，將門板嘰的一聲吹了開來。

阿彰的眼睛瞪了老大。

那間廁所裡面，一個政府配發的水壺用繩子吊在天花板上，在吹進來的風中搖搖晃晃。恐怕是用匕首之類的東西在上面開了一個洞，自水壺流下一道細小的水線，隨著水壺的晃動，淅瀝淅瀝，淅瀝淅瀝地發出水聲。

阿彰陷入恐慌狀態，看著四周。

接著他看見眼下非常遙遠的地方，一個學生服的背影正逐漸在林木之間遠去。那個與眾不同全向後梳的包頭髮型，由後面看起來也十分容易分辨。

咦？咦？桐山同學？這到底是……咦？咦？可是我……

當桐山的身影消失在樹叢另一端時，阿彰的耳裡聽見了咚的一聲悶響。那是一種聽起來很像是加裝滅音器、或是緊壓著枕頭擊發的手槍開槍的聲音。到底這是政府製作的計畫專用項圈內藏的炸彈結構所產生的聲響，或者是爆炸音在他自己體內發出迴響，就無從得知了。

隔了一百公尺左右的山下，桐山和雄連抬頭看向該處都沒有，只是稍微低頭瞄了一下手腕上的手錶。

時間是下午五點整，秒針剛要跳過七秒鐘的位置。

【殘存人數21人】

45

稍微翻動了身子後，典子張開眼睛。時間已經過了晚上七點鐘，目光迷迷糊糊地游移在完全昏暗的房間天花板上，之後，看向身旁的秋也。

秋也自緊靠在床旁的椅子上稍微起身，拿下放在典子額頭上的溼毛巾。將手輕放在她的額頭上，和前不久確認的結果一樣，燒已經幾乎退了。秋也在心裡呼的鬆了一口氣。太好了。眞是太好了！

「秋也同學。」聲音聽起來還有點恍惚，典子開口呼喚秋也。「現在，幾點了？」

「過七點了。妳睡了好一會呢。」

「這樣啊……」

典子說道。慢慢自床上坐起身來。秋也連忙伸手過去，扶著典子的身體。

「我……」

秋也點頭。

「燒好像已經退了。川田他說應該不是敗血症，那一定是重感冒吧，加上妳又累壞了。」

「這樣啊……」或許典子自己也覺得放心不少，慢慢點了點頭，接著重新望向秋也。

「對不起。讓你們麻煩了。」

「妳說這是什麼話？」秋也搖頭。「這又不是妳的錯。」

接著，問道：

「吃得下飯嗎？我們有飯可以吃哦。」

典子睜大眼睛看著秋也。

「飯？」

「是啊，妳等一下。川田他幫我們煮的。」

秋也步出房間。

走到廚房的門口，看見川田坐在牆邊的椅子上，背靠著牆壁。窗外射進一道最後的夕陽餘暉——實際上卻是青色，甚至可以說是接近藍色的光線粒子。而川田所在的位置，則已幾乎陷入一片幽暗之中。

看了看秋也，「典子小姐醒了嗎？」川田問道。

秋也點頭。

「燒退了嗎？」

「已經不要緊了。沒有再發燒。」

川田輕輕點頭，撐著片刻不離手的霰彈槍站起身來。打開瓦斯爐上鍋子的鍋蓋。秋也和川田，先前已經用煮好的飯和味噌湯果腹過了。味噌湯的材料，用的只是生長在這個家後面的不知名葉菜而已。

「飯冷掉了嗎？」

秋也問了之後，川田簡短答道：「等我五到十分鐘，一會兒端過去給你。」

「謝謝。」秋也說後，便回到診所。

再次坐到床邊，對典子輕輕點頭。

「妳等一下，川田會把飯端過來。是眞正的飯哦。」

典子點頭。接著問道：「這裡……有沒有洗手間？」

「啊啊，嗯，在這裡。」

秋也扶著典子下床，支撐著她的手臂，領著她到候診室旁邊的洗手間。典子的步伐還有些蹣跚，但是和先前痛苦不堪的感覺相較之下，已經好上許多了。

典子走回到床上時，秋也再次攙扶著她。典子在床沿坐下後，秋也像是以前小時候，慈惠館的安野老師對自己做過的一樣，將毛毯圍在典子的肩上。

「吃過飯後……」秋也一邊拉著毛毯的邊緣，一邊說道：「再睡一下比較好。我們十一點之前得要離開這裡。」

典子凝望著秋也。眼神中還是帶著一絲渙散。

「那就是說……」

秋也點頭。

「嗯。十一點過後，這裡就會變成禁區。」

這是下午六點鐘，坂持的廣播所告知的訊息。其他還有G＝1，晚上七點鐘、I＝3，晚上九點鐘過後會列入禁區。那是島的西南沿岸，還有南方山地的南側斜坡。由於實際上很難弄清楚禁區的界限到底是在何處，這麼一來島的西南岸一帶幾乎都沒辦法再靠近了。

典子低頭看了一下膝頭附近，接著將右手按在前髮下的額頭上面，說道：

「我，卻只知道睡大覺。」

秋也手伸向典子的肩頭。

「妳在說什麼啊？當然是睡個覺休息一下比較好。我還覺得妳睡得不夠呢。妳只要好好休息就可以了。」

可是，典子悠悠抬起眼來看著秋也，問道：「除了佳織，還有誰……死了？」

秋也抿緊嘴唇。點點頭。

「千草……還有月岡和新井田好像也死了。」

正是如此，根據坂持的廣播，自正午過後六個小時內就有以上四個人死亡，存活下來只剩下二十一人了。遊戲開始才不過十八個小時，城岩中學三年B班的同學們就只剩下一半。

還有一件事，坂持用得意的語氣說了：「嗯，月岡同學，不小心陷入了禁區的範圍。大家要多加注意哦——！」

坂持沒有說明月岡彰死亡的地點在什麼地方，至少秋也在午後這段時間裡，並不記得特別聽見過什麼大的爆炸聲響。不過坂持也沒有必要故意說謊騙人。魁梧的體形加上粗獷的容貌，個性卻有點娘娘腔的那個桐山家族的「小月」，因為某種原因不小心誤觸禁區，腦袋被炸彈給炸飛了。這麼一來，桐山家族除了首領桐山還存活著外，其他人全部都退場了。

秋也本來想將這件事情告訴典子，但是看見典子沉痛的表情，還是作罷。想必關於腦袋和胴體分家的男生的話題，對一個還沒完全康復的半個病人，不會有什麼太好的影響吧？

「是嗎？」

典子靜靜地說道。接著又說：「這個，謝謝你。」她將毛毯下面一直穿在身上的秋也的上衣脫下。

「妳穿著就好了。」

「不用了，我已經不要緊了。」

秋也接過上衣，再次幫典子圍好肩上的毛毯。

過了一會兒，川田進來了。他像個侍者一樣左手撐著一個圓形的托盤，高舉到肩部，上面擺了一個碟子。碟子上不斷冒著熱氣。

將托盤放下的時候，說道：「嘿，讓您久等了。」

秋也輕輕笑了。

「看起來好像蕎麥麵店的老闆哦。」

「可惜這個不是蕎麥麵。不知道合不合小姐的味口就是了。」

川田連著托盤，將碟子放在典子身邊的床上。

典子看了看碟內，問道：「是稀飯嗎？」

「Yes, Madam.」川田回答。

是的，夫人。他的英語發音，還真是漂亮呀，秋也心想。

「謝謝你。」

典子說道。拿起放在碟子旁的湯匙，端著碟子，送了一口稀飯到嘴裡。

「眞好吃。」不禁高聲道：「裡面還放了蛋。」

秋也聽了之後，望向川田。

「這是本店的特製餐點。」

川田用上流格調的口吻說道。秋也問他：「這東西你哪兒弄來的？」政府老早就將住民趕出這座島，冰箱內的生鮮食品全都腐壞了。這座島上，不管到哪戶人家找，大概都是一樣的情形吧。

川田用眼角的餘光看著秋也的臉微笑著。

「有一戶人家有養雞。不過沒有人餵飼料，雞也變得無精打采就是了。」

秋也誇張地搖搖頭。

「剛才我們吃飯的時候，我記得好像沒有放蛋在裡面吧？」

川田將眉毛揚了揚。

「蛋只有一個。我只對女孩子特別好。沒辦法，誰叫我天生就是如此。」

秋也嗤之以鼻笑了。

川田又回到廚房拿了東西過來，這次手上端著茶。秋也、川田和正在用餐的典子三人一起喝了。微甘的茶香，飄揚著讓人懷念的氣味。

「可惡！」秋也恨道。「我們三個像這樣在一起，感覺起來還眞是和平。」

「等一下我再泡個咖啡。」川田笑著說道：「典子小姐是喝紅茶比較好吧？」

典子嘴裡還含著湯匙，臉上浮現笑容點點頭。

「我說，川田啊。」

秋也繼續說道。當然，自己等人身陷殺人遊戲之中這個事實沒有任何變化，不過典子好不容易才恢復健康，秋也可能因此話變得多了也說不定。

「哪天我們三個人再像這樣一起喝茶吧。坐在屋子外圍的走廊上，一起觀賞櫻花。」

這個願望可能永遠也沒有辦法實現吧。不過川田只是聳聳肩。

「這不像搖滾樂者會說的話哦，七原。簡直像個老頭似的。」

「也有人偶爾這麼說我啦。」

川田啞然失笑。秋也跟著笑，典子也笑了。

典子吃完後，說了句：「我吃飽了。」川田將碟子接過來。對著秋也用空著的另一隻手招了招，示意將茶杯交給他，秋也於是將茶杯遞給川田。

「川田同學。」

典子開口說道。

「我已經覺得好很多了。真的謝謝你。還有……對不起，造成你的困擾。」

「You are welcome, Madam.」川田笑了笑說道：「不過，看來那劑抗生素是多餘的了。」

「不會的。聽起來可能有點奇怪，不過打了那針之後，我才睡得比較安穩。」

川田又笑了。「嗯，其實也還不能完全排除敗血症的可能性。不管怎麼樣，妳再休息一會吧。不要太勉強自己。」

川田接著對秋也說：「我睡一下可以嗎？」

秋也點頭。

「你累了嗎？」

「不，倒也不是。不過能睡的時候想先睡一會兒。離開這裡之後，晚上我就不睡幫你們警戒。這樣可以嗎？」

「沒問題。我明白了。」

川田輕輕點頭，拿著托盤就要往房間外走。

「川田同學，你可以睡在這裡呀。」

典子開口說話，朝旁邊的空床示意。

可是川田在門口回過頭來，堆出一個「不用了」的感覺的笑容。

「我可不想當電燈泡。我到這個房間的沙發上睡。」將頭傾了傾，接著補充道：「你們互相表達愛意的時候，請不要忘了隔壁還有客人在休息哦。」

昏暗的光線中，典子的臉頰泛起一絲紅暈。

川田就這麼走出去。半開的門板的另一端，過了一會傳來由廚房回到隔壁候診室的腳步聲。然後便是一片寂靜。

典子輕輕笑了，說道：「川田同學眞是個有趣的人。」

也許是吃過飯的關係，典子的表情顯得比較有生氣。

「是啊。」秋也也笑了。「以前從沒有和他聊過天，有點像三村說話的感覺。」

體格和容貌雖然完全不像，但總覺得那種既無賴又粗魯，不時還帶點戲謔的講話方式，眞的和那個「第三之男」三村信史很相似。看起來絕對稱不上是個模範生，但頭腦又聰明得叫人害怕，而且可以讓人依賴的部分也很雷同。

「嗯嗯。」典子點頭。「是啊，眞的很像呢。」

接著，典子突然冒出一句。

「三村同學，現在到底在哪裡呢？」

秋也嘆了一口氣。原本心裡一直在想，究竟有沒有什麼方法可以和三村取得連繫，不過看典子目前這個狀況，已經沒有多餘的心力顧及這點了。

「是啊。如果他也在的話……」

川田加上三村信史，已經可以說是無敵。如果，再加上杉村弘樹也在的話，那就更完美了。再也沒有什麼可怕。

「我還記得。」

典子說道，稍稍抬頭望向天花板。

「班際球賽——不是今年，而是去年的——決賽。三村同學一個人孤軍奮戰，D班那隊有四個人和三村同學一樣是籃球隊的隊員，分數落後三十分。就在那時，秋也同學打完壘球賽，趕回來加入戰局，最後大逆轉贏得冠軍。」

「嗯嗯。」典子也變得有些多話了呢，秋也一邊想著一邊點頭。不過，這個情形值得歡迎。「的確有這麼回事。」

「我有大聲幫你們加油哦。最後贏球的時候，我和幸枝她們一邊尖叫，一邊四處蹦蹦跳跳呢。」

「嗯。」

秋也也記得當時的情景。因爲平常文靜的典子，卻尖叫得最大聲。還有，雖然不像赤松義生那麼誇張，但是對體育幾乎不太關心的國信慶時，那時站在距離典子等人的不遠處。當秋也看向他的時候，慶時將右手的姆指、食指和尾指豎起左右搖晃著。雖然那只是一個小動作——對大聲尖叫歡呼的典子和其他女孩子們覺得不太好意思——但是對秋也來說，最讓他感到高興的祝賀，還是慶時的那個手勢。

慶時……

秋也恍惚中將目光放回典子身上，才發現低著頭的典子正在哭泣。

秋也手伸向典子圍在毛毯下的肩膀，問道：「怎麼啦？」

「嗯，」典子微微地啜泣。「我原本打算不哭的，一想到……一想到原本那麼好的一個班級，如今卻……」

秋也點頭。也許是燒還沒有完全退，也許是因爲藥物的關係，典子的情感起伏似乎變得比較激烈。秋也的手扶在典子肩上，直到她不再哭泣爲止。

後來，典子說了聲不好意思，擦擦眼睛。

接著又說道：

「秋也同學，有件事原本怕會讓你心裡在意，不打算說出來的。」

「什麼事情？」

「秋也同學，你知道你很受女孩子歡迎嗎？」

突然間話題一百八十度大轉變，秋也稍微露出了苦笑。「妳說這個要幹嘛啊？」

不過，典子表情認真地繼續說下去。

「小惠，還有雪子，應該是這樣的。」

秋也一臉納悶地歪歪頭。江藤惠和北野雪子。這兩個名字都已經在遊戲裡宣告離場了。

「那兩個人……」像這種場合，「那兩個人」的稱呼法是正確的嗎？「那兩個人，怎麼了嗎？」

典子抬頭看著秋也，靜靜地說：

「她們兩個人，都很喜歡秋也同學。」

秋也的表情一陣緊張。

隔了一會兒，才勉強發出聲音。「……真的？」

「嗯……」典子將視線自秋也身上移開，點了點頭。

「女孩子之間，這種事情，總是感覺得到的。所以，請你要記得她們。」

傾了傾頭，又補充了一句。「總覺得，以我現在的立場來說這件事，好像有點傲慢的感覺。」

秋也一點點想起了江藤惠和北野雪子的容顏。刻意將量減少，大概每個人各二分之一小匙左右吧。

「是嗎？」嘆了口氣，順便說道。「這種事情，等我們逃離這裡，妳再告訴我就好了。」

「對不起。你被嚇到了嗎？」

「嗯，有一點。」

「可是……」典子又傾了傾頭。「萬一我死了，那你不就永遠不知道了嗎？」

秋也迅速抬起頭，用右手緊緊抓住典子的左手腕。

「我求求妳。」秋也說道：「不許再做這樣的假設了。聽好，到最後一刻，我們兩個都會在一起。我們一起活下去。」

典子似乎被秋也強烈的反應驚嚇到，又說了一次對不起。

接著，秋也說道：「那個……」

「咦？」

「我知道……有個人喜歡典子哦。」

這次輪到典子稍微睜大眼睛。

「眞的嗎？也會有人喜歡我嗎？」

語帶天眞地說完後，典子的那個表情一閃即逝。秋也在那樣的典子的眼中，看到了一道就要消失似的、透過窗簾照射進來的光線，微微地，變成若有似無的四角形聚光燈浮現在上面。

典子問道：「……那個人，是我們班上的人嗎？」

秋也緩緩搖頭。同時想起她那討人喜愛的大眼睛。可惡！如果能夠和十年來的好朋友之間，因爲三角關係而煩惱，這是多麼和平的狀況呀。然而，這已經不會構成問題了。永遠、永遠，不會構成問題了，這位相公。

「不是。」

典子低頭看著自己裙子膝蓋一帶，好像鬆了一口氣似的，只回道：「這樣啊。」

然後又抬起頭來說道：

「是誰？我沒有加入社團，不太認識其他班的人。」

秋也搖搖頭。

「不能說。等我們逃離這裡之後，我再告訴妳。」

典子露出有些懷疑的表情，但沒有繼續追問下去。

經過一陣沉默之後，秋也抬頭看著天花板。雖然自天花板上吊著一盞燈罩上沾滿灰塵的螢光燈，一點都不像診所應該給人的清潔印象，不過已經壞掉無法使用。就算沒壞，也不可能會去點亮它就是了。

「原來如此。」秋也說道。「江藤……同學還有……」稱謂上加了個同學。男孩子眞會看情形調整說話的態度。「北野同學嗎？眞不知道……像我這樣的人，到底哪裡好？」

四周幾乎已經完全變得漆黑一片，但還是看得見典子微微笑了一下。

「我可以說我的意見嗎？」

「好啊。」

典子傾了傾頭。「秋也同學，全部都好。」

秋也笑著搖頭。

「妳這不等於沒說嗎？」

「一旦喜歡上了就是這樣。」典子說話的語氣變得莫名地認眞起來：「秋也同學，你對那個學姐的事情，也是這麼想的吧？」

秋也想起新谷和美，嘴唇緊閉了起來。想了想。雖然遲疑了一會，但還是決定說出老實話。

「嗯，沒錯。我也有這種感覺。」

「如果不是那樣的話，說喜歡對方都是騙人的。」

典子用帶點玩笑的口吻說道，接著嘻嘻嘻淺淺笑了。

「怎麼了？」

「眞叫人不甘心。就算是這個狀況，果然還是會聊到這種事情。」

秋也望向幾乎已經看不清表情的典子的臉，又在猶豫不知是否該說出口。最後也還是決定老實說了。

「不過，我知道那個喜歡典子的人的心情了。」

典子又抬頭起來看著秋也。

「典子，妳是一個非常好的女孩子。」

典子那線條明顯的眉毛似乎輕輕動了一下，嘴形呈現出一個看來有些寂寞的笑容。

「眞的？就算你說的是謊話，我也很開心。」

「我說的是眞的。」秋也說道。

典子稍微沉默了一會兒後說道：「可不可以麻煩你一下？」

秋也眼睛睁大，露出一個「什麼？」的表情，但不知道典子看不看得見這個表情。典子將上半身向前靠去，輕輕將兩手搭在坐在正面的秋也的手臂上，頭靠在秋也的肩膀上。典子及肩的短髮，輕輕碰觸到秋也的臉頰和耳朵。

直到窗外的微光終於變成月光爲止，好長一段時間，兩人就保持著這個姿勢。

【殘存人數21人】

46

趁著黃昏暮色尚未完全轉成黑暗之前，清水比呂乃（女子十號）自藏身的樹叢中向西方開始移動。她再也沒有辦法忍耐下去了。全身發熱，感覺就好像身處烈日下的沙漠一般。

水。

我要水。

被南佳織擊中的傷口，是在左腕上部。當她撕開被鮮血浸溼的水手服袖子檢視傷口，看樣子彈頭完全貫穿了比呂乃的手臂。不過，槍創的出口側雖然在表皮上裂出好大一個傷口，但有驚無險地錯開了主要血管。比呂乃用破損的水手服袖子代替繃帶包紮傷口後，隔了一會出血就止住了。可是，傷口處逐漸發出高熱，最後擴散到全身。一開始的惡寒，到最後終於轉變成讓頭腦混沌不清的高熱感。下午六點聽坂持的廣播時，比呂乃已經將手上所有的水都全部喝光了。打倒佳織後，爲了逃避七原秋也，奔跑了將近兩百公尺，藏身在一片樹叢中，當時爲了要清洗傷口，使用了相當大量的水（如今，對此感到十分後悔）。

自那時起，已經過了將近兩個小時。有段時間在水手服下的身體，不停大量冒汗。不過現在，也不再流出汗來了。可以說已經接近了脫水狀態。總而言之，比呂乃和中川典子不同，她可是眞正的敗血症。也許是傷口沒有經過消毒處理，症狀惡化的速度非常快。當然，她根本無從得知自己目前的狀況。

一心只想——喝水。

即使身體不適，在滿布綠意的山地上，比呂乃也盡可能謹愼移動。她的腦袋裡，對於南佳織的憎惡感不停地迴轉旋繞著。全身的發熱和喉嚨的乾渴，更加速了那迴旋的速度。

在這場遊戲裡，清水比呂乃不打算相信任何一人。當然，她和相馬光子一直以來都在一起，座號在女子部分也只比光子排在前一號。因此，出發的時候，只要設法避開夾在中間的杉村弘樹，應該有辦法和光子會合。但她卻沒有這麼做。光子究竟是多麼可怕的一個女孩，她非常清楚。是啊，比方說，有一次和其他學校的不良少女起衝突，過了不久，對方帶頭的女孩子（小小年紀就已經是黑道分子的情婦），就被汽車碾過受了重傷。聽說傷勢嚴重到差一點連小命都丟掉。雖然光子嘴上什麼都沒說，但是自己心裡明白這當然是她指使認識的男人幹出來的好事。只要是爲了光子，什麼事都做得出來的男人，要多少有多少……

假設決定和光子會合，大概她在充分利用完自己之後，最後一刻還是會毫不留情在後面放冷槍打我吧。和自己在同一個集團裡，個性有些漫不經心的矢作好美或許會相信光子也說不定（話說回來，她已經死了。不知怎麼，比呂乃直覺她是被光子做掉的）。不過，比呂乃對與光子合作這件事，絕對是敬謝不敏的。

也很難想像班上有其他同學值得信賴。尤其是平常一臉乖寶寶模樣的人，在這種情形下更是會若無其事地將別人踩在腳底下前進。雖然來到世上才不過十五年的時間，比呂乃對這種事情卻十分清楚。

那麼，要她去殺害班上的同學，還是讓她感到猶豫不決。即使幹過賣春，試過毒品，一天到晚和鬧翻臉的雙親吵架，但是在她心中，殺人這件事還是一項禁忌。當然，在這場遊戲裡，這就是規則，殺人完全不會構成任何犯罪行爲——我確實做過許多壞事，但那都是在不會造成大部分人困擾範圍內的小事。就算是賣春這檔子事，比起那些平時裝做一副千金小姐的形象，其實卻利用電話交友毫不在乎一再重複「交際活動」的傢伙（就她所知，天堂眞弓就是這種人），自己透過相馬光子的關係加入職業組織，倒不如說要高尚多了。即便是我想嘗試毒品，也是我個人的自由吧？百貨公司的化妝品賣場就算被順手牽羊，也不會有多大的損失吧？他們不都是大資本經營嗎？是啊，我也會動手欺負別人，不過，被欺負的人也有令人厭惡之處呀。或是和其他學校的學生打架這種事，那更是彼此開打之前，就早已有了掛彩的心裡準備吧？大家又不是外行人。總而言之，我……不是一個可以若無其事去殺人的女孩。這點是肯定的。

只是……只是……

正當防衛就另當別論了。如果有人企圖要殺害自己，那可就不能怪我了。如果這麼一路下來，自己最後能夠存活，那不就可以回家開香檳慶祝了嗎？或者說時限一到，自己也得跟著命喪黃泉——基本上她對這點的可能性感到十分存疑——總之，這也是沒有辦法的事情啦。

於是，她一直躲藏在那個後來和南佳織發生槍戰的農家裡面。

先確認過房子裡沒有其他人在後，決定在這個地方落腳，不時還窺探窗外有無動靜。讓她大吃一驚的是：在自己所處的主屋對面的倉庫裡面，看見了某人的身影一閃而過。頓時因爲恐怖和緊張感，胸口撲撲跳個不停。

猶豫不決了幾分鐘後，她決定走出這戶人家（反正她最擅長離家出走了）。因爲她無法忍受有人就在距離她這麼近的地方。房子沒有後門，於是她就由面對倉庫，最靠旁邊的窗戶輕輕跨了出去……

說時遲那時快，佳織正好在倉庫的入口處伸出頭來觀察外面。並且還突然對著自己開槍攻擊，明明自己什麼都沒有做呀。佳織射出來的子彈擊中了比呂乃的手臂，比呂乃因此幾乎整個人摔落到窗外。好不容易重整姿勢，才第一次舉起政府配發的槍隻反擊回去。然後就在那戶人家的一側，整個人緊貼在牆上想動也動彈不得的時候，七原秋也出現了。

那個故作天眞的女生……平常老愛裝模作樣瘋什麼偶像團體的，居然二話不說就想要殺我？總之，她已經被我解決掉了（這可是正當防衛。陪審團表決十二比零絕對沒問題），如果其他人也像她那樣的話，或許我也應該用不著手下留情了吧？

比呂乃想到了七原秋也。至少七原秋也沒有拿槍瞄準自己（所以自己才有充裕的時間射殺佳織）。而且他說中川典子也和他在一起。

七原秋也和中川典子？那兩個人在交往嗎？看起來不像呀。難不成兩個人湊在一起，想要逃離這裡嗎？

比呂乃下意識地搖搖頭。

開什麼玩笑，在這種情況下和某人一起行動，我才不幹這麼危險的事情咧。如果和其他人團體行動，到時候被人從背後開槍，也只能怪自己笨不是嗎？再說，要想逃走根本就是不可能的事情。

剛才並沒有看見中川典子。就算七原秋所言不假，不久的將來他也會殺了中川典子吧。或者說，是中川典子會殺了七原秋也，這也很難說。不管哪個人存活下來，到時候我說不定就得和那個人交手。不過現在顧不了那麼多，總而言之……

水呢？

不知不覺移動了好一段距離。西方天邊的夕陽殘暉已經看不見了。天空是一片漆黑的幽暗，和昨天遊戲剛開始時的黎明一樣，其中只有滿月釋放著詭異的光亮，將比呂乃所身處的這座島映照得一片蒼白。

緊握著用來打倒南佳織的左輪手槍——史密斯威森M１０，比呂乃在樹叢間跑著，發出沙沙沙的聲音。壓低頭部，屏住氣息，自樹叢陰暗處悄悄探出頭來。狹窄的田地對面，有一家獨棟建築的房舍。比呂乃所在的位置是北邊靠山側，房舍的另一邊則緊鄰著矮丘。看向左手邊，有幾塊田地，再遠一點，可以看見還有兩間同樣形式的房舍。再過去，就是南方山地上坡的起點。從地圖上來看，那座山的前面，有一條將島東西橫切的比較寬的道路，向著兩邊蜿蜒才對。而以山的位置來判斷，看來比呂乃所在的地方，已經到了島的西岸一帶。正如開始移動前所確認的，目前所在的地方附近，暫時不需要擔心禁區的問題。

比呂乃忍著喉嚨的乾渴，觀察了眼前的住家一會兒。周遭只以一片寂靜回答她。

保持著低姿勢，穿過田地。住家所處的地基，要比田地高出一些。比呂乃在田地的邊緣止步，先回過頭來環顧身後的狀況，再觀察一次住家的情形。那是一棟沒有任何特殊之處的老舊平房式農家。只不過，和比呂乃先前藏匿的住家不同，屋頂是用瓦片堆成的。比呂乃身處的田地左手邊是一條連接到住家的小路，住家門口戶停了一輛輕型卡車。另外還有機車和腳踏車各一輛。

比呂乃最初藏身的住家，自來水已經無法使用。這裡大概也是同樣的情形吧。比呂乃的視線向左右飛掃。

那是——自右手邊的小路朝住家的最裡頭看——一座水井。上頭還很貼心地架好了一個用來支撐汲水吊桶的轆轤。周邊種植了幾棵長滿葉子、看起來像是橘子樹之類的細樹。比較低的位置幾乎都沒長枝幹，並沒有看見有誰躲藏在那裡的跡象。

左手已經無法使用，因此比呂乃將手槍暫時插在裙子前面，伸出右手在月光下探索田地的土壤。找到了一個大小剛好的石頭。

向上扔去，石子在空中畫出一道拋物線，砸在屋頂上，碰的發出好大一聲巨響。喀啦喀啦，由成列的瓦片上滾下，從邊緣處掉向地面，發出鏗的一聲沉重的聲響。

比呂乃握著槍，等了一會兒。看看手錶的指針。又等了一會兒。

經過了五分鐘。不管是住家的窗戶也好，玄關也罷，完全沒有人露臉。比呂乃快速踏上住家的地基，向水井跑去。既口渴又發燒，讓她頭昏眼花。

水井是由一個高約八十公分的水泥圓筒圍起。比呂乃用握著手槍的右手，攀在水井邊緣上。距離地面六、七公尺左右的深處，可以看見月光在那裡浮現出的一個小小的圓。在那圓裡，自己的身影就彷彿剪紙畫一般映在其中。

有水。啊啊，這不是一座枯井呀。

比呂乃再次將左輪手槍插在裙子前面，右手將背包自疼痛不已的左肩上卸下。啪嗒一聲，背包落在地上。橫木支柱上的轆轤一端，有條繩索由此落至井裡，比呂乃握住那滿是痕跡的繩索。

拉動繩索，一個小吊桶啪嚓一聲露出水面。比呂乃拚命拉著繩索。汲水轆轤上附了一個深具懷古氣氛的滑輪，看起來是可以用兩個吊桶交互取水的設計。由於左手麻痺幾乎無法動彈，每拉上一小段，就用膝蓋將繩索壓在水井的水泥邊緣，如此才好不容易一點點向上拉起吊桶。

吊桶終於來到水井邊緣。最後再用膝蓋保持住繩索一次，抓住吊桶的把手，將其放在水井的邊緣。是水。波光閃耀，滿滿的一桶水。到了這個節骨眼，也管不了喝了會不會壞肚子。總而言之，我的身體需要水。

可是，比呂乃發現一個東西，不禁小聲發出悲鳴。

有一隻指頭大小的青蛙，在吊桶裡頭游著。在月色的照耀下，那不懷好意的小黑眼睛和背部（如果是在太陽光下，那一定是令人厭惡的螢光綠色。要不然就是骯髒的土黃色），映射出溼黏的光芒。這是比呂乃最討厭的生物，牠那特有的皮膚感覺透過視覺傳達過來，讓比呂乃的背脊襲上一陣涼意。

不過，比呂乃硬是將那股厭惡感壓抑下來。自己已經沒有再一次將吊桶拉上來的力氣。喉嚨的乾渴，也到了難以忍受的程度。總之先將這隻青蛙趕走再說，接下來……

突然，爬上吊桶邊緣的青蛙朝比呂乃的方向跳了過來。比呂乃低鳴一聲，整個人彈了起來。不管是不是身處生死關頭，討厭的東西畢竟還是討厭。多虧了這個舉動，青蛙是避開了，可是右手放開吊桶的那一刻，吊桶便瞬間墜入井中。匡啷、啪嚓發出聲響之後，一切都完了。

比呂乃發出慘叫，眼睛追著青蛙跳走的方向。我宰了你，我要宰了你，我一定要宰了你！

然而，比呂乃的視線旋即被別的事物所吸引住。

不過四、五公尺前方，有一個身著學生服的黑影，站立在面前一動也不動。

比呂乃先前一直是背對著住家的方向，而那身影的後面，有一道像是廚房後門的門板半開著。

那黑影站立不動的樣子，無意識地勾起比呂乃腦中孩童時期的回憶——當鬼回過頭來的時候，動的人就輸囉——不過這已經無關緊要了。問題是，那個身材過瘦、個頭又小，加上看到就會讓人聯想起青蛙的醜陋臉孔的男生——織田敏憲（男子四號），兩手正握著看起來像是細絲帶的東西。下一瞬間，比呂乃明白了那原來是一條皮帶。

看吧，織田敏憲是居住在鎮內高級住宅區的公司小開，平常看起來只是個極爲平凡的人。記得他很會拉小提琴（好像還在縣裡舉辦的比賽得過獎），是一個自以爲很有氣質的溫順男生。那傢伙他……

想要殺了我！

就像是錄影帶的暫停被解除了一般，敏憲突然展開行動，將右手握著的皮帶向上揮動攻擊過來。稍大的皮帶扣環一瞬間在月光下反射出一道閃光。如果被那玩意兒打中，恐怕得皮開肉綻。距離僅僅才四公尺……

已經足夠了。

比呂乃的右手滑向身體前方，握住左輪手槍。已經十分熟悉的握把觸感傳到手上。

敏憲已經進逼到眼前。開槍。連續開了三槍。

所有的子彈都命中了敏憲的腹部，身上的學生服破了幾個明顯的洞。

敏憲整個人迴轉了半圈，趴倒在地上，揚起了些許塵土，之後便一動也不動。

比呂乃將左輪手槍再次插回裙子前面。灼熱的槍身碰觸到腹部，有些疼痛，但她卻一點也不在意。總而言之，現在，最重要的是水。

拾起自己的背包，進入屋內。先前讓自己背對著屋子的方向，的確是太過粗心大意。不過，已經可以確定絕對沒有其他人躲在裡面了。再說，裡頭應該有敏憲攜帶的水。

正當猶豫著是不是要將政府配發的手電筒拿出來使用時，很快就在門板後側找到了敏憲的背包。比呂乃蹲下身來，只用右手好不容易才將拉鏈拉開來。

找到水壺了。其中一個還沒有開封，另一個則還有一半左右。謝天謝地。

比呂乃保持著跪地的姿勢，打開還有一半水的水壺蓋，傾斜水壺緊壓在唇上，一股腦兒往喉嚨裡灌。

這下子不就和想要殺害自己、而且還已經死掉的男生間接接吻嗎？管不了那麼多了，這種事情就像是在遙遠的彼方，赤道之下，雪竟然積在飄揚的旗幟上一樣極端。或著說像是在月球上。這裡是阿姆斯壯。我的一小步，是人類的一大步。

咕嘟咕嘟將水喝進肚裡。眞是美味，沒得挑剔的美味，從來沒有喝過如此好喝的水。雖然明明是溫水，但是滑進喉嚨、到了胃裡之後，卻感覺像是冰水一般，美味無比。

一口氣將水壺裡的水喝乾後，呼了一口氣。

突然間，喉嚨被一個不知道什麼東西纏繞住，就纏在那個班上每個人都被平等強制裝上的項圈上面。咳咳咳，不停咳嗽，殘留在口中的水自唇中如霧般噴出。

比呂乃一邊用還能使用的右手，胡亂抓著那深陷入自己喉嚨裡的東西，試圖要掙脫它，一邊將脖子向右後方轉去。緊貼著自己臉的右側，有一張面目猙獰的男生臉孔——織田敏憲，不久前才剛死去的那個男生的臉！

脖子被勒得非常緊。光是要理解纏在自己脖子上的東西，就是剛才敏憲手裡拿的那條皮帶，也得花上數秒鐘的時間。

怎麼會？怎麼會？怎麼會……這個男生怎麼會還活著？

原本應該是看著屋裡的幽暗而一片黑的視線，開始染上了紅色。試圖要掙脫皮帶而亂抓的比呂乃的右手，指甲一片片剝落下來。鮮血流到手指上。

對了，還有手槍……

比呂乃想起來了，伸手去拿插在裙子前的手槍。

那隻手臂，被穿著高級皮鞋的腳給踢斷了。喀嚓一聲，比呂乃的右手接著左手之後，也失去了感覺。一瞬間，皮帶鬆弛了一下。

不過很快又回復原先的緊迫感。但比呂乃卻已無法再次握住皮帶，只能不斷揮動著扭曲成詭異形狀的右手。

經過了十數秒左右，比呂乃的手臂無力垂下，整個人失去了力量。比呂乃雖然無法和千草貴子或相馬光子競艷，但也算是個長相不差的美少女，而且還有一種與其說是國中生，倒不如說像是高中生或是大學生的成熟魅力。如今她的臉孔卻因爲瘀血而腫脹，舌頭也膨脹成將近平常的一倍大，無力地由口中向外垂著。

即使如此，織田敏憲卻更加執拗，繼續勒緊比呂乃的脖子（當然，也沒忘了不時觀察身邊的情形）。大約經過了五分鐘，敏憲才終於將皮帶自比呂乃的脖子上鬆開。已經不再呼吸的比呂乃，身體向前方一癱，倒在門檻上，咚的發出一聲沉悶的聲響。或許比呂乃的臉部有哪個地方骨折了也說不定。向上梳理的龐克風髮型，如今則朝向四面八方亂射，和幽暗的環境溶爲一體。只有自水手服領巾處可以窺見的後頸，還有衣袖破損的左手臂，呈現鮮明的白色，看來十分顯眼。

織田敏憲呆站在原地不動好一會兒，吁吁地激烈喘息著。腹部還在疼痛，但沒什麼大不了的。原本打開背包的時候，還搞不清楚這硬梆梆的奇怪灰色背心是做什麼用的，不過，性能倒是如同隨背心附上的使用說明書所寫的一樣。

防彈背心這玩意兒，還眞是了不起！

47

四周的天色已經完全變暗，但多虧大概是十五的滿月所賜，在這個北方山地的山麓、地勢形成一個小高丘的地方，可以瞭望至遙遠的海上。陷沒在一片黑暗的海上雖然有瀨戶內的諸島浮現其中，但或許因爲政府的航行限制，近處完全看不見船隻所發出的光亮。可能連「監視船」也將燈火熄滅，下錨停泊，現在看不見到底位在何方。

這是個曾經看見過的風景，只不過先前是在更低的位置觀看。是的，就是在剛踏出分校的時候。現在這種狀況，也稱不上叫人懷念就是。

「好，走這裡。」

信史說道，把手槍插進皮帶，率先攀上岩石後，回頭幫阿豐也爬上來。一方面是爬山的關係，一方面是在黑暗中不知道有誰會突然襲擊過來的緊張感所致，阿豐的呼吸顯得急促，好不容易才抓住信史的手，

【殘存人數20人】

爬上那塊岩石。

接著，兩人伏在地上，低頭俯瞰岩石另一端下方的狀況。

眼底下是一整片陰鬱的樹林，而樹林的彼端，看得見微弱的亮光。那就是坂持所在的分校。光線之所以幾乎都沒有流瀉在外，是因爲窗戶上都裝設了鐵板。距離大約是一百公尺多一些。分校所在的G＝7區已經被列入「禁區」，只要踏進一步，就會當場死亡，兩人當然有保留一些安全距離。趁著天還沒有完全變黑的時候，信史已經用地圖和指南針，以交叉定位法幾乎將那塊區域的範圍精確的切割出來。分校的位置是在G＝7區裡，靠近信史等人目前所處的F＝7區的交界線附近。在地圖上，和交界線的最短距離約八十公尺。而且六點的廣播中所追加的禁止區域，也沒有把將分校夾在中間的F＝7和H＝7區列入，一切都相當順利。

話說回來，六點的廣播裡，坂持說月岡彰碰觸到了禁區。雖說他是個討人厭的人妖（「三村同學，下次要不要和我約會呢？」），現在也不是插手管別人閒事的時候，不過想到月岡彰大概是因爲炸彈緊貼著脖子爆炸，身首分家而亡，還是有點不忍心。到底他是在哪裡碰觸到禁區的呢？

還有，千草貴子的死，也讓信史心裡感到有些遺憾。除了她是班上最漂亮的女孩子之外（哎，這是我個人的喜好啦），更重要的是，她應該是杉村弘樹的青梅竹馬才對。B班大多數的人都對他們有所誤會，實際上弘樹和貴子兩人並沒有在交往（這是弘樹親口對自己說的），即便如此，這件事一定讓弘樹感到相當震驚。

杉村，你到底在哪裡呢？

不過，信史旋即決定要專心在目前所做的工作上。仔細觀察眼底下的分校，還有將其圍在當中的周邊地形。必須由這裡拉一條越過那所分校、直達另一塊區域的繩索才行。觀察實際的情形，兩地果然間隔了一段相當的距離。

遠遠看著裝有鐵板的窗戶流瀉出來的微弱光線，信史心裡暗罵了一聲混蛋。坂持等人就在那裡。現在是晚餐時間，搞不好他們正悠哉地吃著炒烏龍麵（爲什麼是炒烏龍麵呢？因爲叔叔在一個人租住的狹小房子裡，請信史吃過好幾次，這也成了信史愛吃的料理之一。而現在，他正想吃得不得了呢）也說不定，一群混蛋！

所有需要的材料都已經到手了。

雖然地圖上沒有標示（經過確認之後，看來那裡被視爲一般民家，用藍色的點來表示），不過信史兩人在分校的稍南方，東西橫貫這座島的道路附近找到一間「農會」。這棟牆壁和屋頂都是使用板材的建築物入口處，寫了「高松北部農會沖木島辦事處」這幾個大字（信史於是得知這裡是位於高松市近海的沖木島，阿豐聽後哦了一聲，顯得十分佩服），和一般印象中的農會不同，不光是沒有像樣的辦公室，更別提當然是連一台自動提款機都沒有了。不過，在這座和倉庫沒兩樣的建築物裡，到處放著拖拉機、收割機或是脫穀機之類農用機具，再來就是角落隔出一間放置辦公桌之類物品的房間。總歸一句，一下子就找到了硝酸銨肥料。更叫人稱羨的是，保存狀態和新品一樣，完全沒有受潮。再加上，不需要到車上收集，現場就有一桶裝滿汽油的燃料容器。

滑輪也在農會稍向東走、信史在遊戲一開始時弄到麥金塔Power Book的住家隔壁的水井上找到了。

和硝酸銨並列為兩個最大問題的另一個是繩索。要拉出一條橫切過眼前這塊G＝7區的繩索，最少也需要三百公尺以上的長度。而且為了要在作戰實行前不讓坂持等人察覺，一定得讓繩索拉起的角度盡可能地和緩，說真的，還需要更長的繩索才對。說到這麼長的繩索，實在不是很容易找到。農會辦事處裡雖然有繩索，但加起來最多不過二百公尺，加上那似乎是搭建溫室之類時使用的東西，直徑不到三公釐，看起來強度上就有些問題。

不過，幸好！從已經和村落一起被列入禁區的港口，沿著海岸向南邊走上一段距離的地方，找到了一個看起來像是私人的漁具倉庫，裡面就放著稍微受潮而有風化現象的漁業用繩索。繩索一旦累積了三百公尺以上的長度，重量就變得十分驚人。信史和阿豐兩人好不容易才合力將繩索搬運到農會裡藏起來。

然後將所有的材料都留在該處，來到了這個地方。

信史凝神注視著黑暗。自己目前所在的北方山麓地帶，是在分校的這一邊——也就是北邊——和右手方向，也就是西邊，連在一塊形成包圍住分校的地形。分校的左手方向，靠東側是一片樹林，一路延伸到村落的北邊，直到海岸線為止。接著，分校的另一邊則是田地。四處散見東一簇西一簇的樹木，其中有幾戶住宅。再過去，還可以勉強分辨出信史兩人藏匿整套工具的農會建築物。緊臨著農會的左手方向，漸漸有民宅雜亂無章地比鄰而建，一直跨越禁區的界線延續到村落去。

阿豐拍了拍信史的肩膀，信史於是將臉轉向位在右側的阿豐。阿豐自口袋裡拿出學生手冊，在空白的筆記欄上動筆寫了起來。

沒錯，開始活動前，已經用筆談再次彼此確認過，一概避免不必要的開口說話。畢竟，如果讓坂持知道信史又在計畫什麼「不好的事情」的話，這次可不會手下留情，勢必會遙控引爆信史兩人脖子上的項圈。

坂持當時爲什麼不立刻引爆信史和阿豐的項圈呢？信史也思考過了。大概這場遊戲的特質就是以「盡可能讓學生們彼此作戰」爲目的吧。關於這點，信史又想到另一件事。傳聞中，政府的高官會在這場遊戲裡「下注」。如果眞是這樣的話，阿豐的狀況我是不清楚，不過我這個城岩中學籃球隊的天才後衛「第三之男」三村信史，在勝率評比上想必是有不錯的成績才對。正因爲如此，坂持才不能夠輕易地殺了自己——信史的推測就是這樣。這麼說來，出發前就被殺害的國信慶時和藤吉文世，在這場賭局當中大約算無關痛癢的那種人。說得更明白點，應該不會有下注在他們身上的傢伙吧？

不過，就算是這樣，只要坂持（可惡！那個Sakamocho-kinnpati）還全權負責這場遊戲的進行，不管什麼時候改變心意也不奇怪。只能祈禱設法讓炸彈撞上那所分校之前，別發生那樣的事情罷了。這種情形，信史當然不喜歡。自己的生殺大權掌握在別人手上，對深受叔叔薰陶、凡事都自理自律的信史來說，非常不爽。

不過，如今信史俯視著分校的亮光，一邊搖頭。光是嘴裡抱怨也於事無補的。

「不要在意已經無法挽回的事情。只要盡自己所能去做就好了，信史。」又聽見了叔叔的聲音。「就算可能性不到百分之一也沒有關係。」

看樣子阿豐把要說的話寫完了，又碰了碰信史的肩膀，信史拉回目光，看著阿豐寫的內容。周遭漆黑得看不清，因此將手冊舉起來借助月光閱讀。

「要怎麼樣才能拉起繩索？」上頭這麼寫著。

「從這裡要把那些繩索丟到對面去是不可能的啦。而且我們不是把繩索放著沒拿過來嗎？你打算怎麼做？」

對了，關於這方面還沒有對他說明呢。先前急著收集「纜車」的材料，不是說話的時機。信史輕輕點頭，自己也拿出鉛筆，在那本學生手冊的筆記欄寫了起來。

「我帶了細線過來。先把這個拉起來，然後到對面和繩索綁在一起。等到執行計畫的前一刻，再過來這裡，拉動細線把繩索拉過來。」

遞給阿豐。阿豐凝視了之後，看著信史的臉點頭表示同意。接下來又寫道：

「那就先將細線綁在石頭上扔過去吧。」

信史搖頭。阿豐驚訝地眼睛睜大，稍微思考了一會兒，又寫道：

「那是要做一把弓箭囉？然後把細線綁在上面射出去。」

信史又搖頭，將手冊取過來，用鉛筆振筆疾書。

「說不定這也是個好方法。不管怎麼說，就算是我，也沒有辦法把軟式壘球投到三百公尺那麼遠。再說，也絕對不能失準。萬一沒有正中目標，石頭或是弓箭打中了分校，那可就糟了。就算沒那麼湊巧，細線如果勾到某個地方，失敗的話，將細線拉回來再重做一次時，萬一線斷了，也已經沒有可以代替的材料。我們要用更確實的辦法才行。」

這次阿豐手裡沒有握鉛筆，只做了個「？」的表情給信史看。於是，信史又將手冊拿回來，繼續寫道：

「總之，先把線的一端綁在附近的樹上，我們再拿著線的另一頭下山。等到了對面那裡再把線拉緊就可以了。」

阿豐看了之後，馬上不安地蹙起眉頭，急忙寫道：

「不可能的。」上頭寫著，「半路上一定會被樹枝勾到啦。」

於是，信史露出了微笑。

是啊，阿豐他會認爲辦不到，也是可以理解的。畢竟，事到如今也不需要多做說明，信史和阿豐好不容易來到這裡的路徑，途中長滿了密密麻麻的大小樹木。就算避開分校所在的G＝7區，把線鋪在地上。拉緊了之後，線也會勾到樹木，最後只是在山裡畫出一個大彎道而已。好一個風格與眾不同的現代戶外藝術。雖然作品本身非常巨大，不過因爲離開五公尺之後就看不見了，所以沒有辦法一窺全貌。這一點就屬於自然與人類之間微妙的均衡關係了。再加上G＝7區裡也同樣長滿了樹木，一直延續到緊鄰分校附近都是如此。如果自己是一個身高一百公尺的巨人也就罷了（叔叔曾經讓信史在他那裡看以前特別拍攝的英雄片錄影帶，裡面就有這樣的人物。一邊爲了保衛地球和怪獸作戰，一邊把腳下的城鎭一個個踩扁的傢伙。最近比較少看這類的影片了），除非將所有的樹木都砍倒，否則要想將線順利拉到分校附近，無論如何也辦不到。這種事任誰來看都是當然如此，所以阿豐一開始的時候才會問，要如何才能將繩索丟到對面去（這不可能啦）。

不過，信史優雅地將兩手一攤（只是現在整個人匍匐在地上，效果差強人意），接著寫道：

「我們來升個廣告氣球吧，阿豐。」

阿豐看了之後，眉毛又皺起來，信史做了個手勢催促阿豐自岩石上下來，總之先下去再說。到了岩石底坐下之後，將手伸進背包裡，拿出一些東西，排列在地面上。

有看起來像殺蟲劑的加壓罐半打、一百公尺長一捲的風箏線數個（農會裡就只能找到這麼多了）、膠帶，還有家庭用的黑色垃圾袋。

信史拿起其中一個加壓罐給阿豐看。藍底罐身寫著「變聲氣體」這幾個字體誇張的紅色字句（緊接著是一行廣告詞：「派對的主角就是你！」哦哦，是這樣嗎？）下面還畫了一個——是啊，信史他是知道的——模仿美國「迪士尼」卡通人物的鴨子插畫。而在加壓罐的上頭，有一個像是直笛吹孔的突出物。

「說真的，」信史寫道：「我之所以會想出這次的作戰方案，就是因為我記得在找到Power Book的那戶人家裡，看過這東西。你知道這是什麼吧？」

沒錯，信史他在將滑輪弄到手之前，順便進去隔壁的住家，把這個加壓罐帶了回來。可是話說回來，住在那裡的人準備了這麼多這玩意兒，到底是用來做什麼呢？答案的端倪，或許在Power Book硬碟裡原有的檔案堆裡可以窺見一二也說不定。由檔案名稱來看，有「五年級自然科學」、有「下學期家庭連絡簿草稿」等等，在在說明筆記型電腦原來的主人是一名小學教師。恐怕就是在那所分校任教的也說不定。

阿豐將手按在脖子上，微微張開口。信史點頭。

「沒錯。就是可以讓你發出鴨子呱呱叫聲音的東西。總之，裡面裝的是氦氣瓦斯。而且這還是停止生產的不良品。裡面硬是裝了過多的氣體。」

阿豐似乎還是不明白的樣子，信史心想直接做給他看比較快，將垃圾袋包裝打開，拿出一個袋子。打開其中一邊，把加壓罐前端的吹出孔（其實應該是吸入孔才對）插進袋裡，用膠帶固定住。袋子處於完全密閉的狀態。接著，押下加壓罐的氣閥，袋子一口氣就膨脹起來。

一邊持續按著氣閥，信史一邊想著：如果用保險套來做的話就更好玩了。不過，就算充飽氣也嫌稍微有點太小了。咦？爲什麼會帶這東西？哎呀，原本這趟旅程可是畢業旅行呢。外出旅遊，不管發生什麼，也沒什麼好奇怪的是吧？咦？你問換洗衣物都扔掉了，還留著這東西做什麼？哎呀呀，當然還要留著囉，說不定，還會有派上用場的機會呢。這麼點小事，我們就別追究了吧。

氣體幾乎充滿整個袋子後，信史將緊貼著加壓罐吹出孔上方的部分扭轉一下，用膠帶綁起來。拿出一捲風箏線，用線的一端再綁在上面。再撕開下方的膠帶，自加壓罐上面移開。爲求愼重起見，還把袋子的邊緣摺疊起來，再用膠帶纏上一次。

信史將手放開。

垃圾袋輕飄飄地浮了起來。風箏線自線捲跟著垂直上升，彷彿就連線捲都幾乎要接著拉上去似的。不過，停住了。就在信史和阿豐眼睛的高度左右。

「嗯？」

信史這句是講出來的。阿豐看來已經在信史作業的過程中明白了，不停地輕輕點頭。

信史接下來在汽球下方再綁上另一捲線捲上拆下來的風箏線。爲求愼重起見，還用膠帶牢牢地固定住。然後，用兩手拿著汽球下的兩條風箏線，做出如同人在行走一般的動作。接著指了指一棵身邊的樹木。又讓風箏線動了起來，沒錯，這就是那巨人的兩條腿。要想踩扁城鎮還嫌太過貧弱了就是。而且，現在比起我的腿還要短上一點呢。

阿豐已經完全了解了，大大點了兩次頭。接下來只動了動嘴巴，沒發出聲音說道：「高招哦，信史。」也像是在說：「嘮叨哦，信史。」不管是哪個都沒差啦。

信史又將手冊拿在手裡，寫道：

「還要再做一、兩個汽球，捆在一起。不過，到底能吊起多少線還不知道。再加上還得考慮風的問題。可是如今也只有先做再說了。」

阿豐看了之後，點頭。

信史微微抬頭看著天空。袋子是黑色的，就算是背著月亮飄過去，也不會被坂持等人發現。現在這個時刻，風也不太強。只不過，到了上空是否也是如此就不知道了。

然後說道：

「來，動作快。」

信史做個手勢要阿豐拿著第一個汽球，再抽出了另一個垃圾袋。

【殘存人數20人】

48

過了晚上十點，川田似乎起床了。

一直陪伴典子身邊的秋也，在幾乎漆黑一片的房間裡，一邊伸手探著四周，走到隔壁的候診室。

「我去煮咖啡。」

川田看看秋也的臉說了之後，便快速地朝走廊走去。看來他的夜間視力很好。

回到床邊，典子正掀開毛毯打算坐起身來。

「妳可以再多休息一會兒呀。」

聽秋也這麼說，典子嗯嗯兩聲點了點頭，接下來，有點含糊地說了：

「那個……幫我告訴川田同學。如果他要燒開水的話，可不可以多燒一些給我，只要一個杯子的量就好了。」

透過窗簾照進屋內的微弱月光底下，典子坐在床沿，兩手放在腿旁。微低著頭，朝向側邊。

「好是好，妳要做什麼呢？」

秋也問道。典子遲疑了一下，但還是回答了。

「那個……我流了一身汗，想擦擦澡……會不會太奢侈了？」

秋也啊的一聲，急忙點頭說道：「ＯＫ，我去告訴他。」然後離開了房間。

川田在一片漆黑的廚房裡煮著熱水。鍋子底下的炭火和川田叼在嘴裡的香菸前端，看起來就像是一群珍奇的螢火蟲和一隻離眾獨處的螢火蟲兩相呼應，發出紅色的光亮。

「川田。」

秋也喊他，川田回頭看，香菸點上火的位置移動。殘像在秋也的眼中畫出一道粗線，旋即消失。

「典子問可不可以幫她多燒些開水。」接著說：「典子她說只要一個杯子的量就可以了……」

「哈哈。」

不讓秋也全部說完，川田打斷了他。將香菸自嘴裡拿開，在窗口照進來的微弱月光下，川田露出了微笑。

「好啊。不管是要一杯，還是整個洗臉盆的量都行。」

移動身體，拿碗舀在放在地上的水桶的水，加到鍋子裡。重複了五次。看來鍋子裡的熱水一直以微弱的炭火保溫，冒出了一些蒸氣，碰觸到秋也的肌膚。

川田接著說：「女孩子嘛。」

看樣子川田不像秋也那麼遲鈍，爲什麼典子會想要熱水，他心裡明白。瞧秋也一句話也沒搭腔，川田很難得自己接著說了下去。

「因爲有你在，她想讓自己乾淨點囉。」

川田吐出一口煙霧。

秋也沉默了一會兒，問道：「有什麼要我幫忙的嗎？」

「沒有。」

川田好像搖了搖頭。仔細凝神一看，桌子上已經放著三個杯子，還有裝好濾紙的濾杯。另外，應該是給典子的吧，連茶包也準備好了。

「你啊。」

川田開口對自己說話，秋也將眉毛揚了揚。

「怎麼啦？你的話變多了呢，真稀奇。」

川田笑了笑，繼續說道：

「國信的事情我大致上了解了，可是你也該珍惜典子同學的心意吧。」

秋也再次陷入一陣沉默。開口時不知怎麼的，語氣裡好像夾雜著一些莫名的不平情緒。「我自有分寸。」

「你，有正在交往的女朋友嗎？」

川田繼續問道。秋也聳聳肩。

「沒有。」

「那不就好了嗎？有什麼關係。」

川田的視線望向窗戶的方向，吐出一口煙。

「被愛也是一件不錯的事。」

秋也又聳了聳肩，問道：

「那你有沒有特別喜歡的女孩子？」

香菸的前端一下子變得紅起來。川田什麼話也沒回。煙霧緩緩在黑暗中流動。

「保持緘默嗎？」

「不是……」

川田正要開口說話。突然，他把嘴上的香菸拿下，丟進裝著水的水桶裡。「把頭低下，七原。」川田低聲說道，同時自己也將身子壓低。

秋也急忙照他說的做了。有人襲擊？身體緊張得僵硬起來。

「把典子同學帶來。不要發出聲音。」

川田又低聲說道。秋也不等川田開口，便已經開始往典子所在的診療室移動。典子還是呆坐在床沿上。秋也用身體作勢催促她伏下身來，典子馬上就明白，屏住氣息移下床來。秋也協助典子，攙扶著她的身子，移動到廚房。途中回頭朝玄關的方向看了看，玻璃門外並沒有看見人影。

川田已經將重新裝滿水及其他物品的三個背包整理起來放在一塊，手裡握著霰彈槍單膝跪在廚房後門旁邊。

「怎麼回事？」

秋也壓低聲音問道。川田舉起左手制止他，秋也便不再開口。

對。

「外頭有人在。」川田低聲說：「等他一進來，我們就從另一個方向出去。」

黑暗中，只看得見鍋子底下的炭火發出紅光。基本上，以流理台的位置來說，外頭應該看不見火光才對。

喀答喀答的微弱聲響，好不容易也傳到了秋也的耳中。是玄關的方向。門上了閂，應該是打不開。不過玻璃已經被打破了，外面的那個人，起碼會察覺到屋子裡面有人在吧。而且，很有可能還待在裡頭。

又傳來喀答喀答的聲響，但很快就回復平靜。看來對方放棄打開玄關的門了。「可惡。」川田低嗚道：「如果他放火，那就麻煩了。」

三人屏息以待，但沒有再傳來聲響。於是，川田用身體示意要大家自玄關出去。或許川田的耳裡又聽見了什麼細微的聲音也說不定。

三人半走半爬貼著地板移動。

走到一半，在尾端殿後的川田，伸手制止前面的秋也繼續前進。秋也回過頭來，在黑暗中越過自己的肩膀看著川田。

「他又繞到前面了。」手在後面揮了揮：「走後門出去。」

於是，又自走廊朝廚房回去。

進入廚房前，川田又停下動作。

「可惡，怎麼會這樣？」川田低聲喃道。

簡單地說，外頭那個人，似乎又繞到後方來了。

沉默的狀態持續著。川田手裡握著霰彈槍，秋也和川田兩人中間夾著典子，手中緊握著原本屬於南佳織的SIG SAUER手槍（史密斯威森點三八手槍交給川田保管。川田讓秋也手上盡可能拿著彈藥量多的武器，即使裝彈數只多一發也好）。

然而沉默很快就被打破了。廚房窗外傳來聲音：「我是杉村。」繼續說道：

「我不想戰鬥。回答我，你們三個人到底是誰？」

錯不了，正是那個杉村弘樹（男子十一號）——少數和三村信史同樣可以讓秋也信任的人——的聲音。

「怎麼會這樣？」秋也嘆道：「這未免也太……」

這是秋也不敢奢望的事，從來沒想過自己居然可以見到他。和典子兩人四目相覷，典子也顯露出安下心來的表情。

秋也立刻就要站起身來，但川田制止了他。

「又怎麼了？」

「噓。不要大聲說話。」

秋也看見川田一臉認眞的表情，誇張地聳聳肩笑了。

「不要緊啦。那傢伙我幫他保證。可以相信他。」

不過，川田搖搖頭說道：

「爲什麼那傢伙會知道我們這裡有三個人？」

聽川田這麼一說，秋也才發現的確如此。邊看著川田的臉，一邊思考。但實在想不透。

雖然想不透，但和弘樹如今就在附近這個事實相較之下，似乎也不是那麼重要。總之，希望能盡快與弘樹見面。

「他遠遠看見我們進到這間房子了吧？所以他才會不知道我們到底是誰。」

「如果是這樣，爲什麼到現在才過來？」

秋也又再思考了一會兒。

「一定是因爲他需要一點時間，才能下定決心過來確認屋子裡到底是誰。總之，杉村可以信任，別擔心。」

無視於還想說話的川田，秋也朝窗外高聲喊道：

「杉村，是我七原。川田章吾，還有中川典子也在一起。」

「七原……」對方鬆口氣似的回應。「讓我進去。我要從哪裡進去呢？」

搶在秋也回答之前，「我是川田。」川田高聲說道：「到玄關去。兩手抱在頭後面，不准動。明白了嗎？」

「川田……」

秋也的語氣帶著責難。不過弘樹立即回答：「我明白了。」窗上毛玻璃外頭，像是弘樹上半身的身影一閃而過。

川田率先站起身來，走到玄關。秋也攙扶著典子在後面跟上。

川田在玄關口低下頭，由玻璃的裂縫往外看，然後持著霰彈槍快速挑開門閂，將門打開。

杉村弘樹兩手抱在頭後面站著。比川田略高一些的英挺身材，看起來更加修長。與秋也同樣特徵十足的頭髮，剛好蓋住額頭的一半。腳邊放著背包，不知爲何一旁還有根長約一百五十公分的木棍。

「我來搜身。別動。」

是他本人。秋也左右搖搖頭，顯出一副不可置信的表情；弘樹看到秋也這個樣子，露出了微笑。

「川田，夠了……」

儘管秋也出言制止，川田沒有停下動作。他持著霰彈槍向前走去，繞到弘樹背後，第一個就先檢查抱在頭後的雙手。接著，像是在撫摸學生服一般，空出來的左手在他身上遊走。

摸到口袋，手停了下來。

「這是什麼?」

弘樹兩手抱在後面，說道：「你可以拿出來看。不過，請不要沒收那個東西好嗎?」

川田將那東西掏了出來。是一個外形大小像本厚重手冊的東西，材質感覺起來像是塑膠或是金屬。月色在其中一邊的平滑顯示面板上映出反光，連秋也也看得見。

川田操弄了那東西一會兒後，哦了一聲。手裡拿著那東西稍微移動身體，在月光下又看了一下顯示面板。點點頭，將它放回弘樹的口袋裡。接下來，繼續仔細檢查，連褲腳都沒有放過；順便也將背包檢查了一遍，最後終於說了句：「ＯＫ。」

「不好意思，你的手可以放下了。」

於是弘樹放開雙手，拾起腳邊的背包和木棍。看樣子他是把木棍拿來當武器使用。

「杉村。」秋也臉上綻開了笑容。「進來吧。我們有咖啡哦，要不要來一杯？」

弘樹有些不置可否地點點頭，和秋也等人一同走進玄關。川田確認外頭無異狀後，將門拉上。

弘樹進門後便停下腳步。川田背靠在弘樹身旁擺滿拖鞋的鞋櫃上，直盯著弘樹看。雷明頓霰彈槍的槍口雖然放下了，但秋也發現川田的手指還扣在扳機上，覺得有些不高興。不過，姑且不與他計較那麼多。

弘樹重新看了看秋也和典子的臉，然後又偷眼看了川田。於是，秋也明白：典子也就算了，自己居然和川田在一起，這讓弘樹感到不自在。

「七原。」川田把話挑開了說：「杉村他好像想對你們說，和我在一起眞的不要緊嗎？」

弘樹聽了之後，輕輕笑了笑。

「不……」面對川田的方向說道，「我只是覺得你們三個人的組合新奇了點。」臉上還殘著笑意，繼續說：「如果你有可能變成敵人，七原不會和你在一起。據我所知，七原幹過不少蠢事，但還不至於笨到這種程度。」

川田對這番話報以微笑。雖然手指依舊沒有自扳機上頭移開，但這下子弘樹和川田兩人彼此也算打過招呼了。

「太過分囉，杉村。」秋也也露出笑容。

「上來吧。」這回輪到典子開口了。「嗯……這是人家的家，所以也不好說是歡迎光臨『寒舍』了。」

弘樹聽見後笑了笑，可是依然站在玄關不動。

秋也左手扶著典子，右手朝屋內做了個手勢。

「上來吧。雖然再過一會兒就得離開這裡，不過我們還有一點時間。我們來幫你辦個歡迎派對吧。」

即使如此，弘樹還是站在原地不動。秋也想起自己忘了告訴弘樹那件重要的事。難怪弘樹聽見「派對」這兩個字的反應會如此啞口無言了。

「杉村，我們可以逃出這裡哪。川田他會救我們離開。」

弘樹的眼睛稍微張大了些。

「真的嗎？」

秋也點頭。

可是，過了一會兒，弘樹低下頭，又立刻把頭抬起來。

「不了……」他搖搖頭說道，「我還有一點事情。」

「有事情？」秋也皺起眉頭。「總之，你先上來再說……」

弘樹沒有回答，反過來問道：「你們三個人，一直都在一起嗎？」

秋也想了想，搖搖頭。

「不，我和典子是一直在一起。然後……」

於是，秋也回想起早上的種種。大木立道那裂開的腦袋好久沒有這麼鮮活出現在腦海裡，不禁再次背脊發涼。

「嗯，總之發生了許多事，然後就和川田會合了。」

「這樣啊。」弘樹點頭，接著說道：「請問，你們有看見琴彈嗎？」

「琴彈？」

秋也反問道。琴彈加代子？女子八號的那個？有在學習茶道，不過倒沒有因此變得嫻靜文雅，反而給人比較活潑頑皮感覺的女孩子？

「沒有，」秋也搖頭。「我沒看見她。」

秋也想起川田，面朝他的方向。而川田也對著弘樹搖搖頭，「我也沒看見。」

當然，琴彈加代子一定也同樣在這座島上。只要坂持的廣播還沒有唸到她的名字，那就應該還活在世上。只要，她沒有在六點以後，到現在為止這段時間內遇害的話。

於是，秋也又意識到自己打算要對眾多同學們見死不救，心情變得沉重起來。

「加代子怎麼了？」典子問道。

「不……」弘樹搖頭。「那就算了。謝謝。不好意思，我得走了。」

話一說完，弘樹朝向川田用眼神打個招呼，轉身就要離去。

「等等，杉村！」秋也叫住他。「你要去哪裡？我不是說和我們在一起就可以得救了嗎？」

弘樹回頭看著秋也，目光裡帶著點哀傷。然而即便如此，眼神中還是如同往常的弘樹一樣，閃爍著帶有諷刺卻又幽默的光芒。那是一種國信慶時也好、三村信史也罷，還有其他和秋也交情不錯的伙伴們——或者說連川田也是——所共同擁有的光芒也說不定。

弘樹開口說道：「我有一件事，非得和琴彈見上一面不可。所以，我得走了。」

有事？在這種動一次就多一次與死亡接近的狀況下，到底有什麼重要的事非做不可？

無論如何，秋也開口說道：

「等一等，就算你要走，手上也——沒有像樣的武器呀。這太危險了。再說，你要怎麼找她？」

弘樹輕咬著下唇。接著，自口袋裡拿出剛才那台像是行動式資訊終端機的東西，讓秋也看。「放在我的背包裡的『武器』就是這個。」弘樹說道。

「我們的川田大師應該已經知道了吧？這東西似乎可以……」弘樹用拿著雷達探測器的手指了指自己的脖子。不管是秋也、典子，還是川田，大家都同樣配戴著的銀色項圈發出了寒光。「顯示出有戴著這玩意兒的人的位置。只要與對方共處在極近的距離，螢幕上就會有所反應。不過還是無從得知對方是誰。」

此時秋也終於明白剛才那個疑問的解答是什麼。弘樹能準確說出屋內一共有三個人，而且也能配合秋也等人移動的目的地，早一步繞到前方，就是借助這台雷達探測器的功能。這就和那所分校裡管理我們位置的電腦一樣。即便如弘樹所說，系統或許無從得知目標物是誰，但能夠將脖子上箍著項圈的人的所在之處都摸得一清二楚。

弘樹將雷達探測器收進口袋。「再會了。」說完就要轉身離去，「對了。」又停下腳步說道：

「小心相馬光子。」他目光凝重地先望向秋也，再移到川田身上。「那傢伙來真的。其他人我不清楚，不過她，我很確定。」

川田問道：「你遇上相馬了？」

「沒有。」弘樹搖頭。「不是我，是貴子——千草貴子死前告訴我的。貴子被相馬殺害了。」

於是，秋也想起千草貴子已經死去了。六點在坂持的廣播裡聽見這個消息，原本還想到弘樹心裡一定不好受，結果剛才一見到弘樹本人，就高興得把這件事給忘得一乾二淨。

是啊，弘樹和千草貴子兩人之間的交情極好。有一段期間，秋也甚至還誤以爲這兩個人正在交往呢。不過，有一次不經意問到此事時，弘樹笑著答道：「我可不是配得上貴子的男子漢呢。我們是青梅竹馬，以前常在一起玩捉迷藏。吵架的時候，最後哭的人都是我。」的確，千草貴子在女孩子裡面算是運動神經拔群出類，個性也十分強悍；不過與身高超過一百八十公分、拳法取得段位的弘樹相較之下（記不清是什麼時候了。有一次到弘樹家玩，弘樹雖然嘴上說著不要，但還是表演給我們看：用手掌最接近手腕的部分——掌底——將一塊厚實的杉板啪的一掌擊破），這話聽起來實在很像是在說笑。

不過，千草貴子已經死去了。而且，根據弘樹剛才的講法，貴子臨終的時候，弘樹應該是陪伴在她身邊。

「你們兩個在一起嗎？」典子靜靜問道。

弘樹搖搖頭。

「只有最後那一刻而已。我……出發的時候，躲在那所分校前面，等著貴子出來。可是，赤松一回來，我的注意力被他吸引住，就這麼失去貴子的蹤影。然後……爲了要找貴子，又錯失了和七原，還有三村會合的機會。」

秋也的下巴上下輕輕移動，點了點頭。直到赤松義生回來爲止，弘樹一直都在分校的前面。大概是藏身在樹林裡的某處吧。當然，他那麼做毫無疑問，非常危險。由此可知，對弘樹而言，貴子是多麼的重要。

「後來……」弘樹繼續道：「我找到了貴子。只是，晚了一步。」

說到這裡，弘樹的視線落在地上，左右搖著頭。就算不全部說出來，也可以想見弘樹找到貴子的時候，貴子已經慘遭相馬光子的毒手，奄奄一息了。

秋也原本想要告訴弘樹，赤松義生後來殺了天堂眞弓，連自己也差點中了他的埋伏。哎，事到如今也沒有什麼意義。赤松義生已經死了。

「現在說這話不知恰不恰當……」典子說道：「不過，請你節哀順變。」

弘樹輕輕笑著點頭：「謝謝妳。」

「總之，」秋也說：「上來吧。先聊聊天再……」

出發也不遲。本來想這麼說，卻硬是呑回口中。只要弘樹還想在兩人都活在世上的時候見到琴彈加代子，不管什麼時候出發都嫌太晚。千草貴子還情有可原；不過弘樹爲什麼要找琴彈加代子呢？眞讓人不解。總之，就在我們站在這裡說話的當下，琴彈加代子可能正在和某人戰鬥，面臨死亡的危機也說不定。

弘樹察覺到秋也心裡的念頭，又輕輕笑了。

秋也抿了抿嘴唇。看了川田一眼，接著說道：

「如果你無論如何都要走的話……」看著弘樹的眼睛繼續說下去：「我們幾個人一起去找琴彈吧。」

不過弘樹很乾脆地搖搖頭，用下巴指了指典子。

「中川她不是受傷了嗎？太危險了。這個忙可不能請你們幫。」

「可是……」秋也似乎怎麼也按捺不住。「可是，好不容易有得救的機會，一旦在這裡分手，要想再會合就……」

正是如此。一旦分開了之後，再要會合就不是容易的事。

突然間，川田喚道：「杉村。」手上雖然還握著霰彈槍，不過手指已經不再扣在扳機上了。

弘樹把臉轉過去，川田用空著的手自口袋裡拿出一個小東西。靠近嘴，用牙齒咬著其中一端的金屬部分，接著扭轉主體。

唧——唧、唧、啾、啾，發出鳥的鳴叫聲。那是一陣鮮明嘹亮，而且輕快歡樂的鳥囀。聽來像是斑鶇，或是山雀之類的聲音。

川田將手自嘴上拿開，秋也才知道那原來是川田手裡拿著的東西——那就是所謂的鳥笛嗎？至於川田爲什麼會有那玩意兒就暫且不論了——所發出來的模擬音效。

「不管你有沒有找到琴彈。」川田說道。

「想和我們見面的時候，就生堆火，燃燒剛砍下來的樹枝。這樣就會產生煙霧。記得要生兩堆火。當然，生完火得立刻離開現場，畢竟那實在太顯眼了。還有，小心不要造成火災。我們看見了煙霧後，我會每隔十五分鐘整，連續吹響十五秒。你就跟著聲音，找到我們這裡來就可以了。」

拿出鳥笛讓弘樹觀看。

「這東西的聲響就是車票。只要你願意，隨時歡迎你搭乘我的列車。」

弘樹點頭。

「我知道了。我會這麼做的，謝謝你。」

「還有啊，」川田將折疊好的地圖自口袋裡拿出來攤開，連同鉛筆一起交給弘樹。「不好意思佔用點你的時間，幫我記一下千草死亡的地點。如果還有遇見過誰，也幫我記一下地點。」

弘樹挑了挑眉毛，接了過來；窗外月光照在鞋櫃上，他把地圖放上去，提起鉛筆。

「你的地圖也拿出來，我幫你把我所知道的陳屍地點寫上去。」

川田說後，弘樹停下筆把自己的地圖拿出來。兩人並肩，開始動筆寫。典子說了句：「我去端杯咖啡。」便離開了秋也的手臂。用手扶著牆，拖著右腳走進屋內。

「千草有沒有說相馬是不是拿著機槍？」川田一邊寫，一邊問道。

「沒有。」弘樹頭抬也不抬地回答：「沒聽她說過。不過，貴子背後好像中了好幾槍。不是只有一槍。」

「是嗎？」

兩人振筆疾書的同時，秋也在旁說明赤松義生、大木立道，還有元淵恭一的事情。弘樹一邊動著筆，一邊點頭。

川田寫完了，把地圖拿給弘樹看。

「南佳織在這裡被槍殺，七原看見清水自現場逃跑了。」川田說明道。

「也有可能是正當防衛，不過最好還是小心清水。」

弘樹點頭，把地圖交了出來，接著意外說出：「我也遇見過南佳織。」

「就在今天早上。她突然就對我開槍，大概是整個人陷入混亂了吧。」

川田點頭，和弘樹交換地圖。

典子拿著咖啡來到走廊。秋也稍微退回走廊，自典子軟弱無力的手上接過咖啡，遞給弘樹。弘樹聞味道，輕輕吹了聲口哨，接了過來。對典子說：「謝謝妳。」喝了一口。

幾乎在下一瞬間，弘樹便把咖啡放在門口。裡面還留了大半。

「後會有期。」

「等等。」

秋也自皮帶抽出SIG SAUER手槍。握把朝前，伸到弘樹面前。同時也自背包裡拿出預備彈匣。

「如果你一定要走的話，這個，你拿去吧。我們除了霰彈槍，另外還有一把手槍。」

原本是屬於元淵恭一、之後由秋也持用的史密斯威森點三八手槍，如今插在川田褲子前面。雖然說秋也將SIG SAUER手槍交給弘樹，會造成整體戰鬥力低下，不過川田並沒有表示異議。

不過，弘樹搖搖頭。

「這東西你們也很需要吧，七原。保護好中川。我可不能收下這個。就算你要給我，我也不要。」弘樹略傾著頭，看著秋也和典子的臉，輕輕笑了之後補充說道：「我以前就覺得很不可思議，怎麼你們兩個沒有在一起交往呢？」

說完後，分別朝秋也、典子，還有川田輕輕點頭，靜靜拉開玄關的門板。

「杉村同學。」典子喚道，語氣相當平靜。「你要小心。」

「知道了，謝謝。我也祝你們好運。」

「杉村，」秋也好不容易才從不由自主變得僵硬的下巴，再擠出一句話來，「我們還會再見面的。我向你保證。」

弘樹點頭，走了出去。秋也扶著典子走下玄關，目送弘樹離開。弘樹旋即爬上右手邊的山地，身影就這麼消失了。

川田不發一語讓秋也和典子退回屋內，把門關上。

秋也嘆了一口氣，回頭望向屋內。留在門口的杯子，還隱隱約約冒著熱氣。

【殘存人數20人】

49

月亮高掛天空，一朵雲也沒有。接近正圓形的月亮溢出白光，形成一道薄膜罩滿剩餘的天空，也因爲如此，看不見一顆星星。

向前行進的川田停下腳步，而秋也保持攙扶著典子的姿勢，也停了下來。

「典子，妳不要緊吧？」

聽見秋也說話，典子回答：「不要緊。」然後微微點頭。可是，秋也手臂傳來的觸感，仍感覺到她身體的軟弱無力。

秋也看看手錶，已經過了十一點。不過他們也已經脫離了成爲禁區的G＝9區。接下來的問題就是，該選擇什麼樣的地方落腳呢？

暫且循著先前的來時路，沿北方山地的山麓移動到目前的所在地，周圍一路上生長著稀疏的林木。再向前走一些，就可以到達南佳織喪命的地點附近。左手邊不遠處，可以看見由島東岸的村落延續到這裡的狹窄平地。平地上的農田間點綴著幾戶民家。愈向西去，愈顯狹窄，如同一個收歛的扇形一般。而在那相當於扇軸的位置上，有一條橫貫這座島的道路通過，應該可以直通到西岸爲止才對。

川田回頭問道：「接下來，打算怎麼做？」掛在肩頭的背包上面，有一條捲成捆狀的毛毯，是爲了典子而準備的。

「能不能再找一間房子落腳呢？」

「住家嗎？」川田把視線自秋也移開，瞇著眼睛。「基本上這麼做並不是很妥當。能夠活動的區域愈來愈狹小，能進去的房子也跟著變少。大家如果需要食物或其他什麼東西，又都會往屋子裡找。」

「那個……」典子說道：「我不要緊的。就算是在野外，我也沒關係。」

川田輕輕笑了，不發一語眺望著平地。或許心裡正思考著杉村弘樹留在地圖上的筆記也說不定。

弘樹在地圖上除了標記出自己看見過的屍體之外，還將死法也詳細記錄下來。新井田和志的屍體距離千草貴子陳屍處不遠。他除了眼睛被戳破（？）之外，喉嚨還被什麼東西刺了進去。江藤惠則是在已經成爲禁區的村落裡面，喉嚨被利刃割開（前不久典子才告訴過自己：「她喜歡秋也同學哦。」不禁讓秋也心裡有些感觸）。再往東邊一些，由島東岸村落朝向南方山地的途中，則是倉元洋二和矢作好美。洋二頭部有刺傷，好美則是被槍殺。接著是島的最南端，金井泉、黑長博、笹川龍平、沼井充死在一起。沼井充身上中了四、五槍；其他三人的喉嚨都被利刃割開。桐山身邊的黨羽一下子死了三個人，姑且不論還有一個誤入禁區而死的月岡彰。

「川田。」

秋也出聲一喚，川田將視線拉回。

「你認爲北野和日下是相馬下的手嗎？」

秋也雖然開口提出疑問，但心裡還是不禁有某種難以置信的感覺。雖然杉村弘樹所言之事沒道理不去相信，但另一方面，秋也心裡卻有種女孩子絕對不會做壞事，這股近似一廂情願的奇特信念。

「不。」川田搖頭。「我不認爲是她幹的。日下和北野死的時候，除了機槍的聲響，後來還有兩聲單發的槍響吧？那是爲了要給兩人致命一擊。可是千草中槍之後，還一直撐到見了杉村之後才死去吧。這樣的手法就略欠縝密。嗯，也可能是對方認爲她反正馬上就會死亡，所以才放著不管。可是不管就時間也好，場所也罷，我都認爲相馬和拿機槍的那傢伙是兩個不同的人。」

秋也想起早上九點前聽見的機槍聲。那傢伙想必還在這座島上四處遊蕩。隔沒多久，遠遠地聽見另一個槍聲。這次換成是相馬光子開的槍嗎？

「那傢伙是……」

川田將嘴唇扭曲成笑容形狀，搖搖頭。

「恐怕，總有一天會遇上他吧。到時候就知道了。」

秋也想起另一件掛心的事情，問道：

「杉村的那台機器讓我想到一件事，坂持他一定也知道我們幾個人在一起吧？而且連我們身處的位置也一清二楚。」

川田一邊眺望著平地，一邊答道：「沒錯。」

秋也動了動肩膀，調整典子身體的位置重新扶好。

「那麼，這不會成爲我們逃走的障礙嗎？」

川田仍舊背對著秋也，輕輕笑了。「不會。完全不會有問題。哎，一切包在我身上。」

川田接著又繼續望向平地的方向，說道：「還是回去原來的地方吧。」

「打算要投入這場遊戲的人，大多會採取聽見哪裡有騷動就往哪裡去的做法。如果沒有二十四小時的時限問題，倒也沒有必要勉強行事，不過他們會盡可能趁機解決掉對手。再加上，他們四處獵殺對手，應該是獨自一人行動，也沒有時間睡覺，勢必會希望速戰速決。如果人在附近的話，那就會趕赴現場；若是戰鬥已經開始，那就會在一旁觀察，然後殺掉存活下來的那一方。所以我們盡可能待在不會遇上任何人的地方爲妙。萬一遇上神智錯亂的人，起了衝突，接下來就會引來重量級的對手。我們原先待的地方，會遇上其他人的可能性很小。畢竟一開始躲藏在那裡的大木和元淵已經不在了。再加上，那附近也幾乎沒有人家。」

「可是，清水她朝我們原來的方向逃走了呢。」

「不，她不會移動那麼遠的距離。因爲沒這個必要。」

川田說後，用姆指比了比平地的方向。

「不過，爲了避開這塊她有可能藏身的山地區域，我們要走另一條路。」

秋也挑挑眉。「在平地上移動不要緊嗎？」

川田微笑著搖頭。「不管月光有多明亮，總是無法和白天相比。倒不如說，比起竹林密布的山地要安全多了。」

秋也點頭。川田率先走下平緩的斜坡，秋也右手用力握緊SIG SAUER手槍，攙扶著典子在後面追了下去。

身邊的林木消失不見，腳底下取而代之的是低矮的草地。接下來踏上的田地，似乎栽種了南瓜之類的作物。穿過這塊田地後，進到一片小麥田。以這座小島的規模來看，也許不是販賣用的作物。基本上，大東亞共和國政府不斷頒布提升糧食自給率的政策命令，因此就連這麼小的田地也必須落實政府的政策。走到田地邊緣時，感覺島上的住民至少離開二、三天以上的時間了。運動鞋鞋底傳來土地的觸感，稍微有些乾燥。即便如此，小麥健康的氣味飄揚在近似夏天的夜氣裡，舒服地刺激著秋也的鼻子。

味道眞好。在聞慣血腥味之後，特別有此感受。

行進方向的左手邊，棄置有一輛拖拉機。再過去一些，有一戶民家。

那是一棟普普通通、但還算新的兩層樓建築。大概是BANAN HOME或是SEKITUI HOUSE之類建商大量生產的平價房屋吧。雖然位處田地正中央，不過還是很仔細地在周遭圍上水泥牆。

秋也將目光放回在行進在前方的川田背後。

心裡突然感到不對勁。

回頭一看。緊靠在自己左肩行走的典子的頭部上空，有一個東西吸引住了目光。一個在月光下閃閃發光的物體。而且，那東西朝著秋也一行三人，在空中畫出一道拋物線飛了過來。

【殘存人數20人】

50

少棒聯盟時代，秋也之所以成為知名球星，正是因為他優秀的動態視力，能夠看清移動中物體的能力。秋也在微弱光線當中，也看得出朝向自己飛來的東西，是一個罐狀物體。當然，在這個平靜的瀨戶內海地區，既沒有發生龍捲風，怎麼可能會有個空罐平白無故從天而降？總之，那不可能只是個空罐。

難不成……

一瞬間，秋也抽離支撐在典子右腋下的左肩。連向川田說明狀況的時間都沒有，不發一語，但川田察覺到異常的氣氛，立刻掉過頭來。典子失去秋也的扶持，身子稍微搖晃了一下。

說時遲、那時快，秋也向前衝上三、四步，高高躍起。跳躍力十分驚人。就像過去在少棒聯盟的縣大會準決賽，十一局下半，一記應該可以成爲再見安打的打擊，卻讓秋也在游擊手的位置，以一個漂亮的Fine—Play把對方給接殺了一樣。

秋也用左手在空中將那飛來的球——不，罐子接住。換到右手，在身子開始落下的時候，扭轉身體使出全力將那東西朝遠方扔去。

秋也著地之前，磅的一聲，白光充滿夜空。

空氣好像整個膨脹起來，爆炸聲響狂亂地衝撞著鼓膜。秋也的腳還沒來得及落地，整個人就被爆風吹翻，在地上滾了幾圈。當然，如果，等手榴彈落地才做反應的話，秋也、典子、川田三人勢必得成爲絞肉三人組啦。坂持等人慮及手榴彈被用來攻擊分校的可能性，減少了些火藥裝填量，但要傷害人，還是綽綽有餘。

秋也立刻抬起頭來。發現完全聽不見聲音，耳朵的狀況不太正常。在這無音狀態中，秋也看見典子倒在左手邊地上。正打算要回過頭去看川田時，抬起頭來，又看見一個罐子飛過來。

再來一次！我得再來一次！可是，怎麼樣也不可能來得及。

失去機能的耳朵聽見了碰的一聲，心裡正想這雖然有些小聲，但顯然是聲槍響的時候，幾乎在同一時間，空中再次發生爆炸。那聲音聽起來也小了些。總而言之，這次稍微有點距離，秋也沒有被震離原地。緊靠在自己身旁的川田，以高跪姿持著霰彈槍，如同飛靶射擊一般，將手榴彈給打了下來，至少也是在爆炸之前將它給轟離開。

秋也快速跑到典子身邊，將她抱起。典子的嘴角扭曲著，看起來好像痛苦呻吟著，但是聽不見聲音。

「七原！趴下！」

川田大幅度揮動左手，同時以右手單手擊發霰彈槍。嗟嗟嗟嗟嗟嗟。秋也聽見另一種槍聲，接著面前的麥穗立刻四散飛舞。川田再次開火，這次是連開兩槍。秋也仍舊不明白發生了什麼事，將典子拉到區分田地的田埂陰暗處。趴了下來。接著，川田邊開槍邊滑進秋也身邊。又開槍了。聽見嗟嗟嗟嗟嗟嗟的槍聲，眼前田埂的土塊被擊飛起來，好幾顆沙粒還飛進了秋也眼裡。

秋也將SIG SAUER抽了出來，自田埂的陰暗處探出頭。朝向川田所指的方向，胡亂地扣下扳機。

接著秋也看見了，在對面不到三十公尺處那戶民家的水泥圍牆裂縫，梳著獨特包頭髮型的頭部快速縮了進去。

是桐山和雄（男子六號）。秋也雖然聽覺還沒有恢復正常，但是那嗟嗟嗟嗟嗟嗟的槍聲卻好像在哪裡聽見過。那是日下友美子和北野雪子在北方山地的山頂遇害時，遠遠聽見的槍聲。當然，不見得只有一個人擁有機槍，不過，近在眼前的桐山，一點警告都沒有就企圖殺害我們不是嗎？而且用的還是手榴彈！

殺害友美子和雪子的是桐山，秋也確信無誤。兩人遇害的景象再次浮現，秋也的憤怒爆發出來。

「搞什麼！那傢伙，到底想怎樣！」

「不要光是叫，快開槍！」川田把史密斯威森點三八手槍遞給秋也。接著便動手裝填霰彈槍的子彈。

秋也兩手各持一把手槍，朝那面水泥圍牆交替扣下扳機（雙槍俠耶！眞像個笨蛋！）先是史密斯威森點三八，接著連SIG SAUER也耗盡彈藥。必須得重新裝填子彈不可！

桐山趁著這個空檔，快速挺起上半身。手上噠噠噠噠噠噠地噴出火花。當秋也把頭縮回來時，桐山自水泥圍牆後的陰影處走了出來。

接著換成川田的霰彈槍發出咆哮。桐山的身影，又快速消失。霰彈槍的圓形小彈丸群將圍牆打出一個缺角來。

秋也自SIG SAUER取下彈匣，由口袋裡拿出已裝塡完畢的彈匣插回握把。接著打開史密斯威森點三八的彈筒，按下彈筒中央的退殼桿，將擊發後直徑膨脹的彈殼排出。其中一個彈殼碰觸到握著槍的右手姆指指腹幾乎要被灼傷似的。不過管不了那麼多，急忙將川田扔到身旁的點三八口徑子彈裝塡進去，再將槍對準桐山所在的住家方向。

川田又開了一槍。把圍牆再打出一個缺角。秋也也用SIG SAUER開了兩、三槍。

「典子！不要緊嗎？」

秋也大聲喊道，身旁的典子回答：「不要緊。」聽得見那個聲音，秋也心想，代表耳朵已經回復正常了。不過同一時間，眼角掃到典子正伏在地上，將秋也丟下的SIG SAUER空彈匣重新裝塡九釐米子彈。自遊戲開始以來，不管發生過什麼事情，都不如眼前這光景叫人感到頭暈目眩。像典子這樣的女孩子，居然也得要支援戰鬥行爲……

水泥圍牆那端突然伸出一隻手，手上還握著機槍。再次發出噠噠噠的怒吼聲。秋也和川田兩人都將頭縮了回來。

間不容髮之際，桐山起身了。一邊繼續開槍，一邊以優雅的動作往前進，快速跑進牽引機的陰暗處。彼此之間的距離縮短了。

川田又開了一槍。側面朝向這裡的牽引機的儀表面板消失了。

「川田！」連續開了兩槍後，秋也喊道。

「幹嘛？」川田一邊裝塡霰彈槍子彈，一邊回答。

「一百公尺，你跑幾秒？」

川田再開了一槍之後（牽引機的方向燈當場碎成一地）答道：「很慢，十三秒。不過背筋力我就有自信了。問這個做什麼？」

突然間，桐山的手臂又從牽引機的陰暗處伸出來，噠噠噠噠地噴出火花。一瞬間可以看見桐山的頭部。秋也和川田同時開槍射擊，他馬上又縮了回去。

「我們只能先退回山上了吧？」秋也連珠炮般地說道：「我可以跑十一秒多。你帶典子先走。我來牽制桐山。」

川田瞄了秋也一眼。就這麼一個動作，表示川田明白了。

「原來那個地方，七原。我們討論搖滾樂的地方。」

只留下這麼短短一句話，川田將霰彈槍塞給秋也，匍匐向後退了下去，繞到秋也左側的典子身邊。

秋也深吸了一口氣，用霰彈槍連續朝牽引機開了三槍。這就是信號，川田和典子站起身來，朝來時的方向跑去。秋也和典子，一瞬間四目交會了一下。

桐山迅速自牽引機的陰暗處現出上半身，秋也又接著用霰彈槍開槍。原本正要瞄準川田和典子的桐山，因此而將頭縮了回去。秋也發現霰彈槍的彈藥用盡了，於是換持史密斯威森點三八，繼續開槍。五發子彈馬上就耗盡了。再換成SIG SAUER，繼續開槍。沒多久滑套就卡在後面，連忙將典子重新裝填子彈的預備彈匣上進槍裡，接著開槍。不停射擊是很重要的。

眼見川田和典子消失在山裡面。

SIG SAUER的滑套再一次卡在後面，已經沒有預備彈匣，除了重新裝填子彈之外別無他法……

就在那一瞬間，桐山在牽引機裝有翻土用耙具的前方伸出手臂。噠噠噠噠噠噠噠，INGRAM M10衝鋒槍發出怒吼。和剛才一樣，桐山又跑了過來。

秋也不再戀戰。只握著滑套卡在後面的SIG SAUER（口袋裡還有七顆零散的九釐米子彈），翻過身子，拔腿就跑。只要到了有掩蔽物的山裡，桐山應該也不容易追得上來。只不過，秋也立刻改變主意，向東跑去。典子和川田要回原來的地方，應該是一路向西走。希望能將桐山盡量引離那兩個人。

衝刺力就是生死的關鍵。至於要問爲什麼——秋也必須在短時間內盡可能遠離桐山。一提到機槍，可以說等同於彈如雨下，是一種近距離絕對打得中的槍械。能和他拉開多少距離，這就是生死的關鍵。

秋也跑著。B班裡腳程最快的他（應該是如此，比三村信史還快個零點一秒，沒錯，如果桐山他在測體力的時候，沒有偷懶放水的話），只有兩腿可以依靠了。

再五公尺就能躲進樹蔭裡，秋也心裡這麼想的瞬間，背後響起噠噠噠噠的槍聲。秋也的左側腹，傳來一股遭人狠力痛毆的衝擊。

秋也發出呻吟失去了平衡，但沒有停下來，繼續向前跑。進入成列的高聳林木之間，沿著和緩的斜坡向上跑。又傳來噠噠噠噠噠的槍聲，這次換成左手臂不由自主地向上彈了起來。看來是手肘上面一點中彈了。

即使如此，秋也還是向前跑。就這麼一直朝著東邊跑去——喂喂，小哥，那裡可是禁區哦——於是轉向北方。背後又傳來噠噠噠噠的槍聲。鄰近秋也右側的細樹碰一聲裂開，好幾塊如火柴棒大小的木頭碎片向上飛濺起來。

又傳來噠噠噠噠噠的槍聲。這次沒有打中。不，打中了也說不定，不知道。什麼也不知道了。他追上來了，秋也心裡只有這個念頭。ＯＫ，這樣至少幫典子和川田爭取到了時間。

穿過林木與樹叢之間；爬上坡，又跑下坡；秋也不斷跑著。已經沒有餘力去顧慮是否有其他人屏息躲藏在黑暗之中、說不定還會向他攻擊的可能性。不知道跑了多久。連朝著哪個方向跑，也不太清楚。總覺得好像有時會聽見噠噠噠噠的槍聲，但又好像沒有聽見。沒有辦法判別。是那爆炸聲的後遺症所造成的耳鳴也說不定。總之，還不能夠安心。得離他遠一點，不跑得遠一點不行。

突然間，秋也的腳滑了一下。才知道自己不知何時已經跑在丘陵地上，而面前正是一道陡峭的下坡。和大木立道格鬥時完全一樣，秋也沿著急陡的斜坡滾了下去。

身體在到達坡底的時候咚的彈起來。發現SIG SAUER已經不在手上。秋也接著打算要站起身來……卻發現自己站不起來。是因爲失血，意識模糊不清嗎？秋也迷迷糊糊地想著。還是……頭被打到了嗎？

怎麼可能？只不過這種程度的傷怎麼會站不起來？不可能，我還得要回去與典子和川田會合——我必須要保護典子，因爲我和典子約好了，所以我……

身子才撐起一半，秋也搖晃了一下向前倒去。

失去了意識。

【殘存人數20人】

51

四周伸手不見五指，一片漆黑，信史在照進微弱月光的窗邊，將手上拿的東西再一次落向地面。那東西撞擊到地面時，因爲用厚實毛毯折疊舖設在地板上的關係，幾乎什麼都沒有聽見。不過卻有喀嚓一聲，小小的，像是有什麼彈開了的聲音。同時間，嗡嗡的細微聲音開始響起。

信史馬上把那東西撿起，將掉落在毛毯旁邊的小塑膠片插進那東西的一端。聲音便停了下來。

「信史，動作快一點啦。」

在旁觀看的阿豐說道，信史以手勢制止他，重複再做了一次測試。

喀嚓、嗡嗡的聲音再次傳來。信史撿起來後，聲音又停了。

這下子沒問題了吧。不過，如果這東西功能故障的話，那到目前爲止所做的一切努力，都將化成泡影。再試個一次吧……

「動作不快一點的話……」

阿豐又催促了一次。信史的表情顯得有些不耐煩，但他努力克制不滿的情緒，即使心裡有些不踏實，還是說「我知道了」然後結束測試。拆除連結電池和測試用小型馬達的電線，撕下將馬達本體和電池固定在一起的膠帶。

信史與阿豐回到「高松北部農會沖木島辦事處」。

那裡與分校、港口的漁會同屬島上的大型建築物之一，甚至幾乎可說是最大的建築。這個理所當然沒有任何亮光、沉陷在黑暗中的空間，大約可以容納一整個籃球場。四處閒置著牽引機、收割機等農機具。還有一輛用千斤頂舉起，拆下輪胎，看似修理中的輕型卡車。其中一個角落堆放了各種大量袋裝肥料（基本上，硝酸銨肥料屬於危險物品，保管在更裡面、而且還上了鎖的大型櫃子裡。鎖被信史給破壞了）。板材牆壁高度足足有五公尺，在北側的室內壁面上設置了一個像是貼在牆上的樓中樓，上面也放了肥料、農藥之類的瑣碎雜物。信史等人目前所在位置的對面，也就是沿著東側的壁面，有一個鐵製的階梯傾斜向上延伸，可以通到樓中樓。階梯的旁邊，則是進出用的大型拉門。階梯的對面，隔著那道拉門，東南側的一隅用牆壁隔出一個類似辦公室的空間，辦公室敞開的門的另一側，可以隱約看見辦公桌和傳眞機之類的輪廓。

要將風箏線自上空越過分校所在的G＝7區，耗費了相當大的工夫。首先是在那塊岩石後面的高聳樹木頂梢綁住線的一頭；再來就是拿著線的另一端在林木之間穿梭前進；上空的風勢似乎相當強勁，垃圾袋做成的氣球並沒有順利跟在身後。事實上，信史大概不下十次，必須爬到樹上解開被勾住的風箏線。再加上身處黑暗中，不知敵人藏身何處；又得注意阿豐的狀況。執行這樣的作業，讓信史非常疲憊。

總之，整整花了三個小時，好不容易將整條線架設完成。正想鬆口氣的時候，卻在非常近的地方傳來激烈的槍戰聲。時間是十一點過後。好像還聽見到爆炸的聲音。然而信史沒有多餘的精力去管那件事，便一路急忙趕回農會。到達農會之前，槍聲就停息了下來。

信史接下來總算才開始要製作雷管的導電裝置，這也比預期更花時間。畢竟一方面沒有充足的工具，另一方面這又是非常講究微妙平衡感的裝置。必須要能反應衝撞分校時的衝擊力，導通電流；可是又不能在「纜車」途中——例如滑車在通過繩索的結繩處時，產生震動而啓動開關。過於靈敏的話，也很傷腦筋。

不過，這個問題最後還是找到解決之道：先用馬達（自電鬍刀上拆下來的）代替雷管進行連接測試，而測試開始後不久，也就是剛才，便聽見了午夜零點的廣播。死者只有信史在遊戲開始後不久遇見的清水比呂乃（女子十號）一人，信史心想不知道這和十一點過後那場激烈的槍戰有無關係，但是坂持宣布了另一個更加重要的事，至少對信史和阿豐兩人來說是如此。那就是，信史兩人用來俯瞰分校的那塊岩石所在的F＝7區，自凌晨一點起開始列入禁區範圍。

也難怪阿豐會如此著急。一旦無法進入那個區域，先前計畫的一切都將成爲泡影。完完全全，出局。就好像一步一步愼重地行棋，差一步就可以把對手將軍時，棋盤上下一步要走的地方竟突然出現地雷。這種蠢到家的事情無論如何得要避免。

信史很快打開附在小刀上的小圓筒，取出電雷管。在黑暗中，將這兩個閃爍著暗沉金屬光澤的零件組合起來；剝開自終端部延伸出來的電線塑膠外皮。接著，先將用來當做導電裝置開關的發條式小塑膠片以膠帶固定住，再把雷管電線的一端，與導電裝置延伸出來的一根電線捻在一起。以膠帶纏繞幾圈，確保絕對不會鬆脫。下一步，取下照相機閃光燈中一部分可供利用的電容器回路基板，固定在電池盒旁邊的既定位置。爲了確實引爆雷管，必須要有高壓大容量的電流。這個也把電線仔細連接起來。最後只留下一根雷管導線，等到了山上再行連接，以免誤爆。只先把外層塑膠剝除，將前端用膠帶貼在電池側面。

「好了。」

信史說完後站起身來，將完成的引爆裝置收進口袋。

「動作快，去準備。」

阿豐點頭。信史爲求愼重起見，將尖嘴鉗和預備用的電線也一併放進背包，把分成幾堆的大批繩索扛上肩頭。腳邊放著汽油與硝酸銨肥料混合後，裝滿一整桶的汽油桶。爲了補充氧氣，促進反應，還將封入空氣的氣泡紙摺疊起來塞在裡頭。注入口暫時先以蓋子封住，另外準備了一個用來固定雷管的橡膠封蓋，以塑膠繩懸掛在把手上。

接著，看看手錶。零點九分。時間還很充裕。

OK。由於就要迎接即將來臨的重要時刻，他充滿鬥志，身體微微發抖。信史心想：雖然一路走來發生了許多事，現在材料總算全都備齊了。他把準備好的繩索全接起來；一端固定於H＝7區的樹幹上，那是還在對面那座山上時，心裡就已選定的目標。接著將風箏線綁在繩索的另一端，目前他用石頭壓在風箏線上，不讓它亂動。然後他把繩索解開放在原地，迂迴繞過分校，再到靠近山側的F＝7區去。拿起綁在樹梢上的風箏線，一口氣將線收回來。繩索會從對面跟著線一起拉過來，然後將裝了引爆裝置的汽油桶當成吊籃吊上滑車，穿過繩索。這時將繩索一股作氣拉緊，讓它橫越分校上空，再固定在樹幹上。這麼一來，就剩下Let's Party啦。Have Fun! Yeah, We Gonna Make it!

只要能夠破壞分校電腦的電源系統或是配線的一部分，讓他們懷疑系統出了問題；不，以這個火藥量來看，就連電腦本身……不對，恐怕威力不只如此，分校有一半都會被炸毀。在目睹這一切發生之後，就可以拿出輪胎內胎做成的游泳圈逃走——那早在事前便藏在F＝7區的岩石後方，並依預定計畫從島的西側逃到海上，再利用無線電發出假造的求救信號來攪亂政府。如果一切順利，不到三十分就可以到達鄰近的豐島，接下來就改乘船（如果是小型遊艇的話，我倒是有過駕駛經驗。真該感謝叔叔的遺德）。然後，應該是，朝岡山方向逃走，只要找一個不顯眼的海灣將船靠岸，之後就是我們的天下了。不管是跳上鄉間的貨物列車，或是強徵路過的車輛……畢竟我們手上可是有槍的。劫車大盜。太帥了！

信史想到這裡，低頭看了一下插在褲帶前的貝瑞塔M92F型手槍。改造無線電的誤導作戰應該會奏效。不過，考慮到萬一還是在海上被搜尋到的情形，為了以防萬一，信史將幾瓶裝入特製的硝酸銨和汽油的可樂瓶，旋緊蓋子放進背包。只不過沒有引爆裝置，基本上這也只是「容易燃燒的火焰瓶」罷了。如果情況不妙，可能會被對方發現時，為求制敵機先，即便是在水底也好，先想辦法靠近敵船，由我們這方主動攀上船戰鬥，才是最上策。一切順利的話，說不定還能弄到些武器，迫使船隻聽命行事，這麼一來就能順利逃走。只是，要想這麼做，精確的射擊技術幾乎是必要的條件。

不由得有些在意。帶著這把貝瑞塔手槍在島上東奔西跑了一整天，現在想想連一槍都還沒有開過。再說，就算是叔叔，也沒有槍械，自然無從教我怎麼射擊。

然而，信史搖搖頭。「第三之男」三村信史。沒問題啦。當年手裡第一次拿到沉重的籃球，站在罰球線上投籃的時候，球不也漂亮地穿過籃框得分了嗎？

「信史。」

聽見阿豐喊自己，信史把頭抬了起來。

「準備好了嗎？」

「那個……」

阿豐語帶為難，接著，拿出小本子慌張地寫著。

信史在窗邊明亮的月光下看他寫的內容：「滑車不見了。」

猛地看向阿豐。信史臉上的表情大概很可怕吧，阿豐的身體向後縮了一下。

有一半分量的繩索和滑車，應該是要由阿豐搬運。基本上，在水井上取下滑車之後，一直都是由阿豐負責保管。一定是拿到這裡之後不知道放在何處了。

信史再次放下肩膀上的繩索和背包。膝蓋跪在地上，仔細看著四周找了起來。阿豐也跟著這麼做。

兩人在牽引機四周、工作檯底下的暗處摸索尋找，但沒有找著。信史站起身來，看了看手錶。指針已經過了零點十分，就快要到十五分了。

於是，信史自背包裡拿出政府配發的手電筒。用手圍著燈泡，打開開關。

即使已經盡量小心不讓光線外洩，但這個號稱是農會的倉庫，還是啪一下子盈滿了昏黃的光亮。阿豐狼狽的表情就在眼前。然後，信史的目光越過他的肩膀，馬上就找到了滑車。就放在桌子的另一邊、附近什麼都沒有的靠牆角地上。正好在窗外的月光無法照射到陰暗處。距離阿豐放背包的地方，甚至還不到一公尺遠。

信史向阿豐使了個眼色，旋即把手電筒關上。阿豐急忙將滑車撿起來。

「對不起，信史。」

阿豐很抱歉地說道。信史苦笑了一下。

「嘿！拜託你啦，阿豐。」

接下來，再將背包和繩索扛上肩，拿起汽油桶。信史雖然對體力有自信，但這兩樣東西還是有些沉重。繩索在半途就會逐漸減輕重量，但是這足足二十公斤的汽油桶，必須得一路搬上山才行。而且還得快。

阿豐也扛起繩索（由於數量驚人，看起來簡直就像是揹著甲殼的烏龜似的。關於這點，信史也好不到哪裡去），兩人朝向建築物東側的拉門走去。拉門開了一道十公分左右的細縫，蒼白的月光由該處射進一條細長的帶狀光線。

「對不起，信史。」

阿豐又說了一次。

「沒關係，別在意。不過，接下來你可得好好加油。」

信史把汽油桶換到左手，右手在鐵製沉重的拉門上一拉，打開門。蒼白月光的帶狀光線一下子擴大了起來。

建築物外頭是一個寬敞、未舖整的停車場。入口在右手邊，這個農會面朝一條小路，在停車場入口處附近，停了一台小貨車。橫貫整座島的東西向道路在停車場的另一頭，還要稍微往南走一點。

拉門的正面，也就是停車場的東側緊臨著一片田地，其中還點綴著幾戶人家。再過去就進到了村落，雖然夜間的視線不佳，但還是可以看得出那裡有住宅聚集。

朝向左邊看去，農會建地的最裡面有一個小小的倉庫；再過去，地勢稍高處，可以看見那所被山丘包圍住的分校。眼前一棟兩層樓建築旁邊長了幾棵樹，其中一棵特別高聳的，就是預定用來綁住繩索的樹木。信史和阿豐由山上拉下來的風箏線，就固定在那棵樹左側的田地灌溉水道旁。也就是說：風箏線穿過分校的旁邊，一直線連結到山腰處的岩石那裡。實際上，總長度超過三百公尺以上。

我還眞佩服自己想得出這個辦法。那條風箏線，是不是眞的能平安無事將繩索拉上山去呢？

信史嘆了口氣，思考一會兒過後，開口說話。就算被竊聽也無所謂吧。

「阿豐。」

位在左邊的阿豐，抬頭看著信史。「什麼事？」

「我們很可能會死在這裡。你心裡做好準備了嗎？」

阿豐沉默了一會兒，接著馬上回答：

「嗯，我已經做好準備了。」

「ＯＫ。」

信史重新握好汽油桶的握把，笑了。

不過，當他的視線一角掠過某樣東西時，臉上的笑容頓時冰凍了起來。

停車場的東側，地勢低了一截的田地裡，冒出了一顆人頭。

「阿豐！」

信史話才出口，便拉著阿豐的手臂，朝向剛走出來的農會拉門跑去。阿豐因爲抱著沉重的繩索，身子晃了一下，不過還是由後跟上。在拉門的陰暗處壓低姿勢藏身的同時，信史已經把槍拔出來瞄準那道人影。

那人影喊道：「別、別開槍！三村！不要對我開槍！是我！飯島！」

於是信史才發現那人影原來是飯島敬太（男子二號）。飯島敬太在班上算是和信史與阿豐交情比較好的同學（哎，誰叫我們打一年級起就一直編在同一個班級呢），但此時佔據信史內心的情緒，卻不是同伴增加的安心感，反倒有種大事不妙的感覺。信史發現，事到如今，自己實在不樂見有其他人加入成爲同伴。可惡，爲什麼偏偏挑在這個節骨眼上？

「是飯島，信史。是飯島耶！」

聽見阿豐在後面興奮地大聲嚷嚷，信史覺得他眞是有點狀況外。

敬太輕輕起身，爬上農會周邊的建地。左手提著背包，而右手握著一把像是菜刀的東西。戰戰兢兢地說道：「我看到有光……」

信史咬了咬牙，那應該是爲了尋找滑車，點亮手電筒後馬上關掉時所發出的亮光。信史很後悔，只因一時心急，居然製造出亮光，一點也不像自己的作風。

敬太接著說了：「然後，我到了這裡，才知道原來是你們。你們在做什麼？肩膀上扛的是什麼東西？是繩索嗎？也讓我加入你們吧。」

有人正在竊聽呢，阿豐皺起眉毛看著信史。他的眼睛，似乎稍微瞪大了些。因爲他發現，信史並沒有將槍口朝下。

「信史……信史，你怎麼了？」

信史用空著的右手做了個手勢，制止阿豐到前面來。「阿豐，不要動。」

「喂。」敬太說道。聲音有些顫抖。

「爲什麼要用那玩意兒對著我？三村？」

信史吸了口氣，對敬太說：「不許動。」同時感覺到身旁的阿豐整個人緊張起來。

飯島敬太向前踏了一步，臉上哭喪著的表情，即使在月光下也看得相當清楚。

「爲什麼？到底爲什麼？你忘記我的臉了嗎？三村？讓我也加入你們嘛。」

信史喀嚓一聲，扳起貝瑞塔手槍的擊鎚。飯島敬太停下腳步。距離足足還有七、八公尺。

「別過來。」信史緩緩再重複了一次。

「我不能和你在一起。」

阿豐在一旁發出悲痛的聲音。「爲什麼？信史。飯島他可以信任的呀！」

信史默默地搖頭。然後心裡想著：對了，你不知道發生過什麼事哪。阿豐。

並不是什麼大事。倒不如說，只是件雞毛蒜皮的小事。

那是發生在二年級接近尾聲的那個三月。信史和飯島敬太，一起到高松市去看電影（城岩町沒有電影院）。原本阿豐也要一起來，但因爲感冒臥病在床。

信史從蓋有屋頂的長長大路彎進巷裡的時候，遇上三個高中生，只見他們一臉兇神惡煞，靠了過來。這時候他和敬太兩人剛看完電影，也逛過書店和唱片行（信史在古書店買了進口的電腦相關書籍。算是撿到寶了，因爲即使是技術書刊，政府對進口書籍的審查依然十分嚴格，很難弄到手），正要往車站走時，敬太說他有本漫畫忘了買，便一個人回到書店去。

「喂，身上有沒有錢啊？」其中一個高中生問道。身高一百七十二公分，比起在籃球隊裡個子算小的信史，足足高了十公分。

信史聳聳肩。

「應該有兩千五百七十日圓吧。」

開口問信史的那傢伙，對其他兩人做出「這小子窮斃了」的表情。然後將臉挨近信史的耳旁。這讓信史感到不快。不知道是強力膠、還是嗑了太多最近流行的怪藥，那張牙齦萎縮、齒縫變大的高中生的嘴裡，傳來令人嫌惡的氣味。刷刷牙吧，歐吉桑。

那傢伙說話了：「全部拿出來。喝！搞什麼鬼？動作快！」

信史故意裝出誇張的驚訝表情說道：「哦哦，原來你們幾個是流浪漢呀。」

「那就賞給你們二十日圓吧。如果你們跪在地上求我的話，說不定還可以再多給一點哦。」

牙齒透風男又堆出一個哎呀呀的表情，看了看同伙另兩人。那兩人也露出笑容。

「你是中學生吧？對年紀比你大的人，這樣的說話口氣不對哦。」

話一說完，就抓住信史的肩膀，用膝蓋攻擊他的腹部。信史腹肌使力，頂住這個攻擊。實際上，衝擊力輕微得不需要防禦也不要緊。這記膝擊的用意只是在嚇唬信史。這幾個傢伙一定沒膽子去找同年紀的人打架。

信史態若自然地將那高中生的身體推開，說了：

「剛才這算什麼？俄羅斯式擁抱嗎？」

這幾個傢伙一定連擁抱這兩個字是什麼意思都不知道。但是聽到信史說話的語氣，牙齒透風男鬆弛的長臉整個扭曲起來。

「你瞧不起人啊？」

一拳打在信史臉上。雖然這拳也是不痛不癢，不過信史嘴裡破了個傷口。

信史用手指伸進口中確認傷口。隱隱作痛。手指伸出時上頭沾了血，傷勢倒還好。

「喂！快拿出來。錢包整個給我。」

信史低著頭，笑了。接著抬起頭。與牙齒透風男四目交接時，他臉上的表情像是被嚇了一跳。

信史輕鬆說道：「出手打人的，是·你·吧？」

話才說完，便用手上拿著的硬皮精裝進口書籍，以下勾拳的要領，迎面朝牙齒透風男的臭嘴就是一擊。手裡傳來牙齒斷裂的手感，牙齒透風男整個人向後仰。

不過十秒鐘的時間，信史就把三人都收拾掉了。毫無保留教導一切知識給信史的叔叔，打架的方法當然也是授課項目之一。這種程度的對手，根本不成問題。

倒不如說問題發生在另一件事上頭。

將蹲在地上的高中生和遠處圍觀的路人們甩在身後，信史到書店去找敬太，看見他人在漫畫專區。他想找的那本書，已經放在書店專用的提袋裡拿在手上了。一副無所事事的樣子，等到信史開口喊他，才說道：「不好意思，我臨時還看到其他想買的書……」接著，眼睛睜大，驚訝道：「你的嘴怎麼了嗎？」

信史聳聳肩，只說：「我們回去吧。」你怎麼可能會不知道呢？信史被那三人圍住的時候，一瞬間在街角瞥見敬太的臉孔，但他立刻又縮了回去。原本還以爲他是要去叫警察來幫忙（哎，反正警察也是取締民眾比取締犯罪行爲來得熱心多了，根本不值得期待），原來如此，你還有其他想買的書呀？是這樣啊？

因此，回到城岩町的電車上，氣氛顯得不太愉快。

敬太他心裡認爲如果是信史的話，應該有辦法對付那三個高中生吧？這點倒是沒有猜錯。敬太也不希望因捲入紛爭而受傷吧？原來如此。說不定，就連去叫警察來處理，都害怕被高中生記住長相事後報復。這樣啊？而且他對自己所做所爲，也不覺得對信史有任何歉意吧？畢竟在這個社會要想平安無事過下去，說說謊也是必要的呢。

這是沒有辦法的事，正如叔叔經常告誡自己，膽小怕事、行爲卑怯，都不是那個人的錯。不管發生了什麼事，都不會是那個人的責任。

只不過，信史買來的專業書籍封面破了一角。再加上邊緣還沾上了牙齒透風男的齒痕和唾液。這點讓信史極爲不滿。以後每當拿出這本書要讀的時候，就會想起那張令人不快的臉孔。更何況，雖然自己也認爲自己有些神經質，不過信史對書本產生破損或是髒污非常感冒。即使是閱讀的時候，也一定會將封面取下免得弄髒。

叔叔還說了：不過，萬一因此而產生我們所不樂見的結果，那我們當然得懲罰造成那個結果的罪魁禍首來出出氣啦，信史。

於是信史從此之後便將飯島敬太視爲泛泛之交，在心裡對他做出這樣的懲罰。怎麼？這個懲罰還算輕吧？飯島。要說就此絕交，未免太過孩子氣了。這麼處理，對我們彼此來說，不是都很好嗎？

這麼點芝麻小事，即使是阿豐，也從來沒對他提過。

然而，就算是芝麻小事，如果不放在心裡，在這場遊戲裡說不定就會因此喪命。我現在這麼做可不是出氣哦，叔叔。這傢伙，就是你常說的那種現實的人。我和這傢伙非絕交不可。

「就是說啊。」

聽見阿豐幫他說話，飯島敬太敞開雙手。右手上的日式菜刀閃耀反射著月光。

「我們……不是朋友嗎？」

信史依然沒有放下槍。

敬太看到信史對待自己的態度，哭喪著臉，終於將日式菜刀丟在地上。然後說道：「你看，我沒有敵意。這樣你明白了嗎？」

信史搖頭。「不行。你快走吧。」

敬太的表情此刻轉變爲憤怒。

「爲什麼？爲什麼你就不願意相信我？」

「信史……」

「你閉嘴，阿豐。」

這個時候，敬太的神色突然變得很緊張。一陣沉默……接著以顫抖的聲音說了。

「是因爲，那個時候的事情嗎？三村？沒錯吧？你怪我逃走了？所以你才不願意相信我嗎？」

信史槍指著敬太，一句話也沒說。

「三村……」敬太語帶哀求，幾乎就要哭了出來，「我向你道歉，三村。原諒我吧，三村……」

信史抿緊嘴唇。一時間分不清這到底是敬太的眞心話，抑或是演技。不過，他很快就下定決心。現在自己已經不是一個人，可不能連累阿豐遭受危險。記得有個國家的國防總部的原則是這樣的——除了對方的意志，更要留心對方的能力。而且，現在正一刻刻逼近凌晨一點的時限。

「信史，到底是……」

信史伸出右手制止阿豐。

敬太向前踏出一步。「求求你。我一個人好害怕。讓我加入你們吧！」

「別過來！」信史喝道。

飯島敬太哭喪著臉搖頭，又向前踏一步。慢慢地，朝信史和阿豐靠近。

信史將槍口朝下，第一次扣下扳機。碰，隨著一聲清脆的槍響，空彈殼自貝瑞塔手槍在月光下向外拋出一道蒼白的軌跡，敬太腳邊揚起了一陣塵土。敬太臉上的表情，就像是在觀看一場難得的化學實驗一般。

可是，接著他又向前走去。

「站住！你給我站住！」

「讓我加入你們吧。求求你。」

敬太就像是個生來註定只能向前進的笨拙發條式人偶，又向前走了一步。右。左。右。

信史用力咬緊牙關。如果敬太除了菜刀，還可能拿出其他武器的話，就打他的右手。瞄得準嗎？這次可不是鳴槍警告囉。真的打得準嗎？

當然沒問題。

心裡不再猶豫。信史再一次扣下扳機。

感覺到扣在扳機上的指尖，好像滑了一下。

碰一聲發出槍響的前一瞬間，信史明白了。是汗水。自己緊張得冒出汗來。

事情就這麼發生了。飯島敬太右上半身像是被揍了一拳，身體傾斜下去。兩臂張開，看起來很像鉛球選手鉛球就要離手時的姿勢。下一瞬間，膝蓋頹然後彎，整個人仰躺在地上。右胸上的洞穴，才像是想起來似的向上噴出一小道噴泉。即使夜晚視線不清，也可以看得出來。不過那也只出現了一下子罷了。

「信史！你做什麼？」

阿豐喊道，朝敬太跑去。在他身旁屈膝跪下，手放在張著大口的敬太身上，稍微遲疑了一會兒，接著把手移到他的脖子。眼看著阿豐臉上的表情沉了下來。「他死了……」

信史依舊是持槍的原來姿勢，久久無法動彈。以為自己什麼都沒在思考，事實上卻非如此。「這下可糗了」這個聲音，在腦袋裡響著。雖然無關緊要，不過就像是在浴室自言自語時，折回來的回音一樣。

這下可糗了。我這個「第三之男」三村信史，從來沒有射不準的籃不是嗎？我可是城岩中學的天才後衛，三村信史哪！

信史站起來，向前走出去。覺得自己莫名奇妙突然變成半人半機械的生化人，身體好沉重。三村信史有一天早上起床，發現自己變成了魔鬼終結者，GREAT！

慢慢地走向飯島敬太的屍體。

阿豐猛地抬頭看向走過來的信史。

「為什麼，信史？為什麼要殺了他？」

信史呆立在原地答道：「我想說飯島除了菜刀之外，萬一還有其他武器的話就不太妙了。我瞄準的是手臂，沒有打算要殺了他。」

阿豐聽了之後，立刻翻找起飯島敬太的屍體。像是要做給信史看似的，連背包裡面也找過一遍。

「什麼都沒有！你太過分了，信史！爲什麼就是不肯相信他？」

信史急速感到一股無力感。可是，我的所做所爲都是必要的。叔叔，我沒有做錯吧？是吧？

信史不發一語，低頭看著仰望自己的阿豐。可是，對了！我們得快點行動。現在不是拘泥在一個失誤上的場合……

就在信史正要對阿豐說這句話之前，看見他臉上的表情突然起了變化。

他的嘴唇不住顫抖，說道：「難道說……信史，難道說你……」

信史聽不懂他的意思，問了：「怎麼？」

阿豐倏地向後跳開，與信史保持距離。

阿豐他那顫抖的雙唇，又吐出下面的話語。「信史，難道你是……故意的？其實你……」

信史緊閉著嘴。用力握緊拿在左手的貝瑞塔手槍。

「你是說，我不想浪費時間，所以才故意開槍打死飯島的嗎？我說過那是……」

可是，阿豐不停搖頭。一步、兩步，一邊向後拖著腳步退去，一邊說道：「不對、不對……其實你……其實你……」

信史皺起眉頭，注視著向後退的阿豐。阿豐，搞什麼？你到底要說什麼？

「其實你……其實你……說什麼可以逃走……其實你……」

雖然阿豐沒有把話說清楚，不過信史腦袋裡的ＣＰＵ速度可不是一般人可以比擬的，光靠這幾句話，就已經猜到阿豐心裡在想些什麼。

怎麼可能……

不過，也只想到這個答案。

簡單地說，就是阿豐認爲信史其實已經「投入」這場遊戲，根本就不打算逃走。所以才會射殺敬太……

信史的臉部因爲驚愕而扭曲。說不定可能還張著口。

不過，他馬上大喊出聲。

「開什麼玩笑！如果這樣的話，那我幹嘛和你在一起！」

阿豐連連搖頭。「那是因爲……那是因爲……」

阿豐欲言又止，信史卻也猜到他的意思。他想說的是：比方說睡覺的時候幫忙戒備之類。總之，信史爲了自己存活下去，只是在利用阿豐罷了。不過，你再仔細想想呀，爲了要和坂持對抗，我甚至把電腦都拿出來用；即使當場失敗了，我不是又準備了手邊這些東西嗎？難道你以爲，既然頭腦聰明如我，這所有一切：不管是電腦駭客也好、手機的特殊機能也罷，只是裝裝樣子用來取信於你；包括收集汽油和肥料，一切也只是爲了要保護自己，爲了要在這場遊戲裡獲勝，心裡暗自算計好的嗎？因爲手裡的武器只有一把手槍，特製炸藥是可以讓我存活到最後的有效武器？爆破分校的計畫在執行的前一刻，我會說「果然還是不行」嗎？就和進行電腦駭行動時說「失敗了」的時候一樣嗎？不過，你再仔細想想呀，那爲什麼我要用風箏線拉出一條跨越分校的線呢？難道說，我是要在目前電話線路中斷的這座島上，開一家紙杯電話公司來海撈一票嗎？還是說，這也只是個巧妙的障眼法嗎？不，對你而言，這說不定是出人意料之外，只有我才想得出來的利用人的方法？

可是、可是你說要幫金井泉報仇，而我答應要幫你忙的時候，你不是哭了嗎？難不成這也是我設下的圈套？

你實在是想太多了，阿豐。哎呀，一旦你開始起了疑心，不管發生什麼你都會覺得可疑。不過，那眞的是你想太多了。這實在太荒謬。說眞的，簡直就像是在搞笑一樣。比起你的笑話還要好笑一點哪！你是不是太過疲累，連腦袋也跟著變奇怪啦？

信史以理性的思維如此想著。如果好好循序對阿豐說明，相信他應該也會明白這些疑慮是多麼地可笑。不，也可能阿豐並不是考慮過這所有的一切，才將對信史的懷疑說出口，而只是單純因爲過於疲憊，加上飯島敬太這個對他來說非常親近的好友死在眼前的衝擊，才不知不覺將潛藏在心裡頭的一個念頭，表露在臉上罷了。可是，正因爲阿豐心裡確實對信史還存著一絲懷疑，才會出現這樣的反應。信史自己反倒是對阿豐一點點懷疑都沒有呢。

籠罩在信史身上的無力感，一口氣增強了不少。水平對向十二氣缸，加上渦輪。這個等級的無力感可是威力驚人哦。現在購買正是時候，這位客人！

信史將貝瑞塔手槍的擊鎚復位，朝阿豐丟過去。阿豐雖然猶豫了一會兒，但還是把槍撿了起來。

信史全身瞬間失去了力氣，頹然將手撐在膝上。

「你如果不信任我的話，現在就開槍打我，阿豐。沒有關係，你開槍吧。」

阿豐睜大眼睛看著信史。

信史低著頭繼續說道：「我是想非得保護你不可，才會開槍打飯島。可惡！」

阿豐的表情瞬間變得茫然。接著，

「啊——啊——」哭喪著一張臉，一邊發出聲音，一邊朝信史跑去。

「對不起！對不起，信史！我看見飯島死掉，心裡嚇了一跳，才會……」

阿豐把手搭在信史肩上，哇哇大哭起來。信史雙手仍舊撐在膝上，盯著地面看。不知何時起，自己的眼裡也盈滿了淚水。

內心某處，潛意識領域的自己對著信史說道：喂喂，現在是做這種事的時候嗎，信史？兩人這樣彼此對峙，全身上下都充滿了破綻不是嗎？該不會忘了現在還有許多敵人環伺一旁吧？你看看手錶。已經沒有時間了——那聲音聽起來很像叔叔的聲音。

然而，那聲音卻因爲心神耗盡、疲憊，以及遭受阿豐懷疑的震撼所阻擋，沒能傳遞到意識的領域。只是一味哭著。阿豐，我這麼努力地要保護你；你卻懷疑我，太過分了。虧我一直相信你。啊啊，可是說不定飯島敬太也是同樣的心情：自己相信的人卻不願意相信自己。我，做了件過分的事情。

在這個悲傷中摻雜著無力感與後悔的情緒當中，信史聽見噠噠噠噠噠噠，像是老舊打字機所發出來的聲音。

一瞬間遲疑了一下，身體到處傳來如同遭受熾熱火鉗刺擊的感覺。

這幾乎已經是足以致命的創傷，不過正因爲這痛處，也讓信史覺醒過來。手搭在信史肩上的阿豐，整個人滑落至地面。在阿豐身後，看見一個身著學生服的身影，出現在農會停車場最深處。手裡拿著一把比手槍還要大的槍，看起來簡直像是蜂蜜蛋糕盒的槍。此時信史才明白，打在自己身上的東西——當然是子彈啦！可惡，是貫穿過阿豐的身體之後才擊中的。

全身發熱，感覺動作有些僵硬（才剛被人用鉛彈幫自己進行外科手術，這也是難免的吧？），信史本能地向左邊一傾，撿起阿豐掉在地上的貝瑞塔手槍。在地上一個翻滾後站起身來，瞄準人影——桐山和雄（男子六號）的腹部，連續開槍。

桐山和雄在對方動作之前，便快速向右方移動。伴隨著噠噠噠噠噠噠噠的聲響，桐山手裡發出了季節未到、過早施放的煙火般的火光。

較先前強過一倍的衝擊打在右側腹、左肩頭，還有左胸一帶，貝瑞塔手槍自信史手裡掉了下來。

不過，此時信史已經開始朝農會建築物跑去。踉蹌了一下，不過還是壓低身子，快速奔跑，一口氣整個人劈頭朝拉門裡撲了進去。機槍的彈著點排成一列在後頭追著信史，正當信史心想「躲過了！」的時候，右腳前端，穿著籃球鞋的腳尖整個被轟掉。信史的腦袋裡，這次可感受到了何謂眞正的疼痛。

不過，信史沒有時間休息。拿起放置在拉門後面的汽油桶，在牽引機和收割機排列的幽暗空間裡，幾乎只靠著左手和左腳向後爬著退去。汽油桶則用右手拖著。

信史發現自己嘴裡溢出血來。身上大概中了十發以上的子彈，再加上無力伸展著的右腳腳尖。先不管哪裡傳來的疼痛最爲劇烈。信史看了一眼那已經什麼都沒有的籃球鞋前端——我再也無法打籃球了。絕對不可能了。就算可以再打球，也不可能再成爲明星球員。天才後衛的傳說就此畫下終止符。

然而，信史更在乎阿豐的狀況。阿豐他……還活著嗎？

桐山——鮮血汩汩自嘴角流下，信史用力咬緊牙——有你的，看來你是已經投入這場遊戲了。那你就過來追我吧。阿豐不能動了，可我還能動；要給阿豐最後一擊，先等打倒我了再說，快來追我。拜託你，快過來，追我！

就像是在應和信史的心思一般，透過牽引機下方空隙，看得到從拉門那邊延伸過來的蒼白逆光中，出現了一個人影。

下一瞬間，又傳來噠噠噠噠的槍聲，伴隨著如同閃光燈連續閃爍似的亮光，子彈在室內四處亂射。某處的農機具一部分被擊飛，對面的窗戶也被打得粉碎。

槍聲停止。彈藥用盡了。不過，桐山當然會立刻補上新彈匣吧。

信史抓起身邊一個像是螺絲起子的東西，朝左手邊扔去。打中了某個物體，發出噹的一聲，接著滾落到水泥地面。

原本心想他應該會開槍射擊那裡，但倒不如說桐山是以該處爲中心，畫一個扇形將子彈掃射過去。信史伏下身子，一心祈禱不要被這波掃射擊中。槍聲停下。信史抬起頭。

此時，感覺得到桐山已經進入這棟建築物。

是啊，信史歪了歪沾滿鮮血的嘴唇笑著。我在這裡。到這兒來吧……

信史用右手拿起汽油桶，放在自己的腹上。就這樣，極力小心不發出聲響，再次靠著左手和左腳向後退去。背後碰到一個像是箱子之類的硬物，於是便迂迴繞過它繼續後退。當然，桐山不可能沒有聽見那個聲響。想必已經知道自己藏身在這個方向的暗處。再加上，拖在身下的這道血跡，也讓自己無所遁形。

看見桐山壓低身體，察看著農機具和修理中的輕型卡車底部。一個個確認，同時逐漸朝自己靠近。

信史看看周圍。勉強可以看見對面樓中樓，以及門口附近通往該處的鐵梯輪廓。如果身體狀況良好，或許可以由那裡朝向進到屋內的桐山撲去。只不過，這當然已經不可能實現了。

東邊靠牆的地方，有一個台車。那是用來搬運貨物、有四個小輪子的手推車。而再過去就是建築物角落、充當做辦公室使用的隔間。緊臨一旁，有一個通向外頭的側門。拉門的設計是，全開時，可供車輛通行；而這個側門就只能讓人員進出使用。門板是關上的。

那道門——記得沒錯的話——被我鎖上了。是和其他所有窗戶一起鎖上的。那道門，旋開那道門鎖，需要多少時間呢？

沒有多餘的時間細想。信史拖著身體朝手推車移動，到了手推車旁，便將汽油輕輕放在上面。打開注入口的蓋子。塞進原先用塑膠繩吊掛在一旁，正中央開了個孔的橡膠塊。

取出先前收進口袋的引爆裝置，或許因爲受了傷的關係，手指無法靈活動作，好不容易才把貼在電池旁的膠帶撕下。自雷管延伸出來的一根電線，整根垂了下來。信史將那根電線和接在電容器回路上的電線前端撚在一起。抽開電池盒上的絕緣軟片，電容器便開始快速充電，可以聽見細微但確實，如耳鳴般的高音。迅速撕掉導電裝置開關上的膠帶，將電管深插入汽油桶的橡膠蓋裡。然後把導電裝置和電池盒等一整組回路放在汽油桶上，不過沒有時間去可以妥善固定它了。脫穀機的右側，已經可以看得見桐山的腳。

沒錯。這是我們的最後一線希望。可是阿豐和我都受了傷，事到如今也不可能再爬到山上。所以……

送你一個特別禮物，桐山。

信史用左腳狠狠地由後方踹了台車一腳，也沒有時間確認台車是否能穿過各式雜物的間隙，順利滑到桐山那裡，整個人朝側門的門把努力奔去。

只花了零點二秒便轉開門鎖。信史就連沒有腳尖的右腳也派上用場，在地板上一蹬，整個人幾乎像是撞在門板上似的，撲到建築物外頭。

信史身後的農會，一瞬間板材牆壁整個向外膨脹，接著，爆出一聲巨響，覆蓋在島上的夜晚空氣爲之撼動。與桐山扔向秋也，造成他耳朵暫時麻痺失去功能的手榴彈聲響相較，這巨響要厲害上好幾倍。信史心想：啊，我的鼓膜看來是完蛋了。

信史趴在地上的身體被爆風炸離原地，與地面磨擦了一段距離。額頭上受到擦傷，四周都是不知是什麼的破片或是碎屑之類的東西四處飛散，不過當信史回頭一看，原本應該是建築物牆壁的地方，那輛修理中的輕型卡車，竟然頭下腳上整個浮在空中。恐怕是因爲用千斤頂舉起車身的關係，車底下受到爆風強大的力量而整個被掀起來了吧。在布滿玻璃、板材或是水泥之類，各種不同碎片（可以感覺到身上已經被好幾塊碎片擊中，不過那不是水平方向飛來，而是被炸到空中，再落下來的碎片）的空間中，那輛車一邊緩緩地旋轉，一邊畫出一道跨張的拋物線，以車身側面碰的一聲落在停車場中央。再翻轉九十度，又一次變成頭下腳上倒立的狀況，然後停止。後半部的載貨平台像條擰過的抹布，除了被扭轉之外，還被稍微扯離車身，沒有輪胎的輪框，不知爲何骨碌碌地轉著。

空中窸窸窣窣不停落下的碎片積在地上，高松北部農會辦事處在煙塵瀰漫之中，只剩下骨架還存在。只有樓中樓所在的北側還留著一點點壁面，不過，透過煙塵可以將樓中樓的內部陳設一覽無遺。南側則連屋頂也被炸飛，裡頭的農機具和其他物品四處橫倒。即使夜晚視線不清的狀況下，也可以看出所有東西都已經被燒得焦黑。有兩、三處明亮的火焰，不知道在燃燒著什麼東西。信史跳離出來的側門，只剩下下方的鉸鍊還連結在牆壁的殘骸上，看起來像是行禮似的，朝這裡傾斜著。辦公室隔間也已不見蹤影，原地什麼都沒有留下。不過，不知道爲什麼原因，或許是被爆風壓抑所致，辦公桌像是頂在收割機尾端一般，緊貼在倖免被破壞的壁面上，強調自己的存在感。

可能有什麼東西被炸得老高，最後落到地面上。顯然脫離時間非常久，才終於在煙塵中鏗的一聲發出高鳴的金屬音。只是，信史幾乎聽不見這個聲音。

信史回過神來，自覆蓋在身上的牆壁或是什麼的破片堆裡，撐起上半身，注視著建築物的殘骸，發出「哈！」的一聲。

是啊，我的土製汽油桶炸彈，效果還眞是不錯。以這樣的破壞力，一定可以將那所分校整個消滅掉，錯不了的。

不過，這一切都爲時過晚。總而言之，現在終於打倒了眼前的敵人。話說回來……

「阿豐……」

信史嘴裡一邊嘟噥，一邊好不容易挺起身子，在瓦礫堆上右膝跪地。像這樣一張開嘴，牙齒間就會泊泊流下鮮血，胸口到腹部一帶也傳來劇痛。看來自己光是還活著就已經很不可思議了。不過，信史用兩手撐起，先用右腳腳後跟著地，接著再伸直左腳，好不容易才站了起來。眼睛看向阿豐倒地的停車場深處……

此時信史看見了：整個翻轉過來的輕型卡車，車門或許也受到損壞，發出沉重的嘎啦一聲，打了開來（可以稍微聽見這個聲音，或許是聽覺回復過來了吧）。

桐山和雄迅速下到地面。看起來什麼事也沒有，將蜂蜜蛋糕盒似的機槍，用右手舉了起來。

喂——

信史心裡想笑。不，實際上染滿鮮血的嘴唇，說不定還真堆出了一個笑容。

開玩笑的吧？

此時桐山已經開槍了。信史這次是由正面承受到九釐米帕拉貝倫彈的彈雨洗禮，踉蹌地在布滿瓦礫的地面上向後退去。有個東西抵在背後。雖然他已經沒有必要去確認那是什麼，但那似乎是原本便停在停車場的廂型車的擋風玻璃。那輛廂型車被爆風推動，車尾撞上後面的電線杆，木製的電線杆因而稍微傾斜，擋風玻璃被撞擊過來的物體破片，打得如同蜘蛛網一般。

桐山和雄靜靜佇立著，彷彿是鑲嵌在建築物內的火焰所發出的亮光之中。在他身後看見阿豐俯倒在地上，身子有一半被瓦礫埋住。緊臨一旁的是仰躺著的飯島敬太，臉部還朝著信史的方向。

信史心想。桐山，可惡，我最後還是輸給你了嗎？

信史心想。阿豐，都怪我一時粗心大意。對不起。

信史心想。叔叔，這下子我糗大了。

信史心想。郁美，妳要談場幸福的戀愛哦。哥哥連體會什麼是眞正的戀愛，都沒機會了。哥哥我……

桐山和雄的INGRAM衝鋒槍又一次噴出火來，信史的思考就此中斷。槍彈撕裂了信史的語言中樞。信史頭部附近，早已布滿裂痕的擋風玻璃整個破裂，大部分都崩坍落進車內，不過還有一些細如霧狀的碎片，落井下石般地落在早已積滿塵埃的信史身上。

接著，信史搖搖晃晃向前癱倒。一堆瓦礫嘩啦一聲，向上彈起。腦部以外的部分失去生命，只花不到三十秒。他所敬愛的叔叔的遺物——原本是叔叔所愛女性的耳環——被左耳裡流出來的血液弄髒，映著建築物內的火焰，閃耀著鮮紅色的光輝。

就這樣，人稱「第三之男」的三村信史，死去了。

【殘存人數17人】

---

①影射日本電信電話公司—NTT。

②班上一共四十二個學生，影射四十二行聖經。

③Shiroiwa為城岩的日文發音。

④硝酸銨的化學式。

⑤較一般子彈之火藥裝藥量大，殺害力較強。

【第三部】終盤戰

目前剩餘學生十七人

52

典子肩上披著毛毯，雙手抱膝，在樹叢中只是低著頭。夜色已濃，好像有什麼蟲子，在地上發出輕微的滋滋聲，如同壽命將盡的螢光燈管一般。

好不容易和川田一起回到這個地方後，馬上就聽見午夜零點坂持的廣播。典子雖然沒有親眼目睹，不過，那個打倒南佳織後自秋也面前逃走的清水比呂乃（女子十號）的名字被叫到了。接著又追加了三個禁區。一點開始是F＝7、三點開始是G＝3、還有五點開始是E＝4。這些都和典子和川田所在的C＝3區沒有關係。另外，秋也的名字雖然沒有被叫到……

廣播結束後才過了十分鐘，或是二十分鐘，遠處又再次傳來槍聲，還有那個機槍的聲響，猛揪著典子的心臟。槍聲持續著。

不會聽錯的，那是桐山和雄的機槍聲音，即使想忘也忘不了。如果說其他人也擁有機槍，或許還可以另當別論。不過，實在讓人無法不聯想到一個可怕的推測：會不會是桐山一直追著秋也，最後秋也終於被追上了呢？

正打算對川田提這件事的時候，發出了非常猛烈的爆炸聲。當初與桐山和雄戰鬥時的手榴彈爆炸聲，根本就無法和這聲巨響相提並論。爆炸聲平息之後，似乎又隱約聽見一次或兩次機槍的聲音，接下來，一切又回復寂靜無聲。

即使是川田，也對那聲巨響多少感到吃驚。停下手邊正用小刀將某物切削成箭矢的工作，說道：「我去看看。妳在這裡別動。」便離開樹叢到外頭去。旋即回來報告情況：「東方有棟建築物燒起來了。」「那是……」典子才一開口問，川田便搖搖頭，「距離我們遇上桐山的地方還要再南一點。七原應該會往山區逃，不是七原。」接著說：「總之，我們在這裡等七原。」

於是典子撫著胸口暫時安心了不少，可是，距離那場槍戰，已經過了快一個小時。秋也還沒有回來。典子將手腕放在穿過林木間隙如同硬幣大小的月光裡，看了看手錶。時間是午夜一點十二分。從剛才開始，典子就像是在進行某種咒術一般，不斷重複同樣的動作。接著，又抱著膝，將臉埋在裙子裡。

腦海裡閃過一個令人不快的畫面。是秋也的臉。就像是有一天，下課時瞞著老師，秋也在音樂教室唱一首叫做《Imagine》①的歌（秋也還說：這可是搖滾樂的基礎哪）給自己聽的時候一樣，微張著口，眼神彷彿看著遠方。可是，他的額頭上卻多了一個和印度教徒一樣的黑色大圓點。沒有任何預告，紅色的液體唐突地自那個圓點滿溢出來。那個大圓點，原來是一個幽暗深邃的洞穴。自腦髓所在的最深處，緩緩地流出血液，在秋也的臉上擴散，就像是玻璃上布滿了裂痕一樣……

典子用力搖搖頭，將那個妄想揮去。抬頭看向一旁背倚著樹幹，靜靜抽著香菸的川田。他身邊放著自製的弓箭，還有幾根箭矢插在地上。

「川田同學。」周遭漆黑一片，川田看起來就像是一張剪影畫。他用右手拿下嘴上的香菸，手腕靠在立起來的右膝上。

「什麼事？」

「秋也他太慢了。」

川田又把香菸放回嘴裡。香菸前端變成紅色，在這微乎其微的光亮照耀下的川田臉上，什麼表情都沒有。見他如此，典子心裡稍微有些焦躁。川田的臉孔又沉入黑暗之中，煙霧自他口裡緩緩流出。

「是啊。」川田輕描淡寫的回答，也讓典子感到著急。不過，想起川田好幾次都幫著自己和秋也，典子努力按捺住焦慮的情緒。

「一定是……發生什麼事了。」

「說的也是。」

「你怎麼這樣說……」

剪影畫般的川田舉起兩手。香菸火光的位置跟著移動。

「先等等吧。如果沒有另一把一模一樣的機槍的話，剛才那陣機槍聲就一定是來自桐山。再說，那個地方會發生爆炸，就代表桐山不是和七原，而是與其他人幹上了。總之，七原一定是逃開桐山了，錯不了。」

「那麼，爲什麼秋也他——」

「那是因爲，」川田打斷她說下去，「他現在正躲藏在某個地方吧。或許他迷路了也說不定。」

典子搖搖頭。

「他說不定受了傷，不，可能還不只是這樣。」

典子背脊一陣發涼，下面的話怎麼也說不出口。腦中又閃過那個景象：半開著口、臉上滿是紅色蜘蛛網的秋也。秋也就算自桐山手裡逃掉，卻可能受了致命傷，正命在旦夕也說不定哪。即使不是這樣，他逃進山裡，如果半路遇上其他人襲擊的話……不對，也可能是倒在某個地方失去意識，而那裡萬一被列入禁區的話，秋也不就會這麼死去了嗎？是啊，秋也很有可能逃進去的北方山地的山麓一帶，正好落在分校北邊的F＝7區，已經被宣布午夜一點開始成爲禁區。而現在早已過了一點鐘。所以說……

典子又搖搖頭。不可能，秋也絕對不會死的。因爲，因爲他就像是位拿著吉他的聖人一樣。不管對誰都那麼溫柔，對別人的痛苦感同身受，但又絕對不會失去他那堅強的笑容；健全、透明、純潔，卻擁有一顆強韌的心。對我而言就像是守護聖人一般。這樣的人怎麼會死呢？不可能會死的……可是……

川田靜靜地說道：「是這樣也說不定，不是這樣也說不定。」

典子又把手腕反過來，神經質地看著自己的手錶。然後移動疼痛的腳，跪著走到川田身邊，雙手緊緊握住川田放在膝蓋上休息的左手。

「求求你。去找……去找秋也好不好？我們一起去找他吧？我一個人實在沒辦法，求求你。」

川田什麼也沒回答，只是緩緩抬起左手，把典子的手就這麼放回她的膝上，啪的拍了一下。

「那可不行。妳就算要一個人去，我也不讓妳去。妳這麼做，不就失去七原他特地把小姐妳託付給我的意義了嗎？他甘冒自身危險，讓我和小姐妳先走的意義，不也就白費了嗎？」

典子咬著嘴唇凝視著川田的臉。

「不要這麼看我。被一個女孩子用這種表情盯著瞧，很難過耶。」川田用拿著香菸的手搔了搔頭。接著說道：「再說，典子同學妳喜歡七原對吧？」

典子點頭。清楚地點了點頭。

川田也點頭表示回應，說道：「那妳就不要辜負七原的一番心意吧。」

典子聽後又咬著嘴唇。接著，視線下移，點了點頭。「我明白了。現在也只能等他就是了。」

「正是如此。」川田點頭。一陣沉默之後，川田問：「典子同學，妳相不相信所謂的，第六感？」

沒想到話題突然變得有些唐突，典子睜大了眼睛。川田是想用別的話題，來讓自己不要再一直擔心下去吧？

「嗯……一點點啦。我也不是很清楚。」典子答道「川田同學，你相信嗎？」

川田把香菸在地面上捻熄，然後說道：「不。我完全不相信。」

「話雖如此，倒不如說是無視於它的存在罷了。什麼鬼魂啦、死後的世界啦、宇宙能量啦、第六感、占卜，還有超能力……諸如此類，都是沒有能力面對實際的狀況，只想著要逃避現實的笨蛋才會掛在嘴邊。妳剛才說妳有一點點相信哦？不好意思。哎，妳就當做是我個人的自以爲是好了。總而言之，不過呢……」

典子注視著川田的眼睛。「不過呢？」

「不過呢，我有時候，明明完全沒有根據，卻對還不明確的事情擁有莫名的自信。而且還從來沒有失誤過。我也不知道爲什麼。」

典子只是安靜看著川田的臉。

川田又說了：「七原還活著。他會回來的。不知爲何，我就是有這個自信。」

典子的表情一下子和緩下來。川田剛才那一番話，全都是他捏造出來的也說不定。不過，他爲了自己而說這些話，還是讓人感到高興。

「謝謝你。」典子說道：「川田同學，你人眞好。」

川田聳聳肩。「我只是把我感覺到的說出來罷了。」接下來又說道：「眞羨慕七原。」

典子的眼珠子動了動，看著川田。「咦？」

「有人這麼愛著他。」

典子輕輕地、微微地笑了笑。「川田同學你誤會了。」

「誤會什麼？」

「我只是單相思罷了。秋也他有喜歡的人了。是一個我根本比不上的，很不錯的對象。」

「這樣啊？」

典子面朝地上，點點頭。「她是一個很帥氣的人。怎麼說好呢？給人一種高潔的感覺，而且人又長得……很漂亮。我雖然不甘心，但也可以理解秋也爲什麼會被她吸引。」

川田側著頭，說道：「是這樣嗎？」轉了轉兩、三次打火機的打火輪，點上菸，補充說道：「七原他現在，是喜歡典子同學的哦。應該吧。」

典子輕輕搖頭。「怎麼可能。」

「等他回來，」川田笑道：「妳就裝做非常擔心，大聲罵他笨蛋！裝模做樣引他注意不就好了嗎？」

典子又輕輕地笑了。

接著，川田邊吐著煙霧邊說道：「妳先躺下吧，身體還沒有完全康復。如果想睡的話就睡吧，我整個晚上不睡幫妳看著。如果七原回來了，我會叫他給妳一個吻叫妳起床的。」

「嗯。」典子笑著點頭。「謝謝你。」

但還是坐著等了十分鐘左右，典子才用毛毯裹著身體，躺了下來。

不過，仍然無法入眠。

【殘存人數17人】

53

杉村弘樹顯得十分憔悴。自遊戲一開始，他便四處奔走查看各個區域，難怪累積了不少疲勞；但每隔六個小時聽見坂持廣播裡宣告的死亡人數，更讓他那份憔悴感就像是爬樓梯般一段段快速增強。已經剩下二十人——不，就弘樹所知，是已經剩下十七人了。那個三村信史，死了。和瀨戶豐，還有飯島敬太一起死了。

離開七原秋也等三人所在的診所之後，弘樹原本要到先前還沒有到過的島的西北岸去，過了十一點沒多久，聽見激烈的槍戰聲響，又跟著槍聲回到島中央偏東處。不過，還沒有抵達目的地，槍聲就停息下來，結果什麼也沒發現。之後零點的廣播宣布了追加的禁區清單，弘樹便決定一個一個前去搜索。接著，剛進入凌晨一點開始納入禁區的分校北側F=7區時，一聲槍響傳來，緊接著又聽見那個機槍的聲音。

由於人在可以俯瞰平地的山上，弘樹看到緊臨村落西邊的田地裡，閃爍著好幾次亮光，很可能是槍口所發出來的熾焰。而在前往該處的下山途中，聽見一聲幾乎將耳膜扯破的巨響。林木間可以窺見的夜空，一瞬間變得亮了起來。然後又聽見噠噠噠噠的聲響。

到了山下，看見曾經閃爍亮光的地方，有一棟建築物正在燃燒。弘樹心裡也顧忌拿著機槍的敵人是否還待在那個地方，但是像江藤惠那時一樣，必須要去做個確認才行。於是謹慎地在田地間左右交叉前行……

……

火還沒有熄滅的地方，發現了三村信史的屍體。一個看來像是大型倉庫的建築物，變得支離破碎，剛才那聲巨響果然是爆炸聲。建築物一旁有一個四處散落著大小破片，像是停車場的地方，信史就俯倒在一輛輕型卡車的前面。身上布滿了彈孔。還有，瀨戶豐和飯島敬太的屍體，緊臨在一旁，埋在瓦礫堆中。

與信史發生激戰的那個拿機槍的傢伙雖然不見人影，但考慮到也有其他「投入遊戲」的人可能會出現在這裡，弘樹很快就離開現場。

然後，越過橫切這座島的道路，急奔到南方山地的山麓，心裡又想到：那個三村信史死了。這對於多少與信史熟識的自己來說，有點讓人難以相信。這麼說有點不太禮貌，不過他給人一種……殺也殺不死的印象。自己雖然經常到街上的武館練練拳腳工夫，不過充其量只是技術罷了。和信史與生俱來的體能無法相比，就算兩人以自己熟悉的拳法規則進行比試，加上自己的個頭高過信史整整十公分，恐怕也打不過他。再說，信史的腦袋比自己要好上太多了。所以覺得就算他沒有辦法逃脫這場遊戲（不過，他很有可能會試圖這麼做），也不應該會被任何人擊倒。而那樣的信史，卻死在那個拿著機槍的傢伙手裡。

沒有多餘的心力悼念信史了。當務之急是要找出琴彈加代子。如果不快點找到她，如果被那個拿機槍的傢伙先盯上的話，加代子大概很快就會沒命。

後來，剛好三點開始列入禁區的G＝3在南部山地頂端的北側一帶，弘樹決定朝那個方向前進。進入這裡的山地，已經是第幾次了呢？而到達G＝3之前會先經過眼前這座山的山腹，也就是H＝4區，千草貴子的遺體現在應該還躺在那裡。沒有辦法幫她埋葬，只能幫她閉上眼，雙手合握放在胸前的那具遺體。那裡也還沒有被列入禁區。

一邊在黑暗中小心前進，弘樹心裡迷迷糊糊地想著，自己眞是個過分的人。和自己交情最好的青梅竹馬，卻連陪在她身旁都無法做到。恐怕現在前往G＝3區，也只能經過她的身邊罷了。

對不起，貴子。我還有別的事情要做。現在，我非要和琴彈加代子見面不可。請妳原諒我吧……

接著腦海裡又想起另一件事情。是關於瀨戶豐的事情。

阿豐的座次排在弘樹後一位，是在弘樹後面、再後面離開那所分校。可是弘樹那時光是要弄清周遭的狀況，找一個能夠看到分校出口又能充分藏身的地方就已經耗盡心力，等到回過神來，阿豐的身影已經消失無蹤。此時弘樹心裡，已經決定要把貴子排在最優先順位，所以接下來的谷澤遙（女子十二號），還有瀧口優一郎（男子十三號）都只是目送他們離開（然而，枉費他如此慎重其事，卻因爲赤松義生的登場而一時驚慌失措，失去了貴子的蹤影）。看來阿豐他是想辦法和交情不錯的信史與飯島敬太會合上了。只是阿豐他也和信史一樣，成了一具屍體……

不快點不行。弘樹又這麼想到。唯有琴彈加代子，無論如何不能讓她死去。

走到一棵枝幹稀疏的樹木旁，暫時停下腳步，弘樹再次確認左手上拿著的簡易雷達探測器。沒有背光源的液晶畫面，只靠月光很難判讀內容，他跟先前一樣瞇著眼，努力分辨出結晶狀分子所形成的微妙陰影。

不過畫面還是沒有任何變化，只顯示著代表弘樹自身存在的一個星形標記。弘樹輕輕嘆了一口氣。

要不要乾脆大聲呼喊琴彈加代子算了？弘樹考慮過無數次，而心裡現在又想著這個問題。弘樹遇到千草貴子的時候，已經晚了一步。怎麼樣才能不重蹈覆轍呢？

不，不行。這麼做不妥。第一，加代子不見得聽見我的呼喊就會出來。搞不好還可能反而會逃開。再加上，發出大聲，自己被其他人當做攻擊目標也就算了，萬一加代子眞的現身，豈不是連累她也被當成目標。

結果還是只能依靠政府所配給的簡易雷達探測器。要是連這個都沒有，一定更爲辛苦。弘樹當然十分憎惡將自己丟進這場爛遊戲的政府，不過只有這點倒是蠻感激的。這種情形要怎麼說呢？不幸中的大幸？還是激憤中的感謝？

越過一個長滿草的矮丘，來到稀疏長著幾棵樹木的緩坡。應該差不多就要進入貴子長眠的H＝4區了。弘樹又拿起雷達探測器，在月光下微微移動液晶面板，找出最能反射亮光的角度。

面板中央代表弘樹自身存在的星形標記，看起來變成了兩個。不妙，我實在太過疲累，眼睛出毛病了。

……

不對，不是這樣。弘樹心裡一察覺到，便立刻低下頭。同時回轉身體，右手握著的棍棒向後一揮。正如同他所熟習的棍術招式，優美的動作在空中畫出一道鮮明的曲線軌跡。

棍棒漂亮地擊中站立在背後的人影的手腕，那身影「唔！」的呻吟了一聲，手裡的東西——一把手槍落在地上。對方趁著弘樹鬆懈下來的那一瞬間，持槍逼近緊臨他的身後。

那人影朝掉落地面的手槍跑去。弘樹將棍棒在對方眼前向一伸。那人影停下動作。踉踉蹌蹌向後退去……

於是弘樹仔細一看，首先發現站在面前的人身上穿著水手服。接下來，看見那張在微弱月光照映下的美麗臉孔——那是一張如天使般惹人憐愛的臉孔——不會看錯的，才剛一出發，弘樹還沒能妥善藏身，只在分校的操場一角屏息凝氣時，緊接著自己走出校舍的那張臉孔——相馬光子（女子十一號）的臉孔。

突然間，光子兩手高舉到面前向後退去，叫喊著：「不要殺我！求求你，不要殺我！」一個踉蹌跌坐在地上，百褶裙下的白皙大腿露出到根部附近，即使如此仍然試圖往後退。月光下，呈現青白色的大腿，動作看起來十分妖艷。

「求求你！我只是要和你說說話罷了！我從來沒有想過要去殺害別人！求求你！救救我！救救我！」

弘樹只是默默地低頭看著光子。

看這沉默的反應，光子判斷弘樹應該沒有立即的敵意，於是緩緩地將高舉到眼前的手放至下巴下面。以一副受驚的小動物般的眼神，看著弘樹。眼裡還泛著淚光。

「你願意——相信我嗎？」她說道。淚流滿面的臉上發出光亮，眼裡浮上一絲笑意。那看起來當然不是在誇耀成功矇騙對手的勝利，而是打自心底安下心來的笑容。

「那個，我……」說到這裡，好像才終於發現自己大腿整個露了出來，用左手拉著裙襬。「我想如果是杉村同學的話，應該可以相信。所以……我好害怕，一直都是……孤單一人……事情變成這樣。我好害怕……」

弘樹不發一語，將光子掉落地上的手槍撿起來。看見擊鎚已經被扳起，便用單手將其復位，走到光子身邊，將槍把朝前作勢要交給她。

「謝、謝謝你……」光子怯生生地伸手就要接過手槍。

動作突然停了下來。

弘樹將手中的手槍迴轉了一圈，握在手裡。那槍口不偏不倚對準光子的眉間。

「你、你這是做什麼？杉村同學……」

光子的表情因爲驚愕與恐怖而扭曲——至少是看來如此。眞是的，只能說她實在太厲害了。就算以前聽過關於相馬光子的諸多傳聞，看到她惹人憐愛的臉孔扭曲哀求著，大部分的人（特別是男的）都無法不相信她吧？不，就算不相信她，心裡也會照著光子所說的話去做吧？說不定就連弘樹也不例外。只不過，如今弘樹的狀況和平常有些不同。

「不用再演了，相馬。」弘樹說道。手裡持著槍，將身子挺了挺。「我和貴子見過面了，在貴子臨死之前。」

「啊……」

光子那形狀端正、碩大的眼睛一邊顫抖，一邊仰望著弘樹。臉上看不出來對於當初沒有給貴子最後一擊，有絲毫後悔的表情。有的只是怯懦的表情，尋求理解與保護的表情。

「不，不是那樣的。那是意外。是啊，我並不是一直都是單獨一個人。只是，遇上貴子的時候，是貴子她……她想殺了我。那把手槍其實也是貴子的。所以……所以我才……」

弘樹將剛才復位的擊鎚再次喀的一聲扳起。光子迅速瞇起眼睛。

「我很了解貴子。她絕對不會主動殺害他人，也不會因爲心神錯亂，對著人亂開槍。即使是在這場爛遊戲裡也是一樣。」

弘樹說完後，光子下巴稍微一收，接著側了側頭。抬頭看著弘樹。然後，嘴唇形成了一個笑容。雖然那可以說是一個教人毛骨悚然的笑容，但可以說正在是這一瞬間，更顯出光子的美麗。

嘻嘻，光子輕輕笑道。

「我還以爲貴子她當場就死了呢。」

弘樹什麼也沒說，手上的柯特點四五手槍直指著光子。

接著，光子維持著坐姿，用左手姆指和食指夾著裙襬，慢慢往上拉。那雙美艷白皙的腿又露了出來。光子仰望著弘樹。

「怎麼樣？如果你願意放過我的話，愛怎麼做就怎麼做。我沒關係的。」

弘樹持槍的姿勢不爲所動，正面直視著光子的眼睛。

「行不通嗎？」光子說道。語氣聽來還有幾分輕佻。「這也難怪，因爲你只要一露出破綻，我就會殺了你。再說，怎麼能和殺了自己女友的人上床呢？」

「貴子不是我的女友。」

聽他這麼說，光子再次注視著弘樹的眼睛。

弘樹繼續說下去。「不過，她是我最重要的朋友。」

「是這樣嗎？」光子挑起眉毛。「那你爲什麼不開槍？」接著問道：「難不成杉村同學是女性主義者，沒有辦法對女生開槍嗎？」

光子充滿自信的神情，還是那麼美麗。這是一種和千草貴子那睿智的，是了，如同希臘羅馬神話裡頭的戰爭女神般的美貌，不同類型的美。如果說眞有十四、五歲的魔女的話，一定就和光子的長相一樣。淘氣而又純眞，惹人憐愛，可是，卻又冷酷無情。月光下，那對眸子的深處，充滿了冰冷的光芒。讓弘樹感到一陣頭暈。

「爲什麼？」弘樹聽見沙啞的聲音由自己的喉嚨裡擠了出來。「爲什麼妳可以毫不在乎地殺害別人？」

「你眞笨……」光子說。語氣一派輕鬆，一點都無視於槍口正對準自己的額頭。「這是這場遊戲的規則呀。」

弘樹微閉起眼睛，搖搖頭。「並不是每個人都會投入這場遊戲。」

光子又傾了傾頭。停了一會兒，保持著與先前同樣的笑容，喊了一聲：「杉村同學。」這就像心儀的男生剛好坐在自己身旁座位，在早上集合教室時間前和他搭話一般，語氣顯得平易且親切。

「杉村同學你一定是個好人。」光子說道。

弘樹不明白她的意思，蹙起眉頭。說不定還微張著口。

光子像在唱歌一般，輕快地繼續說下去。

「好人就是好人，在某些情形下。可是，那樣的人有一天也可能變成壞人。但或許也有人到死爲止，一輩子都還是好人也說不定。沒錯，你就是這樣也說不定。」

光子的視線自弘樹身上移開，搖搖頭。

「不過，那種事一點都不重要。我只不過是想從被別人掠奪的一方，轉變成掠奪別人的一方罷了。至於這麼做是好事還是壞事、是正確的還是錯誤的，我也不在乎。我只是『想這麼做』而已。」

弘樹的嘴角像是痙攣般無意識的顫抖著。「這是爲什麼?」

光子又露出了笑容。

「我也不知道。如果勉強要舉例的話，對了，其中之一就是……」她直盯著弘樹的眼睛瞧。然後，說道：「我九歲的時候被人強姦了。三個人，輪番上陣，每個人各三次。啊啊，有一個人做了四次吧。和你一樣，是男人幹下的好事。不過對方都是歐吉桑就是了。我那個時候，胸部扁平、一雙腿像根棒子，明明就只是個瘦小的孩子，他們卻反而喜歡這樣。是啊，一聽見我哭喊，他們反而變得更加興奮。所以啦，現在我和那種變態歐吉桑上床的時候，都會故意裝哭來討他們開心。」

光子一口氣說完這些話，臉上依然掛著甜美的笑容。弘樹注視著這樣的光子，感到不寒而慄。光子淒慘的經歷，狠狠擊垮了弘樹。

那是……

弘樹似乎正想說些什麼。

不過在那之前，光子的手頭閃過一道銀色精光。弘樹這才發現光子的右手已經繞到身後，但此時，弘樹的右肩上已經深深插著一把雙刃的潛水刀（這當然是政府原先配發給江藤惠的武器）。弘樹的喉嚨裡發出悲鳴，雖然沒有因此而丟下手槍，但還是因劇痛而向後踉蹌了幾步。

光子沒放過這個空檔，站起身來，自弘樹身旁擦身而過，衝進弘樹後方的樹林。

弘樹急忙轉過身，卻只瞥見她的背影一下子就消失在黑暗之中。

相信弘樹明白：不趁現在打倒相馬光子，說不定日後連琴彈加代子都有可能會遭到她的毒手。但弘樹還是無法去追趕光子。只是用左手壓住刀子周圍學生服不停滲出血來的右肩，凝視著光子消失的黑暗深處。

當然……當然光子的那番話，可能只是爲了要讓自己分心而捏造出來的謊言。不過，弘樹卻無法這麼想。光子說的是事實。而且那些——可能還只是一小部分罷了。弘樹雖然也曾訝異和自己同樣是中學三年級的女生，爲什麼可以如此冷酷無情。但事實上沒有什麼好奇怪的，因爲光子的精神構造早就已經是個大人。一個扭曲的大人。不，說不定這也不對？應該說是一個扭曲的小孩子才正確嗎？

沿著袖裡流下的血，流到右手上的柯特點四五自動手槍，開始順著槍口前端呈一條細線滴落地面。落在埋到腳邊的腐葉土上，不聲不響地被吸了進去。

【殘存人數17人】

54

過了凌晨三點半，織田敏憲（男子四號）離開藏身的住家。雖然一選定那裡做爲藏身之處時，便發現那戶住家應該是位在E＝4區裡頭。不過根據坂持廣播的內容，E＝4區要到五點才會被列入禁區。

打開廚房後門準備要出去的時候，瞄了一眼被自己拖到門邊的清水比呂乃朝下俯臥的屍體。不過，純粹只是一瞥罷了。也並不覺得對方可憐，畢竟這傢伙是來眞的。彼此彼此，怪不得人。事實上，是清水比呂乃一看到自己就毫不留情開槍。不過話說回來，自己也是企圖要絞殺比呂乃，才會捏手捏腳由背後接近她。

該往何處尋找下一個落腳的地方？敏憲經過一番猶豫，最後決定前去東方的村落一帶。地圖上各區域的大小約是二百公尺見方。而由島東端的村落延續過來的狹窄平地上，田地裡表示著點點住家。在遊刃有餘的時間裡離開這個區域後，只要到那裡再找一個適當的民家藏身即可。畢竟他可是城岩町裡競爭前一、二名的豪宅裡的公子哥兒（第一名恐怕是桐山和雄家，但敏憲想必不會接受這個事實），他可無法忍受藏身在竹林裡這等低級行爲。進入一間可能先前早已有人潛伏其中的住宅雖然有危險性，但他對這點並不是太過擔心。怎麼說他身上都穿著防彈背心（已經證明其優異的性能），手裡還有從清水比呂乃身上奪過來的左輪手槍，再加上，頭上還戴著在住家裡找到的機車用全罩式安全帽。

天空開始出現細長的雲朵。雲朵一角壓在位置已經很低的滿月上，緩緩的移動著。按照慣例穿著超級豪華裝備，敏憲再次確認了安全帽的下巴部分之後，橫越過住家的庭院，來到了鄰接的狹小田地邊緣。

那裡可以將直通至東岸的平地全景一覽無遺。雖說是平地，四處還是有些起伏的地形。佔據大部分面積的田地，在月光下以極淡的深淺色差來突顯它的存在。左側沿著北方山地的山麓地帶大約一百公尺遠處有一間住家。在其右方再過去一百公尺左右還有一間。那裡的左斜後方又有兩間。再過去住家的排列就不知爲何中斷了好一段距離，隔了三、四百公尺，才在田地中央又東一處、西一處出現住家。由於北方山地突出來的山丘和雜木林遮蔽視線之故，在此看不清前方，但這般景象應該是一直延續到東方的村落爲止才對。坂持零點的廣播過後不久，響起一聲強烈的爆炸聲，緊臨在那山丘前端的右手邊一帶，看起來好像有火焰升騰。不過如今那個地方也已經沉入一片黑暗。

現在所在位置的右前方，也就是南側，也有兩間並排的住家。不過，如果說相信地圖上標示住家所在的藍點位置的話，那是位於E＝4和F＝4區的交界處。而在背後的方向，南北兩座山逐漸接近——倒不如說是北方山地的山麓沿著島的西岸形成丘陵地一路延伸過來，看不見有任何住家。基本上，根據地圖上的記載，到了山上是還有一、兩戶住家的。

只要自己沒有誤解地圖上的標示，向東移動到第三間或是第四間住家的位置，應該就可以先脫離禁區的範圍。不過，如果靠近一看，是間過分骯髒低級的住家的話，那就不得不考慮還要再往前走一段距離也說不定。第一，自己最受不了骯髒的住家；再說，低級的地方往往都會吸引低級的傢伙聚集。

總而言之，敏憲朝著那個方向前進了。

沿著田埂邊緣，壓低身子愼重地一步步前行，突然間腳底下傳來低級的土壤觸感，讓敏憲興起一股難以忍受的嫌惡感。清水比呂乃（那個厚顏無恥的女人）開槍打在防彈背心上造成腹部隱隱作痛，更加劇了那個感覺。爲什麼自己非得被迫加入這場低級的遊戲，和班上那些低級又不三不四的傢伙（這是他那經營全縣東部最大食品公司的父親在家裡常掛在嘴邊的名詞，他自己也愛用來蔑稱那些所謂的「普通人」。基本上，他平常在外得裝成一副好人家的公子哥兒的形象，再怎麼不小心也從來不會說出這個用詞）一樣，在地面上四處爬行不可呢？

先不論織田敏憲有沒有資格說這種話，不過即使在B班這個各運動團體的精英選手、男女不良代表、甚至連人妖都有（那個人妖已經死掉了，還眞是個低級到極點的人妖呢），聚集了大部分知名人士的班級裡，不，就算是在整個城岩中學裡，他一定多少也有稱得上特殊才能之處。

他打四歲開始接受個人小提琴課程，如今，以中學生來說已經是縣裡首屈一指的演奏者。雖然稱不上到天才的程度，但相較於泛泛之輩，已算是十分出色。和東京某所設有音樂科的知名私立高中幾乎已經談妥升學事宜，大概將來至少也能成爲縣政府交響樂團的指揮吧——大致便是如此。

也因爲如此，至少他自己心裡會想，自己絕不能死在這種地方。取得音樂家的名聲，和恰如其分高尙的美女結婚，與擁有龐大財富的上流階級人士交往（公司已經決定交給哥哥忠憲繼承。當然，可以自由運用金錢的總經理地位也很有魅力，然而敏憲心想：我才不要呢，食品公司不過是低級的東西罷了。那種東西送給那個低級的哥哥就好）。和班上那些不三不四的傢伙豈可同日而語。那些人就算死了也沒什麼大不了，自己可是才能天賦，價値不同的人哪。如果以生物學來說，較其他同類別具價値的個體，不正應該繼續存活下去才對嗎？

當然，遊戲一開始的時候，自己只分到防彈背心這個不知所謂的物品，只好低調地躲躲藏藏。不過現在他手裡已經有槍枝。這下子可以痛下殺手啦。什麼？音樂愛好者的善良心腸？那只不過是外行人所說的話罷了。的確，自己只不過十五歲，還沒有見識過多少大千世界，但至少對於音樂家的世界是什麼樣子，可清楚得很。姑且不提眞正的天才，對於才能不上不下的人來說，有沒有門路和金錢就決定了一切。再來就是如何摧毀其他有才能的人，如何不讓自己被他人摧毀而存活下去了。先不管客觀的事實爲何？總之，他，織田敏憲是這麼想的。

三年B班的「不三不四」裡，當然不可能會有他親近的朋友。倒不如說他甚至是憎惡著這些低級的同班同學。特別是——對了，其中一個理由，正是七原秋也的存在也說不定。

敏憲並沒有參加「特別低級的不三不四們」聚集的城岩中學音樂社。說到那些傢伙，只會不停地演奏低級的流行音樂（聽說違法的西洋音樂樂譜有時甚至還會在社團休息室裡滿天飛舞呢）。是啊，尤其是七原秋也。

不管是從小鍛鍊出來的音感也好、對複雜樂理的理解也罷，在音樂水準上，敏憲的功力壓倒性強過秋也。但即使如此，班上那些低級的婊子們，一聽到七原秋也用吉他以等同於幼稚園兒童等級的初步和弦彈奏低級的聲響，便哇——哇——地發出低級的尖叫（眞受不了）。一想到那些在音樂課前短暫的休息時間，側耳傾聽七原秋也演奏的那些女生的表情，簡直就像是用極粗的字體在額頭上寫著「啊啊，七原同學，我想和你做愛，立刻，就在這裡」一樣）。明明當敏憲被音樂老師指名，精采演奏完一段歌劇之後，卻也只報以敷衍的掌聲罷了。

原因之一，那些不三不四的婊子們大概也不懂高尚古典樂的價值吧。還有一個原因，是啊，單純就只是因爲七原秋也長得帥而已（敏憲雖然沒有意識到這點，不過他的深層心裡非常痛恨自己醜陋的容貌）。

沒關係，女人就是這種東西。只不過是另一種生物而已；只不過是生兒育女（啊啊，當然，在男人有需要的時候，也得要滿足男人的快感）的道具罷了；只要是外表稱頭一點，不過就是擺在成功男人身旁的裝飾品罷了。沒錯，問題就在於門路和金錢。而我充分擁有可以運用門路與金錢的才能。因此，應該存活下去的人，是我。

入夜之後不時聽見槍聲，甚至還有那聲巨大的爆炸聲響，但如今整座島被黑暗所籠罩，一切變得寂靜無聲。敏憲不一會兒就迂迴通過第一間住家，朝第二間靠近。雖然幾乎只能看見如同剪影畫一般的景象，但還是能分辨那是一間非常老舊的建築。四周圍種植樹木，將房子整個包圍起來。眼前西側有一棵特別巨大的闊葉樹，枝幹向周圍擴張。樹幹粗約四、五公尺，樹高應該也有七、八公尺吧。

該不會，有人會躲在那上面吧上……

敏憲緊握著手槍，除了住家之外，也提防著那棵樹，緩緩地前進。當然，也沒忘了時常停下腳步來觀察四面八方的動靜。低級的傢伙不知道會由何處現身。蟑螂就是一個很好的例子。

足足花了五分鐘，才通過那戶住家旁邊，隔著肩膀回過頭去，再一次環顧那戶被大小樹木所圍繞的住家。開在安全帽正面的四角形窗戶般的視野中，並沒有看到特別可疑的動靜。

好。目的地的第三間住家，已經近在眼前了。

敏憲回頭再看了一次。

發現圍繞著住家周邊的樹木間，靠近地面的地方，有一個黑色的圓形物體正在微微移動。那是……

待分辨出那是一個人頭時，敏憲已經將手槍瞄準那個方向。這個區域馬上就要列入禁區，到底是誰還在這裡遊蕩？不過這並不重要。

扣下扳機。手裡握著的史密斯威森M１０手槍的木製握把傳來叫人痛快的刺激，伴隨著稍感輕快的擊發音，槍口吐出橘色的火焰，讓敏憲背脊發麻。沒錯，他雖然對那些低級又不三不四的事物深惡痛絕，但自己一直以來也有個不能說是高尚的興趣，一個與演奏小提琴相去甚遠的興趣——收集模型槍。父親擁有好幾把獵槍，但從來不許他去碰，因此這是他頭一次扣下真槍的扳機。是真槍耶，可惡！我正在用真槍開槍射擊呢！

敏憲開了兩槍，對方只是低著頭，無法動彈。也沒看他反擊。這是當然的，如果對方有槍的話，自己的背後暴露在他面前時早就應該開槍了。因此自己才能像現在一樣，安心地扣下扳機不是嗎？

敏憲緩緩地朝那個人影靠近。

「慢著！」對方出聲了。

聽到聲音，才知道那人影原來是杉村弘樹（男子十一號）。那個在練什麼低級空手道之類的高個兒（順帶一提，敏憲他也討厭個子高的人。他的身高只有一百六十二公分，在班上比瀨戶豐還矮上一些。他討厭的人有以下幾種：一、長得帥的男生；二、個子高的男生；三、整體讓人感覺低級的男生）。也就是和那個頭髮染得低級、身上還掛了一串串低級飾品的千草貴子在交往的人。啊啊，對了，她已經死了。臉孔倒是長得還算有點標緻。

「我沒有敵意！」弘樹的聲音繼續說道：「你是誰？瀧口嗎？」

弘樹說出來的名字是身高排在敏憲之後的瀧口優一郎（男子十三號）。是啊，和敏憲差不多高矮，而又還存活著的，只剩下那個瀧口和瀨戶豐。黑長博老早就已經斃命了。

總而言之，敏憲一瞬間腦筋動了動。沒有敵意？開什麼玩笑。在這場遊戲裡不打算殺害別人，就等於和自殺沒兩樣。該不會是圈套吧？就算是這樣，既然對方手裡沒有槍的話……

敏憲決定變更作戰計畫。將槍口朝下。

用左手將全罩式安全帽下巴護罩的部分稍微下壓，說道：「我是織田。」啊啊，說話結巴點比較好吧。「對、對不起。有、有沒有受傷？」

於是杉村弘樹緩緩立起他那高大的身軀。左肩上和敏憲一樣揹著背包，右手則握著一根棒狀物。學生服不知道是被扯破，還是他自己撕破的，少了右側的袖子，連裡面的襯衫也沒有了，右臂整個裸露出來。肩膀上纏著看起來像是白布的東西。裸露的右臂握著棒子，那個部分看起來就像是赤身裸體的野蠻人一般。低級的裸體野蠻人。

弘樹輕輕地歪了歪頭。「不要緊。」

接下來，看著敏憲的頭部，說道：

「那是安全帽嗎？」

「啊，嗯嗯。」

敏憲一邊回答，一邊踩著田地裡的土壤向前走去。好，還剩下三步。

「我、我好害怕……」

「怕」的音還沒有完全結束之前，敏憲就將右手舉起。距離只有五公尺，不可能會打不中。

弘樹瞪大了眼。太慢了、太慢了啦，低級的空手道男。就讓你死也死得低級，然後放進低級的棺木，葬在低級的墓穴裡吧。這麼一來，我還會帶束特別低級的花去祭你。

然而，在史密斯威森Ｍ１０手槍噴出火焰之前，弘樹的身影已經在槍口下消失了。就在前一瞬間，弘樹出乎意料之外向左側——由敏憲來看則是向右側倒去。敏憲當然不會知道這是拳法招式的運用之一，總之，弘樹的動作快得讓人難以想像。

接著，以側傾的姿勢，弘樹用沒拿著棍棒的另一隻手——左手拔出槍來（這一點敏憲自然也無從得知，弘樹他和三村信史不同，原來是個經過矯正的左撇子）。他手裡有槍，那爲什麼不一開始就用槍呢？

這個笨蛋！心裡正這麼想的同時，敏憲眼前出現了一小團火焰。

突然間，手槍自右手上消失了。下一瞬間，劇烈的疼痛在右手無名指上爆發出來，敏憲哇啊的大聲叫了一聲。兩膝跪地。左手壓住那痛苦的來源——才知道，自己的無名指消失了。鮮血如泉噴出。即使身上穿著防彈背心、頭上戴著安全帽，手指頭卻一點防備也沒有。

啊啊！這傢伙……把我的手指……我這根可以精妙操縱小提琴弓的右手手指！這怎麼可能？電影裡就算槍被打飛，手指頭不也都沒事嗎？

弘樹持槍靠近過來。敏憲壓著右手，安全帽裡的眼神既驚恐且錯亂地看著他過來。在那頂安全帽底下，急速湧出的油汗，讓敏憲整張臉充滿了油光。

「看來你是充滿了殺意。」弘樹說道。「雖然我不想開槍，但我無論如何必須開槍。」

敏憲不明白他這番話眞正的用意，而且還承受著劇烈的疼痛，不過敏憲依然綽有餘裕。因爲，那槍口對準的是敏憲的胸膛。這也難怪，敏憲之所以會戴上安全帽，除了實質上的防彈效果以外，還有促使敵人不去瞄準頭部，改而攻擊身體的作用。而在學生服下面穿著防彈背心，就是這麼回事。只要防彈背心能擋下子彈，就能夠趁隙拿回自己的手槍——食指沒事，足以扣動扳機——贏得勝利。

自己的手槍掉在腳邊。

在敏憲閃閃發光的視線前方，杉村弘樹停了一會兒。最後還是抿緊嘴唇，以冷靜的眼神扣下扳機。敏憲在弘樹開槍的一瞬間前，想起先前與清水比呂乃交手時的情景，稍微思考了一下這次要如何才能「死」得更逼眞呢？

可是，事情的結果出乎敏憲預料的簡單許多。弘樹的手槍，只發出了喀嚓一聲微弱的金屬撞擊聲罷了。

弘樹的表情變得狼狽，急忙再一次立起擊鎚，扣下扳機。又是一聲喀嚓。

藏在安全帽底下的敏憲的嘴角，浮現扭曲的笑容。空手道男，你這可是不發彈哪。像那種自動手槍，不再把滑套向後拉一次，裝填新的彈藥，是無法擊發的。

敏憲迅速撲向自己掉落在腳邊的手槍。弘樹一瞬間原本還想揮動右手的棍棒，但目測距離後放棄了，轉身向後朝住家的對面——也就是山區逃去。

敏憲撿起手槍。失去一根手指的手還在發出陣陣劇痛，但勉強還是把槍握好。開槍。握把握得不是十分穩固，沒辦法打中身體的中心位置，只命中弘樹右側大腿部——靠近臀部一帶的地方。不知道子彈是否只有擦過？總之，弘樹的身體雖然搖晃偏斜了一下，但沒有倒地，繼續向前奔跑。敏憲自己也跟著追向前去，再開了一槍。這次沒有命中。先前帶來快感的手槍後座力，如今刺激著手傷，更讓敏憲情緒激昂起來。又開了一槍。這次也沒有命中。雖然腿部受到槍傷，但弘樹的腳程還是比敏憲快速。

弘樹的身影消失在山麓的樹林裡。

可惡！

是否該繼續追過去，敏憲遲疑了數秒——放棄了。對方受了傷，但這點自己也一樣的。手槍的握把被失去無名指的傷口出血弄得溼漉漉。再加上一進入山區，弘樹就會重新裝填手槍彈藥反擊過來吧。一想到這裡，附近既沒有掩蔽物，身體又不設防的暴露在外，實在危險，便急忙將身體放低。

一開始的那間……我得趕到一開始就打定主意要前往的住家去才行。而且進入屋內的時候還得小心不能被弘樹看見。

敏憲壓緊握著手槍的右手，忍痛跌跌撞撞朝目的地前進。穿越田埂道時，傷口的疼痛愈來愈激烈，讓他一陣頭昏眼花。得先處理手上的傷口。不管怎麼樣，一定得先要治療手傷，接下來才能重整旗鼓投入戰鬥。啊啊，眞可惡，就算經過復健之後還能再次演奏小提琴，這隻手少了根手指，演奏的時候——特別是在電視轉播的特寫鏡頭——看起來一定十分礙眼。這下子我就成了那群大家好來好去——身心障礙者團體的一員啦。克服身體障礙的優美樂章。可惡！成何體統！

目的地的住家已經近在眼前。敏憲再一次回頭看看肩膀後面。仔細凝視，沒有看見像是杉村弘樹的身影。不要緊了，看樣子他沒有追過來。

敏憲頭轉回住家的方向。

然後，他看見了。預定前往的住家前面，距此六、七公尺遠的田埂處，有一個男的站在那裡。直到剛才為止都還一無所有的空間，一下子突然冒出一名男子。還有那髮尾顯得略長、整頭向後梳的髮型，以及臉上發出來的冷峻目光。

桐山和雄（男子六號），當敏憲意識到是他（而且還屬於第一類討厭的人：長得帥的男生。）的時候，伴隨著噠噠噠噠的聲響，對方手裡已經噴出激烈的火焰，敏憲的上半身感受到好幾道衝擊。整個人被擊飛，面朝上向後倒去。因痛而無法充分握緊的史密斯威森M１０手槍自右手鬆脫，在右側發出不知道撞擊到何物的聲響。背部首先著地在土上摩擦，接著是戴著安全帽的頭部也落至地面。

槍聲的殘響很快地消失在夜晚的空氣中。四周再次受到寂靜的支配。

當然，織田敏憲還沒有死去。他屏住氣息，橫倒在地上一動也不動，心中竊喜，努力克制想笑的衝動。這份邪惡的喜悅，混雜著右手傳來的劇痛、被杉村弘樹自眼前逃脫的焦躁，還有突然被第一類討厭的人襲擊的怒氣，可以說在在都讓掌管他情感的大腦邊緣系統幾乎要陷入一團混亂。不過，和當初被清水比呂乃擊倒時一樣，肉體（除了右手無名指之外）方面完全沒事。果然戴上安全帽是正確的決定。桐山他也是瞄準敏憲被防彈背心保護的身體部分開槍。而且，桐山一定也和當時的清水比呂乃一樣，認定敏憲已然斃命。

透過微微張開的眼皮間隙，如同寬螢幕電影一般的視界一角，看見史密斯威森M10手槍正微弱地反映著月色發出亮光。而且，插在學生褲後面的菜刀（這是在殺死清水比呂乃的那戶住家裡取得的）所傳來的硬物感，現在也還沒有消失。取下裹在刀刃上的布，應該用不著一秒鐘的時間吧。

敏憲還是一樣不停流著油汗。就只有這個是意志力怎麼努力克制，也拿它莫可奈何的。心裡一邊如此思考著：來吧，過來撿我掉在那裡的手槍。這樣我才能用菜刀挖開你那低級的喉嚨。或者你就此背對我離去？還是說接下來要去追弘樹嗎？這樣的話，那我就撿起手槍，在你那低級的後腦勺開一個通風口。來吧。不管哪個都好，快點選一個吧。

可是不知怎麼回事，桐山他並沒有走到史密斯威森M10手槍那裡，而是一直線朝敏憲的方向前進。

……

桐山一直線走過來。敏憲直盯著他那冰冷的眼神瞧。

爲什麼？敏憲心裡問道。我已經死了呀？看啊，哪兒還找得到像我這麼完美的死人啊？

桐山並沒有停下腳步。只是一個勁兒直向前進。一步、兩步……

我已經死了啊！爲什麼？

踏在柔軟土地上所發出的輕微聲響愈來愈大聲，桐山的身影充滿了整個視界。

……！

突然間恐怖與狼狽感支配了敏憲，他渾然忘我，睜大了眼睛。

說時遲，那時快。桐山的INGRAM機槍朝敏憲戴著安全帽的頭部，再次拉出一道火線。極近距離擊發的彈頭有幾發擦過安全帽的強化塑膠表面，激發出帶有顏色的火花；還有幾發貫穿敏憲的頭蓋骨後在安全帽裡成爲跳彈，敏憲的頭顱連同安全帽整個胡亂搖動起來（身體則像是在跳著奇特的布基烏基舞②。相信他本人一定很不喜歡這種低級的舞蹈）。當然，等動作平息下來時，敏憲的頭部，已經在安全帽裡破碎得血肉模糊了。

敏憲他這次可不是還在裝死，確實是一動也不能動了。安全帽已經完全變成一個裝盛湯品或是調味醬汁的碗一樣，從安全帽與脖子的邊緣，溢出濃稠的鮮血來。

於是，最討厭低級不三不四的事物，總括來說，算是個愚蠢男子的織田敏憲，由於過度依賴身上的防彈背心，而又過於低估桐山和雄的冷靜，就這麼乾淨俐落地丟了小命。如果他前一天白晝曾仔細觀察日下友美子和北野雪子死時的情形，就應該會知道所謂「最後致命的一擊」是有可能發生的，但他顯然無此學習能力。另外——雖說已經與他沒有關係了——打倒他的男子，桐山和雄，不久前才在城岩町那比敏憲家還要更大的自宅的陽台上，比敏憲更加優雅地演奏過小提琴（順帶一提，演奏一結束他就將小提琴扔進垃圾桶裡），而他當然不可能會知道這件事。

【殘存人數16人】

55

講話聲、移動聲及無論如何努力也無法抑止的微弱氣息。

相馬光子（女子十一號）聽到液體打在草上的聲音，附近的草叢裡一定有人正在小解（只要島上沒有野狗的話）。抬頭向上看了一下，可以看到因爲接近黎明而由漆黑轉爲淡青的天空。

光子遇到杉村弘樹、總算逃脫出來後的第一個想法是——需要槍。碰到江藤惠可以說是個意外，在那之後聽到矢作好美和倉元洋二兩人的爭吵，收拾二人後順利地取得槍枝（其實一開始如果有槍的話，就可以回到分校，把出來的人一個接一個收拾掉）。如果有槍，也可以更加放心大膽地行動，收拾掉剛和新井田和志搏鬥過後的千草貴子也是易如反掌（不過先前沒有再給敵人最後一擊，眞的不妥。接下來得小心點才行）。

但如今手無寸鐵。江藤惠的刀子也已經用掉了，身上只剩最初配給自己的鐮刀。無論如何也要想辦法再拿到槍，因爲「投入這場遊戲」的，不是只有自己一人。還有那個拿著機槍打倒日下友美及北野雪子的傢伙。而不到三十分鐘前，那機槍的聲音又再度傳入耳中。

當然，既然如此，沒有必要勉強自己親自擊倒其他同學，先交給那傢伙處理。自己只要在能力範圍內，順手解決掉適當的目標即可。事實上午夜零點過後不久，就響起機槍聲響，接著又傳來爆炸聲，那時光子就判斷先不要接近比較好。手槍對上機槍，怎麼看都是自己不利。接著，試圖移動到能遠遠觀察該處的位置時，發現了杉村弘樹，便隨後跟蹤他。原本他應該正是可以順手解決掉適當的目標才對……

不管怎麼樣，到了最後得和拿機槍的人對決的可能性很高。到時候如果沒有槍，就是壓倒性的不利。別說是手槍對機槍，鐮刀對上機槍根本連比都不用比了。

當然也可以再跟在弘樹後面，不過要從弘樹那裡搶回手槍，感覺上很困難。那個人的拳法可不是練好看的，剛才被棍棒打到的右手到現在還在發麻。而且，如果這次自己再被發現的話，對方一定不會手下留情立刻開槍。

因爲這樣，光子順著橫貫島中央的東西向道路，朝向西邊前進，之後往北邊的山地移動，開始找尋其他人，就這樣經過了大約三小時後，如今總算是聽到一些動靜了。

光子跟著聲音的來源，撥開草叢前進。不過動作非常謹慎，自己可不能發出任何聲響。

穿過一簇草叢。樹叢中突然出現了一個不到四張半榻榻米左右的小空間。前後左右都圍著茂密的草叢。左手邊草叢一角，一個身穿學生服的男生背對著自己站在那裡，滴答滴答的聲音還在持續著，一張臉左右來回查看著。

當然，那是因爲無法壓抑不知道誰會突然襲擊而來的不安感吧。於是看清對方是旗上忠勝（男子十八號）。參加棒球隊，沒什麼値得一提的平凡男子。個子高挑、體格結實、一張大眾臉、興趣是——這個嘛，沒特別去問過，也不知有沒有。而且，現在去問他也沒什麼意義。

比起這些，更吸引光子的目光是忠勝在小解中一直緊握在右手上的東西。是把槍，有點大型的左輪手槍，光子的嘴角又浮現那如同墮落天使般的微笑。

忠勝的小解還沒有要結束的樣子，也許他一直忍耐了很長一段時間。他仍舊不斷左右來回查看，等待膀胱裡的存量完全放空。

光子右手慢慢拿出鐮刀，小心不發出聲響，等待機會。忠勝拉上褲子拉鏈時，勢必要用兩手，就算勉強用單手也是會露出破綻。

看來，屆時就是你斃命的時刻。記得以前的警匪片中，曾經出現過有人在小解時被解決掉的場景。滴答聲變稀疏，停了下來。又再傳來滴答聲，接著完全停了下來。忠勝再看了看周遭，迅速地把手往前一放。

這時，光子已經悄悄來到忠勝背後。忠勝理著平頭的後頸已近在眼前。正當舉起右手的鐮刀時……

有人在背後發出啊的一聲。忠勝嚇了一跳轉頭過來，光子也同樣嚇一跳。停下舉起鐮刀的動作（這是當然的），轉向聲音來源。

瀧口優一郎（男子十三號）站在那裡，口微張開直盯著光子。整個人比起忠勝來小上一號，長著一張可愛的娃娃臉。右手拿著金屬球棒，應該就是他的武器吧。

忠勝看見光子也啊了一聲，接著說：「可惡！」立刻拿槍對著光子。看他對於優一郎的出現，沒有太過訝異的表情，兩個人應該是在一起的。光子在心裡咬牙切齒。忠勝只不過是爲了要小解才會暫時離開優一郎罷了。自己居然沒有事先確認這一點，眞是個大笨蛋！搞什麼嘛，兩個都是男生，不過是小解而已，直接就地解決不就好了！

現在不是說這個的時候，忠勝手上的左輪連發手槍（雖說這不重要，不過型號是史密斯威森Ｍ１９點三五七麥格農手槍）槍口正直接瞄準著光子的胸口。

「旗上！快住手！」

優一郎恐怕是對現況感到混亂，以及有人可能就要在自己面前被殺害，所以狼狽地以痙攣的聲音大喊。忠勝幾乎就要扣下板機，大概在擊鎚落下的零點數釐米前，手指停了下來。

「爲什麼！她想要殺我。看、看哪！鐮刀，她不是拿著鐮刀嗎！」

光子說：「不、不是的。」從喉嚨裡擠出快要消失似的聲音。語尾拉高顫抖，當然，也不忘配合著畏縮身體。接下來又是女主角相馬光子小姐的主戲了，可要張大眼好好看清楚喔。

「我、我……」原本想把鐮刀丟下，但握著不放看來比較自然，因此作罷。

「我只是想要開口叫你而已。然後，發現你在……那個……在小解……」光子稍微低下頭，看起來臉紅的樣子。「所以……」

忠勝沒有放下槍。「妳說謊！明明就想要殺我！」

忠勝拿著槍的手在發抖。也許，先前猶豫著沒有扣下板機，只是因爲害怕眞的開槍殺人罷了。一看到光子時，也就是直到剛才爲止，都還可能衝動地馬上射殺光子，但現在被優一郎阻止，而有時間去思考，反而顯得猶豫了。而這就等於……

這就等於你輸了。

「住手，旗上。」優一郎繼續懇求。「剛不是說過了嗎？我們一定得再增加伙伴……」

「開什麼玩笑。」忠勝搖著頭。「你敢跟這個人在一起？你不知道她是怎樣的人嗎？那個……殺掉日下和北野的人就是她也說不定。」

光子淚光閃爍著。

優一郎拚命解釋說：「相馬同學沒有拿著機槍，連手槍也沒有，不是嗎？」

「誰知道？說不定是因爲子彈用完，丟掉了！」

優一郎聽到後稍微沉默了一會兒，說道：「旗上，別這麼大聲說話。」

那是和先前有些不同，平靜、安穩的聲音。忠勝好像心虛被看穿似的微張開嘴，看著優一郎。

光子也覺得有些意外。記得瀧口優一郎是個非常喜愛動畫，在三年B班中算是動漫狂熱少年代表的男孩子，沒想到說起來話來卻讓人感到威風凜凜。

優一郎搖搖頭。

「沒有證據卻懷疑人家是不對的。」優一郎像是在教導對方似的繼續說道：「你想想看，也許是因爲相馬小姐信任你，所以，才想要和你說話。」

「那麼……」忠勝皺著眉頭，雖然槍口還是指著光子，但扣在板機上的手指的緊張感減少了幾分。

「那麼，你打算怎麼辦？」

「如果怎麼樣你都沒法相信的話，那我們兩個交替著監視相馬同學不就好了？反正，就算把相馬同學驅離這裡，旗上你的不安還是不可能會消除。因為還有可能會再次被趁隙偷襲。」

光子更加佩服了。這小子還蠻不錯的嘛。說話內容很有條理、語氣也很適當。哎呀，至於他現在要做的事情是否正確就先不管了（現在直接槍殺我比較好哦）。

忠勝聽到後，稍微舔了一下嘴唇。

「看，我們一定要增加些伙伴，然後一起尋找逃出去的方法。只要一起相處一段時間，你也可以了解相馬同學是不是可以信任，不是嗎？」

優一郎不讓他拒絕地說了這些話。忠勝雖然還是質疑地看著光子，但總算還是點頭。他疲倦地說：

「我明白了。」

光子全身放鬆一下子無力（當然是裝的）。左手擦拭著淚眼，看見優一郎也好像放心地鬆了一口氣。

忠勝說：「放下鐮刀！」光子慌張地把鐮刀丟到地上，然後眼神不安地徘徊在忠勝及優一郎之間。

忠勝接著說：「瀧口，檢查她的身體。」光子回頭看向忠勝，咦的張大了眼。

光子再看向也有點嚇一跳而呆站在原地的優一郎。忠勝的槍口精準地瞄準著光子，再一次說：

「快檢查啊。還客氣什麼？現在可是攸關性命，你應該知道吧？」

「啊啊，嗯……」於是優一郎把球棒放在地面，提心吊膽慢慢前進，在光子的身旁停了下來。

「快啊。」忠勝催促著。

「嗯、嗯。」剛才那威風凜凜的態度也不知跑哪去了。優一郎又變回那個讓人無法依靠的動漫畫狂熱少年。

「可是……」

「快！」

優一郎對光子說：「那、那個，相馬同學，不好意思。我也不想做這樣的事。」邊用手輕輕在她身上遊走，即使在黎明的微暗光線中，也知道他臉紅了。哎呀，眞可愛。光子心中想著。但也沒忘記裝做有些害羞的樣子。

檢查過全身，優一郎的手正要離開時，忠勝說：「裙子下也要檢查。」

「旗上！」

優一郎帶著譴責的眼神看向忠勝，但忠勝搖搖頭。

「我並不是帶著有色眼光要你這麼做，我只是不想死罷了。」

於是，優一郎臉更紅了。對著光子說：「那個……那個，可以麻煩把裙子拉起來一些嗎？」

哎呀呀，這孩子該不會就這樣流出鼻血吧。

不過，光子小聲回答：「嗯、嗯。」再裝著害羞的樣子，邊把裙子拉到好像看得到又好像看不到內褲左右的高度。眞是的，現在這樣簡直就像是「愛好者特選！現任女子中學生現場演出！」之類的成人影帶一樣。

雖然我真的有拍過就是了。

優一郎在確認光子什麼都沒藏在身上後說：「已、已經可以了。」

「好。」忠勝點頭，接著說：「瀧口。用你的皮帶把她的手綁起來。」

優一郎再次用責怪的眼神看向忠勝，但忠勝拿著手槍絲毫不退讓。

「這是我的條件，瀧口，如果你不願意的話，那我現在就射殺她。」

優一郎抿著唇，來回看著光子和忠勝。於是，光子對著優一郎說：「瀧口同學，沒關係，就這樣做吧。」

優一郎看著光子，過一會兒輕輕點頭，取下自己的腰帶，拿起光子的手。說道：「對不起，相馬同學。」忠勝一樣用槍指著光子，說道：「叫她相馬就好，不用加上敬稱啦！」優一郎好像沒聽到，只是沉默地將皮帶輕輕綁在光子的手腕上。

光子很配合地把手伸出去後，心想還好在舉起鐮刀前就被發現，算是不幸中的大幸了（也幸好鐮刀上的血跡擦乾淨了。運氣真好）。

再來，該怎麼辦才好呢？

【殘存人數16人】

56

「所以說，我們決定無論如何都要去找其他人。」

優一郎說完後停了下來，瞄了光子一眼。天已經亮透，可以很清楚看見她臉上沾著塵土。

兩人並肩坐在樹叢中。當然，光子的手仍舊用皮帶綁著，而光子先前拿著的鐮刀，優一郎插在自己的褲子後面。旗上忠勝則在一小段距離的地方，伴著低沉的呼吸聲熟睡著。不用說，唯有手槍他還是緊握在手上，甚至再用手帕將手槍綁在自己手中。

總算讓光子加入這團體後，忠勝提議輪流睡眠休息。「找人是要找的，但瀧口，先睡一覺吧。我們一直都沒有睡覺，判斷也會變遲鈍。」優一郎表示同意後，忠勝說：「那我或瀧口先睡，再來才輪相馬。」優一郎則說：「我等一下沒關係。」這樣就算決定了順序。然後，忠勝拿著槍（本來應該把槍交給負責警戒的優一郎，但忠勝卻隻字不提，而優一郎也沒有抱怨什麼）直接就躺下，不到十秒就已經發出低沉的呼吸聲睡熟了。

也許，光子心想或許是這樣：忠勝從遊戲開始以來，到和優一郎會合為止，一直都沒能睡上一覺吧。而就算兩人在一起，想必也無法入睡。爲什麼呢？忠勝一定會擔心萬一睡著了，優一郎趁機殺害自己的話怎麼辦？可是，當遠較優一郎可疑的光子加入之後，就算自己睡著了，光子及優一郎也可以互相監視。所以，只要自己手裡拿著槍，小心一點，就算睡著了也沒關係吧（當然在這點上，光子也完全沒有睡覺，不過根本不成問題。光子的成長方式和那些柔弱的國中學生大不相同）。

優一郎和光子之間沉默了一陣子，接著，優一郎開始對光子說他和忠勝見面的經過。

看來優一郎也覺得在白天行動實在不妥，到了晚上就比較沒關係（不過，光子想那只是個人的興趣問題吧。晚上的確不容易被對方發現，但同樣的也比較不容易發現對方。不過，如果情況不對想要逃的話，確實是晚上比較有利），所以他在太陽下山後謹愼地開始行動。然後，就在光子碰到兩人前兩個小時左右，才遇到忠勝。兩人討論了有沒有逃出去的方法，但都沒有什麼好方法。最後忠勝因爲要小解而離開一段距離，但遲遲沒有回來，優一郎有點擔心而前去查看，就在那時看見了光子。事情經過就是這樣。

「一開始我因爲害怕，誰也沒辦法相信。不過，我想絕大部分的人一定都和我一樣，想從這裡逃出去，所以我改變了心意。」

優一郎說到這裡停了下來，看了光子一眼。三年B班動漫畫狂熱少年代表的瀧口優一郎不常看著人家的眼睛說話，又馬上移開視線。

不過，對光子說話的優一郎，似乎對她沒有什麼警戒心的樣子。這是爲什麼呢？

於是，光子裝做稍微安心的樣子問道：「旗上同學拿著那把手槍吧？」

優一郎點頭。「是啊。」

「你之前難道不怕旗上同學嗎？」ＯＫ，安心之後，話就多了起來。「不，現在也是一樣。他緊握著手槍不放不是嗎？」

優一郎稍微笑了。

「這個嘛，首先，至少旗上他沒有立刻就對我開槍——雖然他的槍指著我，但也只是指著我而已——再說，我是和旗上又是小學同班同學。所以啊，算是蠻熟的朋友。」

「可是……」光子裝出一副看起來有點蒼白表情。「你也看到了不是嗎。友美子——日下友美子和北野雪子死掉的場景。還是有人積極投入這場遊戲的。很難說旗上同學他是不是也這樣。」

說完後，低下頭。「而旗上同學也同樣如此懷疑我的。」

優一郎稍微緊閉嘴唇，輕輕地點了幾次頭。

「妳說得沒錯。可是什麼都不做也是死，不是嗎？即然如此，還是去試試看比較好。雖然像日下和北野那樣的方式行不通，不過我想還是可以慢慢增加伙伴。」

優一郎快速地看了一下光子的眼睛，又再度低下頭。除了平常就內向之外，看來他很不習慣這麼近距離看女孩子的臉（大概是這樣沒錯。再加上對方可是一位絕色美女。）

「而且，旗上不願放開他的槍也是沒法子的，他一定也覺得很害怕才對。」

光子傾著頭微笑。「瀧口你眞了不起。」

優一郎有點意外，從眼角餘光看著光子。

光子繼續笑著說道：「你這麼勇敢，而且在這種情況下，也還能考慮到別人的心情。」

然後，優一郎再次很不好意思地移開視線。神經質地用右手撥著他亂亂的頭髮說：「沒有那回事啦。」

接著，眼睛不看著光子繼續說道：「所以……所以相馬同學妳可不可以原諒旗上對妳的懷疑？他一定是因爲太害怕了，所以才會如此不信他人。」

不信他人，這個詞彙還眞是有點可笑。光子微笑著。

然後，稍微夾雜著嘆息說道：

「沒辦法。誰叫我以前都做一些會讓你們懷疑我的事情。就算是你，也一定在懷疑我吧？」

優一郎停了一會，轉過頭來看著光子，這次看了有點長的時間，然後說：「不會的。」

說完，又看著地面繼續說道：「如果要說可疑的話，旗上也很可疑。就連我也是一樣。的確……」自腳邊拔起一株雜草。接著又開始用兩手撕碎那被朝露沾溼的草。「的確，我聽說過一些關於相馬同學不是很好的話，但那些和現在的狀況是沒有關係的。而且說不定平常一副好人模樣的人，到了緊急狀況時，反而沒有能力分辨是非。」

優一郎將撕碎的草放在腳邊，抬頭看著光子。「我想相馬同學不是那麼壞的女孩。」

光子歪著頭。「爲什麼？」

也許因爲光子正面看他，優一郎又緊張地別開視線。然後說道：

「那個，相馬同學，是妳的……眼睛。」

「眼睛？」

優一郎低著頭，又開始玩著草。「相馬同學平常的眼神很可怕。」

光子笑了一下，想要聳一下肩膀，但也許因爲手腕被皮帶綁住的關係，不是很順利。「也許吧。」

「不過，」草分成了四半，再分成了八半。「相馬同學有時候會顯出非常哀傷，但又非常柔和的眼神。」

光子看著優一郎的側面，靜靜聽他說。

「因此，」優一郎放下草，繼續說：「我從以前就在想，相馬同學不是大家口中那麼壞的女孩。一定……應該……就算做了什麼不好的事，也一定是因爲有某些理由，不得不那樣做。那不是相馬同學的錯。」

聲音聽起來感覺上好像非常害羞，簡直就像是對喜歡的女孩子告白似的結結巴巴把話說完。

然後又加了一句。「至少，我不想要變成無法認識眞正的妳的無聊男子。」

光子在心中輕輕嘆息著。瀧口同學，你太過天眞了。但是……

「謝謝。」

光子微笑著說。語氣溫柔得連自己都嚇一跳。當然，那都是裝出來的，可是對光子本身而言，居然能有如此超乎自己實力的出色演技，說不定眞有那麼一點眞感情參雜在那話裡。

不過，那也是僅止於此的事情罷了。

過了一會兒，優一郎問道：「相馬同學，在和我們相遇前，妳又是怎麼過的呢？」

光子「嗯——」拉長語尾，稍微移動了一下身體，草地上的朝露滲透到裙子上。

「我一直到處逃跑。附近不是還傳出手槍的聲響嗎？所以……所以，看到旗上時雖然也很害怕，可是自己單獨一人也很恐怖。那個時候，我心裡正在猶豫要不要出聲喊他。雖然想過旗上同學應該不要緊吧。

但還是——出聲喊他眞的不要緊嗎？——下不了決心……」

優一郎再次輕輕點頭。瞄了光子一眼，又將視線移下。「看起來，妳那麼做反而好。」

光子笑著說：「嗯，是啊。」二人相視而笑。

「對了。」優一郎接著說。

「不好意思，沒有注意到。妳口渴了吧？妳的行李都不見了嗎？很長一段時間沒有喝水吧？」

背包在和杉村弘樹搏鬥時，掉在原地。現在的確口渴了。

光子點頭說道：「可以……可以給我一點水嗎？」

優一郎沒有看光子直接點頭，拿起放在附近地上的背包。拿出兩瓶水，比較後把未開封的水瓶留在手上，另一個水瓶再收回背包中。接著把未開封的水打開。

光子伸出被皮帶綁住的雙手。優一郎要將水瓶遞給光子時，突然停下動作。看了一下沉睡著的忠勝，再看看手裡拿著的塑膠水瓶。然後，把水瓶放在腳邊。

哎呀呀。不會就不給我喝了吧？對俘虜太好的話，會惹旗上魔鬼士官長生氣，所以還是算了嗎？

但是，優一郎默默地握住光子的手，稍微抬起來，接著開始動手解開綁在手腕上的皮帶。

「瀧口同學，」光子用有點吃驚的語氣說（事實上還眞有些吃驚），「這樣可以嗎？等一下旗上同學會生氣的。」

優一郎眼光集中在光子的手腕上答道：

「沒關係啦，武器在我這裡。而且手被綁著，水也變得不好喝。不是嗎？」

……

優一郎抬頭偷眼看了一下光子。光子微笑著說：「謝謝。」優一郎又臉頰泛紅地移開視線。

解開皮帶後光子撫摸著兩手手腕。因爲皮帶沒有綁得很緊，所以手腕沒有特別的異狀。

優一郎把水瓶遞給光子，光子接過，很可愛地喝了兩口後還給優一郎。

「這樣就夠了嗎？」優一郎停下將皮帶繫回自己褲子的動作問道。「再多喝一點沒關係。就算喝完了，等會兒到了哪戶有井水的人家補充就好了。」

光子搖著頭說：「沒關係，已經夠了。」

「是嗎？」優一郎接過水瓶。收回背包後，手回到自己腰上，扣上皮帶。

「瀧口同學。」光子喊了他一聲。

優一郎抬起頭。

光子輕快地伸出被解放的兩手握住優一郎的右手。優一郎吃了一驚，有點緊張。當然，並不是在警戒光子有什麼企圖，而是因爲被女孩子握著手。

「怎、怎麼了？」

光子再次微笑。張著美唇輕輕說道：

「能遇到像瀧口這樣的好人，眞是太好了！我一直都害怕得全身發抖。可是，已經不要緊了吧？」

優一郎有些不知所措，緊張的嘴角動了幾次，最後說了：「不要緊的。」

優一郎想快點抽回自己的右手，但光子沒有放開，一直握著。就這樣過了一會兒，雖然結結巴巴、口吻仍舊緊張，但優一郎說道：「我會保護相馬同學的。」

「而且還有旗上在。他現在有點神經質，不過，等他冷靜下來後，就會明白相馬同學不是敵人。到時我們三人再去找其他同學，一起想逃出去的方法吧。」

光子微笑著。「謝謝，我好高興。」

光子握著優一郎的手更加用力，而優一郎的臉也愈來愈紅，視線四處游移，不知道該放到哪兒才好。

優一郎這次完全不看著光子說道：「那個……相馬同學。妳眞的……好、好美。」

光子眉毛往上動了一下。「你騙人，眞的嗎？」

優一郎的下巴向後縮了幾次。與其說是在點頭，不如說像是因爲太過緊張而在發抖。於是光子又笑了笑。自己也覺得，這是個沒有惡意笑容。

嗯，大概，幾乎吧。

【殘存人數16人】

57

清晨六點坂持廣播最新消息，忠勝因此醒了過來。雖僅睡了短短兩個小時，不過忠勝說：「這樣就夠了。」隨之鬆開手上的手帕，將槍握緊，然後坐在光子及優一郎身旁。優一郎勸光子先睡一會，不過光子回絕了，優一郎自己躺了下來。（廣播主要傳來飯島敬太、織田敏憲、瀨戶豊及三村信史四人死亡的消息。至於禁區的發展，則和光子他們目前所在的地點無關。）

當忠勝看到了光子手上的皮帶被解開時，表達出他的不滿，優一郎費盡功夫才說服他。其實，即使優一郎沒有解開光子的皮帶，相信光子仍會說服忠勝將皮帶解開。

——接下來。

看來沒有什麼慢慢選擇方法的餘裕了。萬一杉村弘樹又出現在這裡，所有一切都將前功盡棄。（提到這個，杉村弘樹到底爲什麼會四處閒晃呢？該不會和優一郎與忠勝一樣，正在尋找伙伴吧?!）再加上，那個拿著機關槍的傢伙，也不能忘了他的存在。

「我應該睡不著吧!」，雖然優一郎笑著對光子如此說，不過才不過五分鐘，他便沉入睡鄉了。他這個動漫畫少年，想必對於體力沒有什麼自信，累壞了吧。有別於忠勝輕微夾雜著鼾聲的睡相，優一郎像嬰兒般發出沉穩安靜的呼吸聲。

忠勝刻意保持在光子左側三公尺的距離，背靠著樹幹坐在地上。剃平的頭髮，顴骨上方長了幾顆青春痘。而在更上方的眼睛則緊盯著光子不放。右手握住的左輪手槍槍口雖然沒有向著光子，但手指卻牢牢扣在扳機上，一副我隨時可以對妳開槍的態勢。

光子等了三十分鐘。再一次回頭確認背朝自己沉睡中的優一郎後，對著忠勝緩緩說道：

「你就算沒這樣盯著看，我也不會幹嘛呀！」

忠勝臉上的表情扭曲了一下。「這可難說。」

優一郎像是回應忠勝冷淡的語氣似的，身體稍微動了一下。光子和忠勝盯他的背看了一會兒。沒一會兒，優一郎又沉穩地睡著了。

接著，這會兒光子看著忠勝。而雙腳似乎已累於一直保持同一個姿勢，大大吐了一口氣後，稍微調整了腳的姿勢。右邊膝蓋貼著地面，而左邊膝蓋則稍微立起靠著身體。

這樣的姿勢使得她的百褶裙滑到大腿，露出大半白晰的腳。光子的眼神像是發呆般地凝望某個角落，一副若無其事的樣子。

忠勝全身散發出些許緊張的氣氛。光子心想：呵呵，看得見內褲的邊緣嗎？那可是粉紅色絲質的性感內褲呢。

光子保持著這樣的坐姿一會兒後，緩緩地面向忠勝。

忠勝感覺有點慌張地抬起頭。可想而知，在這之前忠勝的眼睛想必是一直盯著光子的腿。

光子裝做沒有發現似的說道：「那個……旗上同學。」

「幹嘛？」

忠勝雖然努力想要保持恫嚇的語調，但如今聲音卻顯得有些動搖。

「我好害怕。」

忠勝雖然覺得她一定是別有用心，但卻只是一言不發地盯著光子。

「旗上同學，你不怕嗎？」

忠勝的眉頭動了一下，過了一會兒才說：「怕呀！所以才會對妳有所防備。」

光子面帶哀傷地將視線從忠勝臉上移開。「看來你還是不相信我。」

「別怪我對妳這樣。」忠勝雖然這樣說，但從聲音可以感覺到語氣已不像先前那樣尖酸。「我說過好幾次了，我只是不想死。」

光子一聽到忠勝這麼說，馬上轉過頭面向他，微微加重語氣地說：「我也跟你一樣不想死啊！但你若不相信我，我們要怎麼一起努力找出得救的辦法呢？」

「啊、嗯……」忠勝氣勢趨緩地點點頭說：「這個，我明白。」

光子露出了微笑。是那種目不轉睛直盯著對方，紅潤美麗嘴唇兩端微微上揚的微笑——這跟之前與瀧口優一郎對話時那種純情的氣氛不同，這回可是相馬光子正宗的墮落天使般的微笑。忠勝的眼神就好像被那微笑迷住了一樣失了神。

「旗上同學。」

光子的臉上，又回復到剛剛那副不安的表情。

交替的臉部表情，就像是處女與妓女、白晝與黑夜。哇喔！簡直就像是電影的片名一樣。

「又、又怎麼了？」

「我說過好幾次了，我真的好害怕。」

「嗯、嗯。」

「所以……」光子又正面緊盯著忠勝看。

「所以？」

這會兒，從忠勝的聲音、表情，已經完全看不出敵意與疑心了。

光子稍微傾了傾脖子問：「可以……跟你說說話嗎？」

「說話？」忠勝有點訝異地皺了皺眉頭。「我們現在不就在說話……」

光子插話打斷他。「笨蛋。不要讓我全部說出來嘛，真笨。」

光子的眼神仍緊盯著忠勝的眼睛，用下巴指了指優一郎的方向。

「在這裡不方便說，懂嗎？去別的地方說。我不想讓瀧口知道，只想要對你說。」

只見忠勝此時嘴巴微開，恍惚地注視著優一郎。然後，再將視線移回到光子臉上。

「可以嗎？」

說完，光子便站起身，稍微觀察了一下四周，看見忠勝身後那片樹叢似乎不錯。隨後便走到忠勝前面，對他傾了傾頭，然後逕自向前走去。對方有沒有跟上來就是成敗關鍵了。過了一會兒，感覺他跟了過來。

在與優一郎睡覺的地點相距約二十公尺的地方，光子停下了腳步。這個地方跟先前的地方一樣，也是個四周盡被繁密林木包圍的狹小空間。

回過頭一看，忠勝撥開樹叢走了出來。眼神恍惚，手上仍緊緊地握著手槍，或許是無意識的行爲吧。

光子馬上將裙子旁邊的拉鏈拉下。百褶裙咚的掉到地上，白晰的雙腿就這樣暴露在還帶著幾分黯淡的破曉陽光下。似乎可以聽到忠勝咕嘟嚥下口水的聲音。

光子接著拿掉領巾，脫下了水手服。光子不像其他女學生，採用在水手服裡頭還穿了件T恤這種一點都沒有女人味的穿法。所以，此時的光子身上只剩內衣褲了。啊，不行，鞋子也得脫掉。光子脫掉運動鞋後，搬出她那墮落天使的笑容，直盯著忠勝的臉看。

「相、相馬……」

忠勝緊張而微張開的口中叫出光子的名字。

光子不讓他有退縮的機會。

「我眞的好害怕。旗上同學。所以……」

忠勝一步、兩步，笨拙地走向光子。

光子好像突然發現什麼似的，視線落到忠勝右手。「那東西，就隨便擺在一邊吧。」

光子這麼一說，忠勝一副好像這才發現自己手上還拿著左輪連發手槍似的，舉起右手，凝視著手上的槍一會兒後，便急忙將手槍放在離他有點距離的地上。

重新走近光子。

光子露出微笑伸出雙手。很快地，手繞上忠勝的脖子。忠勝全身不禁震了一下。光子一湊上自己的嘴唇，忠勝馬上激動地緊擁著她。而光子也以激烈的喘息回應他。

一會兒之後，兩人的唇稍微分開。

光子抬起頭來看著忠勝的眼睛說：「這是你的第一次？對吧？」

「這……不重要吧！」忠勝說著，但語尾有點發抖。

接著，光子蹲下身來，躺在長滿草的地面。

忠勝馬上性急地將手伸向光子的胸部。

眞是個笨蛋！應該多接吻一會兒再這樣嘛。眞是的！

光子雖然心裡面這樣想，但嘴巴裡卻只是發出「啊——」的聲音。忠勝也用他那粗大的手，解開光子的胸罩，猛抓裸露出來的豐滿雙峰，並把整個臉埋進去。

「啊——啊——」

光子仍舊假裝一副陶醉的樣子（而且就像成人影片那樣稍微有些誇張），不過，右手一邊伸向靠近自己內褲腰側稍微後面的地方。

指尖碰到一個堅硬、輕薄的東西。

現在的不良少女大概都不會用這種不解風情的便宜貨了吧。不過，光子可是從好早以前就愛用這東西。在這樣的情況下，當然要能藏在內褲下面，要不可就傷腦筋了。

忠勝只是一個勁兒胡亂愛撫著光子的胸部，光子看到的也只是他的頭頂。忠勝的左手一下子就伸往光子的兩腳之間。光子稍微假裝呻吟。忠勝的眼裡只有光子的胸部。

光子慢慢地將右手靠近忠勝的脖子旁。

對不起，旗上同學。但是到了最後也讓你有過一些美好的經驗，不錯吧？不過沒有辦法全部獻給你，倒是有點遺憾。

光子右手的無名指偷偷地碰到忠勝頸子，那東西則用食指和中指夾著。

突然傳來嘰嘰喳喳的鳥叫聲。而且，還是來自光子的右手邊方向。

忠勝聽到聲音嚇了一跳，抬起頭來，往那方向看去。

那只不過鳥叫聲而已，讓忠勝睜大眼睛，當然是……

在自己眼前的那片光子拿在手裡的刮鬍刀片。

呿！

緊要關頭居然出現這麼個意外，光子不管三七二十一，揮動手中的刀片。

但是，忠勝唔的發出一聲短吁，馬上從光子身上跳開。刀片雖然擦過他的頸子，但還不致於成爲致命傷。只是一道小傷口而已。哎呀呀，眞是了不起的反射神經！不愧是棒球社的。

忠勝站起身來，張大眼睛直直盯著已經坐起上半身來的光子。一副想說些什麼卻找不到話說的樣子。

光子也不管一旁的忠勝，快速起身後，眼睛朝右手邊那把放在地上的左輪連發手槍看去。

眼前突然閃過忠勝的身體。簡直就像是前撲滑壘的要領一般。忠勝從地上抄起手槍，一個翻轉，膝蓋著地後起身。就像是七原秋也（少棒聯盟被稱爲天才選手的秋也。赫赫有名到連唸不同小學的光子也都知道他）在小學時代守游擊時的表現。這下子城岩中學的棒球隊就不怕後繼無人囉？不過話又說回來，還好你還沒脫褲子。要是全身赤裸的話，那可就難看了。

姑且先不說這些，光子在發現忠勝會先拿到槍時，就馬上轉身跑走了。身後雖然傳來槍聲，不過卻什麼也沒打中，光子也跑進了樹叢中。

身後傳來忠勝追過來的聲音。一定會被他追上的。

穿過樹叢後，看見瀧口的身影。瀧口聽見槍聲醒過來之後，發現光子和忠勝都不在，於是環顧著四周。一看見光子，眼睛立刻瞪得老大（這也難怪。我可是半裸耶。這不成了清涼大放送？相馬光子的深夜秀？啊，現在是早上啊？）。

「瀧口同學！」

光子大聲叫著優一郎並跑向他。當然沒忘記要裝做哭喪著臉。

「相、相馬同學妳怎麼……」

旗上忠勝撥開草叢出現時，光子馬上躲到優一郎背後。優一郎也只不過比光子高個四、五公分而已，所以根本無法完全躲起來。算了，暫時就先這樣。

「瀧口！」忠勝停下腳步，拿著槍大聲喊叫。「你滾開！」

「慢、慢著！」

優一郎不知道是不是因爲才剛睡醒，頭腦還沒搞清楚狀況，講話的語氣透露出一點慌張。光子從後面緊緊抓著優一郎的肩膀，半裸的身體也緊緊靠在他的背部。

「這是怎麼一回事?」

「相馬她想殺我!就和我告訴你的一樣!」

光子還是躲在優一郎的背後,「才、才不是呢!」用不太有力氣的聲音說著。

「是旗上同學他……強迫我……他用那把槍威脅我。瀧口同學,救救我!」

忠勝的表情讓人難以置信地扭曲著。

「什麼?這傢伙……不對,不是這樣,瀧口!對、對了,你看這裡!」

忠勝用沒有拿槍的左手手指指著自己的脖子,細細的傷口滲出一些血絲。「這是刀片傷的!」

優一郎轉頭,從眼角看著光子。只見光子搖搖頭(眞是可愛極了。一臉害怕的模樣。這回是走清純派路線)。「是我……無意中用指甲抓到的。然後,旗上同學就很生氣,開槍要殺我……」

刀片老早就丟到樹叢裡了。就算全身脫光(雖然已經幾近全裸了)檢查也找不到證據。

忠勝早已氣到面紅耳赤。

「瀧口!你滾開!」忠勝大叫著。「我要打死她!」

「等等!」感覺優一郎好像努力想要讓聲音聽起來鎮定點。「我根本就不知道你們兩個之中,到底是誰在說謊!」

「你說什麼?!」

忠勝憤怒地大叫,但優一郎不爲所動,朝忠勝伸出右手。

「把那把槍交給我。這樣我就可以確認是誰在說謊。」

忠勝臉上的表情扭曲了一下，一副泫然欲泣、滿臉鬱悶的表情，吼道：

「現在可不是讓你磨磨蹭蹭的時候！如果現在不把那傢伙解決掉的話，你、你也會被殺的！」

「太過分了！」光子哭了出來。「我才不會做那種事！瀧口同學，你要救救我！」光子說著又更抓緊優一郎的肩膀。

優一郎有耐性地伸著右手。「給我，旗上。如果你沒有說謊的話。」

忠勝的臉上表情又扭曲了一下。

但過沒一會兒，忠勝肩膀上下動了一下，嘆了口氣後，把槍放了下來。用手指勾著手槍護弓在手上轉了一圈，將槍柄朝前，萬念俱灰地把手槍遞給優一郎。

光子的臉上當然還是保持一副要哭的模樣——但是，眼底卻閃過一絲光芒。優一郎握住槍的那一刻就是勝負的關鍵。要把槍從優一郎那裡搶過來，應該是沒那麼困難。問題就在要用什麼方法。

優一郎點頭往前走了過去。

幾乎跟杉村弘樹用柯特點四五手槍在光子面前玩的把戲一樣。手槍在忠勝手中，就好像是變魔術一樣，又把槍口給轉了回來。在同一時間，忠勝跪下右膝，身體稍微傾斜。將槍口避過優一郎左肩旁，一直線瞄準著光子。離開優一郎背後的光子，此時全身上下都不設防。

優一郎順著槍口的延長線看過去，轉頭看向光子。

光子眼睛睜得大大的。這下完了……

忠勝刻不容緩地扣下扳機。槍聲響起。兩發。

在光子的眼前，優一郎的身體就像是慢動作一樣，緩緩倒下。

而在優一郎對面，只見忠勝一臉狼狽的表情。

此時的光子，早已拿起放在優一郎剛才睡覺時放在一旁的鎌刀。將它朝忠勝丟了過去。鎌刀在空中旋轉，如同香蕉形狀的刀身漂亮地刺進忠勝的右肩，忠勝痛得不禁哀號著，槍也從手上掉了下來。

光子這回毫不遲疑拿起球棒，奮力衝上前，跳過已經趴倒在地上的優一郎，跑到忠勝前面，趁勢朝著用手按著右肩、站也站不穩的忠勝頭部全力揮去。

你看。這可是你最熟悉的球棒哪。滿意嗎？

磅！的一聲，球棒前端正中忠勝臉部中央。光子的手似乎可以感覺到忠勝的鼻軟骨碎裂、掉了幾顆牙、連顎骨也塌陷了。

忠勝當場昏了過去。光子也沒停下手，這回是從額頭打下去。碰，忠勝的額頭扁了下去，掉出半顆眼睛，忠勝的雙手在身體兩側緊緊握拳。再來一棒！這次打在鼻子的上方。相馬光子的特別訓練，揮棒一千次。看著、看著！接著是正中央方向喔！

這一擊，讓忠勝的鼻血從鼻子裡噗的噴了出來。

光子放下了球棒。忠勝整個臉都是血，早已氣絕身亡。耳朵裡、歪掉的鼻孔，都各流下一道寬粗的血跡。

光子把球棒扔了出去，拿起左手邊的左輪連發手槍。然後朝趴倒在地上的優一郎走過去。

優一郎的身體下面，血好像是要將草地空隙填滿似的流了滿地。

那一瞬間，是他挺身護了光子。

光子靜靜在優一郎的身旁跪下。臉一湊近，發現優一郎還有呼吸。

光子稍微想了一下，移動了自己的身體以免優一郎看到忠勝的屍體，然後使勁抓住優一郎的肩膀，讓他把臉朝上。

「唔——」優一郎叫了一聲，眼睛無神地睜開。制服的左胸部位和側腹各被打中一槍，血不斷地湧出來，被學生服黑色的布料吸進去。光子將優一郎的上半身抱起來。

優一郎的眼神在四處游移了一會兒，落到光子的臉上。哈、哈、間接且短促的呼吸宛如是在配合著心跳一般。

「相、相馬、同學……」優一郎說道，「旗、旗上他……」

光子搖搖頭。「他打中你之後很害怕，逃走了。」

既然忠勝一心只想殺了光子，這個理由編得有些不合道理。而且到底忠勝和光子之間是誰在說謊，其實也已經昭然若揭。不過或許是腦子已經無法好好思考，只見優一郎輕輕地點點頭。

「相、相……」優一郎左右兩隻眼睛的焦點已經對不起來，恐怕就連光子的身影也看不清了。「受、受傷了嗎？」

「沒有。」光子點了頭然後說：「是你救了我吧。」

優一郎稍微笑了。「對、對不起！我……已經……沒有辦法……再……保護你了。我……已、已經……動不了了……」

說話時嘴邊冒出血泡來，看來似乎是打中了肺。

「我知道。」光子說道。彎下身來，緊緊抱住優一郎。一頭濃密的黑髮落在優一郎的胸前，髮尾被流出的血給濡溼了。光子就這樣將自己的唇印上優一郎的唇前，剎那間優一郎眼睛突然稍微動了一下，旋即又閉上了。

這個吻，和剛剛像妓女一樣給忠勝的吻完全不一樣。這個吻是溫柔、溫暖且帶有心意的吻。雖然帶有點血的味道，但她不介意。

光子離開了優一郎的唇。優一郎意識模糊地睜開了眼睛。

「對、對不起……」優一郎說道。「我，已經……」

光子嫣然一笑：「我明白。」

砰、砰、砰、傳來三聲沉悶的槍聲，優一郎的眼睛睜得好大。

這個時候，瀧口優一郎已經是直直盯著光子的臉，恐怕就連發生什麼事情都不知道就死了。

光子將槍口還冒著煙的左輪連發手槍慢慢從優一郎的肚子拿開，然後再一次抱住他的身體，凝望著優一郎那對現在已經什麼也沒看著的眼睛。

「你眞是個不錯的人，讓我感到有點高興，所以我不會忘記你的。」

光子自言自語地說著，然後就閉上了眼睛，似乎是非常依依不捨地，再次將自己的唇靜靜湊上優一郎的唇。當然，嘴唇上還有留有餘溫。

陽光終於開始照射到北方山地的西側坡地。優一郎的瞳孔，在光子頭部遮住陽光的影子底下，正在急速放大。

【殘存人數14人】

58

七原秋也（男子十五號），突然醒了過來。

四周由鮮艷綠草形成畫框一般圍繞著的蔚藍天空，映入眼簾。

秋也迅速直起身子。看見包圍在自己身邊的草地的另一端，熟悉的城岩中學校舍就聳立在和煦的陽光中。

操場那裡有幾個身穿體育服的人，大概是體育課在上軟式壘球的課程，不時有吆喝聲傳來。

秋也所處的位置是在學校中庭角落的樹叢中。頭上棗椰樹寬大的葉子罩著好一大塊區域。這裡是秋也偶爾會在午休或是翹課時，用來打瞌睡的地方。

秋也站起來，看看自己身上。沒有任何地方受傷。學生服沾上了細小的草屑，秋也將其拂去。

是夢……

秋也搖了搖仍然昏沉的腦袋。於是，這下子總算明白了。

是夢。所有的一切，都是夢。

就像每次做完惡夢之後，身上總是流滿了冷汗。秋也伸手擦了擦脖子，果然滿是冷汗。

怎麼會，怎麼會有如此可怕的夢呢？彼此非得自相殘殺不可？自己竟然被會那個「計畫」選上？

接著吃驚地意識到：操場上的人們——體育課？

看看手錶。現在早已是下午上課的時間。睡過頭了！

秋也急忙離開那片樹叢，朝校舍的方向小跑步。今天，今天是……一邊跑著，一邊看手錶，才知道是星期四。

星期四下午第一節課是國語。秋也於是安心了不少。國語是自己喜歡的科目，成績也還算不錯，而且秋也和任課的岡崎和子老師之間處得還算不錯。看樣子，只要自己認個錯應該就沒事了。

國語。喜歡的科目。成績。岡崎老師。

腦海裡浮現的這些名詞，不知道爲什麼，叫人好生懷念。

事實上，秋也很喜歡國語課。就算教科書上收錄的小說或是小品文內容都充滿了讚美共和國的口號，要不就是無聊的「主義」綱領，秋也還是可以在字裡行間找到自己喜歡的字句。對秋也來說，文字就和音樂一樣重要。因爲歌詞是搖滾樂所不可或缺的。

說到歌詞，是了，班上國語成績最好的中川典子所寫的詩，眞美。和秋也千辛萬苦才幫自己創作的搖滾樂曲塡好的詞相較之下，她的用字更爲精確、語意也更爲鮮明——一方面平淡、溫婉；但一方面又犀利、強悍。簡直就是將秋也心裡所想像的女孩子形象，原封不動呈現在文字的世界裡一般。而這點至少就已經確實地擄獲了秋也的心。嗯，姑且不論國信慶時他喜歡典子這件事。

思緒至此，秋也重新意識到，啊啊，慶時他還活著。一邊小跑步，一邊覺得自己太過荒謬。一瞬間，因爲安心感而差一點哭出來。眞是太荒謬了。還眞虧自己做了慶時死掉了這麼個無聊的夢。

還有，在那個無聊的夢裡，不知道爲什麼典子——不，典子同學才對。我什麼時候開始直呼她的名字了？眞不害臊——典子同學會和自己在一起呢？雖然在夢裡似乎有事態演變至此的脈絡可尋，但是這也就是說，我除了喜歡她的詩之外，多少還是蠻在意她本人的囉？哎呀呀，如此一來，不就得和慶時大吵一架啦。這可不得了。

心裡雖然這麼想，但秋也發現自己的嘴角正因爲這幸福的幻想而浮現笑容。

秋也進入上課時間一片寂靜無聲的校舍，快步爬上階梯。三年B班的教室在三樓。兩階當做一階大步向前跨去。

到了三樓，在走廊右轉。第二間教室就是B班。

秋也在門前停了一下，思考要對岡崎老師說的藉口。身體不太舒服？不對，就說因爲貧血的關係，站起來的時候，一下子頭昏眼花好了。所以才多休息了一會兒。可是自己看起來一副健康寶寶的樣子，老師會相信我嗎？可以想見慶時會誇張地對秋也聳聳肩，而瀨戶豐那傢伙會說：「秋也，你該不是睡過頭了吧？」之類的話；三村信史則一邊搔著鼻頭，一邊注視著秋也；杉村弘樹會抱著胳膊，臉上些微露出看見有趣事物的表情。而典子她則會對搔著頭的秋也微笑。ＯＫ，就這樣吧。反正丟個臉也沒什麼大不了。

秋也把手按在門上，做出一副深感抱歉的姿態，輕輕把門拉開。

正當秋也畢恭畢敬朝著講台要抬起頭來的時候，鼻子裡聞到了一股不知哪兒來的腥味。

秋也猛地抬起頭，把拉門一口氣打開。

最先映入眼簾的是，有個人倒在講台那裡。

岡崎老師——。那不是岡崎老師。而是級任導師林田昌朗老師。而且……

他的頭不見了。原本應該是頭部的地方，成了一灘血水。一片鏡片落在地上。

秋也將目光自林田老師的屍體身上移開，快速轉頭朝向教室裡。

課桌椅排列整齊。就和往常一樣。

和往常往不一樣的是，熟悉的同班同學們，大家都趴在桌上。而且……

地板上滿是濃稠的血跡。強烈的氣味，直往上衝。

秋也一時間呆站在原地，然後慌張地伸手去碰觸座位近在眼前的天堂眞弓，才發現她背上多了一根看來像是天線一般的銀色箭矢。尖端由眞弓的水手服腹部穿出，鮮血不停由該處滴向眞弓的裙子，然後是裙襬，最後落在地上。

秋也走向前去。搖動新井田和志的身體。和志的身體突然傾倒，臉部轉向秋也的方向。

秋也心底湧上一陣惡寒。和志的眼睛成了紅色的窟窿，鮮血和著像是濃稠蛋白一般的液體自窟窿裡向外流。而且，他的口中，還插著一根像是粗柄錐子的東西。

秋也大叫一聲衝到國信慶時的座位。他的學生服背後開了三個大洞，在衣服底下各自綻放出鮮血的花朵。一抱起他，慶時的頭部便無力地垂在肩膀上。睜大的眼睛，無神的仰望著天花板。

慶時——！

秋也大喊，然後在混亂之中環顧四周。

如今，所有人要不就無力地靠在椅子上，要不就開始滾落到地板上。

江藤惠的喉嚨被俐落地割開，看起來就像是西瓜的切口一般。倉元洋二的頭上插著一把鎌刀。小川櫻的頭則像是過熟的果實一般迸裂。矢作好美的頭有一半不見了。大木立道的臉上劈著一把柴刀，左右臉像分開的花生米一樣，兩邊上下錯位。元淵恭一的腹部看起來就像是香腸工廠的產業廢棄物回收籠。旗上忠勝的臉被打得亂七八糟，一片血肉模糊。清水比呂乃的臉整個發黑腫脹，如海參一般大小的舌頭在張大的嘴角向外吐出。而那個「第三之男」三村信史的身上，到處都是洞。

簡單地說，大家——都死了。

秋也的目光，停在一個人身上。川田章吾——那個風評不佳又難親近的轉學生——胸口上深深插著一把刀子。他的眼睛輕輕半閉著，面向地板，但什麼也沒在看。

秋也接著吞了口口水，望向中川典子的座位。她的位置在慶時後面，原本應該要更早看見她才對。可是，不知爲何，如今每個同學的屍體連同座位，像是不斷地繞著圈轉似的，秋也好不容易才認出典子的身影。

典子她還趴在桌上。

秋也跑向典子，抱起她的身體。

骨碌，她的腦袋「脫落」了。留下穿著水手服的軀體，滾落地面，在血池之中骨碌的滾著——最後抬眼看著秋也。眼裡滿是哀怨。你不是說要救我嗎？七原同學。我死掉了。虧我喜歡你。虧我這麼喜歡你哪！

秋也的視線彷彿被釘在典子的頭顱上，兩手抱頭，極力張大了口，感覺就要發瘋了似的。由自己的腹部深處，奮力擠出一聲喊叫。

突然間，秋也的視線映出一片白色的東西。

靠著自己的身體感覺——身體躺在地面，而那東西和身體則是呈水平相對——與視覺相結合，秋也才好不容易認出那原來是一面天花板。視界右側一隅，還裝有一盞日光燈。

有人輕輕用手碰觸秋也的胸膛。

秋也一方面發現自己正不停地喘氣，一邊用目光由那隻手向上追到手臂，再由手臂到肩膀，看見了身穿水手服、綁著兩根辮子、女生班代表內海幸枝（女子二號）正靜靜地對自己微笑。

「太好了，你醒過來了。」幸枝說道。

【殘存人數14人】

59

秋也猛地起床。動作時，感受到全身各處傳來劇痛，連忙躺了回去。這才發現自己躺在一張鋪著嶄新床單的柔軟床榻上。

幸枝又輕輕撫著秋也的胸膛，接著，將軟綿綿的毛毯向上拉到秋也脖子附近。

「不行，別太勉強。你身上受了重傷。看你不時發出夢囈，不要緊吧？」

秋也沒空好好答話，只顧著轉動脖子看著四周。是一個狹小的房間。緊臨自己躺著的床鋪左側的牆上掛了一個粗製濫造的十字架，右側，也就是幸枝的身後還有一張床，除此之外幾乎沒有其他的日用品或傢俱。毛毯的另一端，腳前有一扇門，不過門是關上的。木框的門板給人十分老舊的感覺。頭上好像有個窗戶，昏暗的光線由那裡射進房內，填滿整個空間。看這光的感覺，外頭可能是陰天。不過，這裡……到底是哪裡？

「眞奇怪。」秋也說道。無論如何，起碼還說得出話來。「我不記得有和班代一起到旅館CHECK IN呀。」

雖然秋也整個人還有些昏昏沉沉，不過幸枝見狀安心地鬆了口氣，接著，用力咧起豐厚的嘴唇，嘻嘻地笑了。

「這才像是七原同學。這樣我就安心了。」

接下來，盯著秋也的臉補充說道：

「七原同學，你一直都在昏睡。已經過了……」看看左手腕上的手錶。「十三個小時左右了。」

十三個小時？十三個小時。那我十三個小時前是在……

秋也睜大了眼睛。記憶和現況喀嚓一聲結合起來，這下子總算是完全清醒過來。

有件事無論如何得先問清楚。

「典子……中川典子呢？川田章吾呢？」

秋也說到這裡，咕嘟一聲嚥了口口水。他們還活著嗎？

幸枝有些不可思議似地看著秋也，接著說：

「典子，和川田同學應該沒事吧。正午的廣播才剛結束，兩個人的名字都沒被叫到。」

秋也大大的喘了一口氣。典子和川田逃掉了。桐山追著秋也，失去了典子和川田的蹤影，桐山他……

秋也於是又猛地抬頭看向幸枝的臉。

「桐山、桐山出現了！」語氣帶著焦躁的感覺。「這裡是哪裡？班代，妳一個人嗎？千萬小心，他很危險！」

幸枝輕觸秋也伸出毛毯的右手。「冷靜一點。」然後問道：「是桐山同學害你受傷的嗎？」

秋也點頭。「是那傢伙沒錯。桐山攻擊我們。那傢伙已經完全投入這場遊戲了。」

「這樣啊……」

幸枝輕輕點頭，接著說：

「這裡很安全。除了七原同學，我們這裡一共有六個人。其他人會幫我們警戒。用不著擔心，她們都是我的好姐妹。」

秋也揚起眉毛，六個人？「有誰？」

「有中川有香，」幸枝舉了一個和典子同姓，個性活潑的女生的名字。接著說：「野田聰美和松井知里、谷澤遙，還有榊祐子。」

秋也稍微舔舔嘴唇。幸枝看見秋也的表情，說道：「怎麼？有不相信的人嗎？誰？還是大家都是？」

「不是。」秋也搖頭。「只要是班代的朋友，我都相信。」

只不過，六個女孩子，而且都還是好朋友，她們到底怎麼能夠湊在一起的呢？

幸枝開心地笑著握住秋也的手。

「聽七原同學這麼說，眞叫人開心。」

於是秋也也笑了笑。然而，自己也明白那個笑容一下子就在自己臉上消失了。還有必須詢問的問題。自己已經錯過半夜十二點、六點還有中午十二點，一共三次廣播。

開口說道：

「有誰……死了？在我……」半夜十二點、六點還有正午，一共有三次廣播吧？又有誰……死了？」

幸枝用力閉緊嘴唇，拿起放在旁邊小餐具櫥上的紙張。那是地圖和名冊。折疊方式和泥土髒污看起來很眼熟，這才明白那原來是秋也自己放在學生服口袋裡的東西。

幸枝看著內容，說道：「清水同學。還有飯島同學、織田同學、瀨戶同學、瀧口同學、旗上同學，和三村同學。」

秋也張著口。當然，隨著遊戲的進行，現在就算只剩下十多人存活也沒什麼好奇怪，但是當年一起在少棒聯盟打球的旗上忠勝已經死了，還有……

「三村也……」

那個「第三之男」三村信史也死了。眞叫人難以置信。原本以爲，無論發生什麼事，信史他也不可能會死。

幸枝靜靜地點頭。

秋也發現自己的心情竟不可思議地沒有絲毫動搖。恐怕是已經習慣了。只是，信史的燦爛笑容浮現心裡。還有在那所分校時，那個對自己使眼色要我冷靜下來時的認眞表情。

再也看不到城岩中學的天才後衛，「第三之男」的精采球技了嗎？一想到這裡，秋也的胸口還是一陣刺痛。

「三村他……什麼時候叫到他的名字的？」

「早上。」幸枝回答：「飯島同學和瀨戶同學也是早上。三個人感情不錯，說不定他們幾個在一起。」

「這樣啊。」

所以半夜十二點時，信史他還活著。而正如幸枝所說，信史和瀨戶豐或飯島敬太三個人待在一起也說不定。

「天還沒亮時，」幸枝補充說道：「有一聲好大的爆炸聲，還聽見槍聲。說不定就是在那個時候。」

「爆炸聲？」

秋也想起桐山攻擊自己時所用的手榴彈。

「那是……告訴妳，桐山他有手榴彈。是那個聲音吧？」

幸枝揚起眉毛。

「那是……對了，是過了十一點時候的事吧。但不是那個。因爲那是我們將七原同學帶回來之後才聽見的。大概是過了零點左右。那聲巨響比十一點多聽見的那個要大聲多了。在外警戒的人說，島正中央的天空變得明亮。」

秋也抿了抿嘴唇，姑且不管那件事，想起現在還沒結束「這裡是哪裡」這個話題呢。

正要開口問的時候，幸枝便將名冊和地圖交了出來。「這是你的。地圖也幫你標示好了。」

秋也這才想到還有禁區的問題，接了過來。將地圖攤開。

「七原。我們討論搖滾樂的地方。」

那個地方——島的西岸，靠近海邊的C＝3區，和其他幾個區域一樣，以鉛筆斜線在上面亂塗一通。還有一行細字，「23日/AM11」。這也就是：今天早上十一點，當秋也還在昏睡的時候，那裡已經無法進入了的意思。

秋也緊閉著雙唇。典子和川田已經不在那裡。當然——思考能力好不容易恢復正常——這也得他們在正午以後沒有遇害才行。他們不可能會死的，秋也心想。可是又想起在夢中，和慶時與信史的屍體一樣，也看見了川田和典子的屍體，秋也沒來由的背脊發涼。

可是，他們一定還活著。現在只能這麼相信了。不過，到底要怎麼樣才能與他們會合呢？

秋也把地圖蓋在自己胸口上。現在這個情況，思考這種無意義的事也是徒勞無功。先要取得資訊。再說，既然自己不是單獨一人，說不定會有什麼辦法。

抬起頭來，看著幸枝的臉。

「那個……班代，這裡……到底是哪裡？我爲什麼會躺在這裡？」

幸枝點頭，接著抬頭看向窗戶，說道：「這裡是燈塔。」

「燈塔？」

「沒錯。在島的東北端。地圖上不是有標示嗎？我們從遊戲一開始的時候，就一直待在這裡。」

秋也於是再看了一次地圖。燈塔就和幸枝所說一樣位在島的東北方，稍微突出的C＝10區。周邊幾乎都還沒有禁區。

「然後，七原同學，是昨天晚上的事了。這個燈塔的前面有一個山崖，你就是從那裡摔下來的。負責警戒的人看到你，就把你拖了回來。你受了好重的傷。渾身是血。我們還以爲你可能隨時會死掉呢。」

秋也聽後才察覺到自己上半身裸露，左側肩頭，疼得厲害的地方包紮著繃帶（以這樣狀況來看，子彈擊裂了肩胛骨，而且還卡在那裡）。脖子右側——就是緊靠著項圈下面的地方——像火在燒似的，那裡也有繃帶的觸感（不過那裡應該只是擦傷罷了）。然後是左肘上方（這裡的觸感就很沉重。可能是子彈整個貫穿，刮傷了骨頭或是肌腱之類的吧，幾乎不聽使喚了）。還有，左側腹（這裡則是邊緣被子彈貫穿，不過應該沒有傷到內臟才對）。秋也笨拙地活動沒受傷的右手，稍微拉起毛毯，確認了自己全身包滿繃帶。放回毛毯，問道：「是妳幫我包紮的嗎？」

「嗯嗯。」幸枝點頭。「剛好這裡有一些急救用品。你的傷口，我稍微縫了一下。我這個外行人縫得亂七八糟，再說針線包也只有裁縫用的。肩上的傷，大概……子彈在留在裡面。可是我也沒辦法。其實說不定還得要輸血才行。看你流了那麼多血。」

「麻煩妳照顧了。」

「沒關係啦。」幸枝露出笑容。「沒想到有機會能碰觸到男生的身體，我覺得好感動哦。還有幫男生脫衣服也是哪。」

秋也跟著笑了笑。除了頭腦的反應速度和縝密心思，這種豪邁的說話方式，也的確很符合班代表幸枝的形象。自從在小學的體育館，和女子排球隊交涉少棒聯盟的室內練習場地的那個下雨天開始，她就是這樣的一個女孩。自己也曾經對慶時說過：「二班的內海蠻好的。我喜歡那種給人俐落感覺的女生。」

當然，現在不是沉浸在淡淡感傷的時候。幸枝她說著：「對了，這個給你。」遞來一個水杯，秋也忍不住吹了聲口哨。正好覺得有些渴。那杯子放在秋也視線看不到的小餐具櫥上，大概是早已準備好放在那裡的吧。

秋也心想：班代，妳真了不起。以後一定會是個好太太，不，一定是好女人。不對，說不定妳現在就是好女人。事實上，我一直都這麼想。

他接過水杯，仰頭喝下。由於吞嚥時牽動了頸上的傷，不禁令他臉上表情扭曲了一下。但他還是全喝完了。

「這麼要求可能有些過分，」秋也將水杯還給她時說：「再給我多喝點水，會舒服得多。還有，如果有止痛劑之類的東西，也給我一些，不管什麼都好。起碼安心一點。」

幸枝點頭。「知道了。我會幫你準備的。」

秋也舔了舔嘴唇，接著又問道。

「不過，多虧妳們同意讓我進來。畢竟我也可能是敵人哪。」

幸枝搖搖頭。「眼前這個人就快要死了，也不好說拒絕讓他進來。再說……」

她注視著他的眼睛，臉上浮現惡作劇般的笑容。

「因爲是七原你呀。這個團體的領導權在我手上，是我強迫大家答應讓你進來的。」

這麼說來，班代她多少還是蠻看重我們自從在小學的體育館那時以來的交情。雖然心裡這麼想，不過秋也的口中卻說出另一句話來。

「這麼說來，果然還是有人不同意囉？」

「那是因爲……目前這個狀況嘛。」幸枝低下視線。「你不要怪她們，大家心裡都很混亂。」

「嗯。」秋也點頭。「這我明白。」

「不過，是我讓她們接納你的。」幸枝抬起頭，又笑了。「還不謝謝我？」

秋也正要點頭稱謝，但察覺到剛才還笑容滿面的幸枝眼眶裡，堆滿了淚水。這是怎麼回事？

幸枝直盯著秋也瞧，說道：「我好擔心。深怕你就這麼死了。」

秋也有些訝異地望著幸枝的臉。

幸枝接著說：「我不知道，萬一你死了，我該怎麼辦才好。」

說這句話時已經是聲淚俱下。

「你明白我這話的意思嗎？你明白我爲什麼力排眾議，一定要救你的原因嗎？」

秋也注視著幸枝淚眼汪汪的眼睛，緩緩地點頭。心想：怎麼辦？我這麼受歡迎，不要緊嗎？

當然，這也可能是一種絕望心理。在這種自己不知道什麼時候會喪命（不，以遊戲規則來看的話，是一定得死。這個不受神所眷顧的「計畫」裡，從來沒有聽說除了優勝者以外有任何人存活下來），再加上生存者愈來愈少的情況下，是啊，以前在小學體育館一隅短暫交談以來，「有點喜歡」的男孩子，也會搖身一變成爲「愛到死」的男孩子也說不定。

不過，應該不是這樣。如果不是自己眞心喜歡的人，恐怕不會不顧同伴們的反對，執意要幫助對方吧？不，就連願意相信秋也這點也是如此。

秋也開口說話：「我明白。謝謝妳。」

幸枝用右手掌底擦了擦眼睛。然後說道：

「我問你一件事。剛才你問了典子和川田同學的事情吧？你還說了『我們』。難不成你們三人在一起嗎？」

秋也點頭。

幸枝蹙起眉毛。「典子是沒什麼問題。可是，你眞的和那個川田同學在一起嗎？」

秋也聽出幸枝的語氣帶著質疑。

「川田他不是壞人。他幫了我許多，我和典子都是拜他所賜才活到現在。川田現在一定也還在保護著典子。不，不光是這樣。」順著話一口氣接著說道：「我忘了說，我們可以得救了，班代。」

「可以得救?」

秋也用力點頭。「川田他會幫我們。那傢伙知道逃離這裡的方法。」

幸枝睜大了眼睛。「眞的?眞的嗎?什麼方法?」

秋也一時爲之語塞。因爲川田他說過，逃走的方法不能全說出來。

仔細想想，這一切一點根據都沒有。當然，秋也是相信川田的，可是幸枝並非一直都和川田在一起，即使對她說明前因後果，她願不願意相信也還是個問題。正如川田好幾次對秋也說過的，他的目的就只是在利用他們也說不定。

不過秋也最後還是決定要把事情經過從頭告訴幸枝。

在出發地點被赤松義生襲擊；接著和典子一直待在一起；與大木立道陷入戰鬥；然後差一點被元淵恭一開槍射擊時，川田救了自己；後來三個人就一起行動；提到逃離此地的辦法；川田是去年「計畫」的生存者；典子發高燒，三人移動到診所；對了，還有遇見杉村弘樹的事情。弘樹他說相馬光子是個危險人物。接下來，在移動的途中，遭受桐山的攻擊。

「大木同學的那件事，」從頭到尾聽完秋也的說明後，幸枝不知爲何首先就提到大木立道的名字。

「是個意外吧?」

「是啊。就和我剛才說的一樣。」

回答之後，秋也看見幸枝眉頭深鎖。

「怎麼了嗎？」

幸枝搖搖頭說：「沒有啦。」旋即換個話題。

「我有話直說，你別怪我，川田同學一時之間很難叫人馬上相信。嗯嗯，特別是他說有辦法逃離此地這件事。」

秋也心裡奇怪爲什麼幸枝她會問到立道的事情，但覺得這件事不怎麼重要，便擱著不談。轉而對於她目前提出的疑問表示同意。

「妳這麼想也是難免的。可是，我覺得川田是可以相信的人。我不知道該怎麼說，不過那傢伙不是壞人。」秋也用還能自由活動的右手在臉旁揮了揮，顯得有些著急。「妳如果和他待在一起，就會明白了。」

幸枝用右手手指稍微碰了一下嘴唇，然後說道：

「我知道了。這麼看來他的計畫似乎值得一聽。反正也沒有其他更好的辦法了。」

秋也看著幸枝的臉好一會兒。

「妳們原先打算怎麼辦？」

幸枝聳聳肩。

「我們幾乎絕望了。之前討論過，要不就是賭一賭逃離這座島，不然就是在這裡支撐多久算多久，不過最後還是沒有結論。」

秋也想起有件事情忘了問。

「妳們是怎麼湊在一起的？一共有六個人呢。」

「嗯嗯。」幸枝點頭。「我後來又回到出發地點，出聲喊她們。」

秋也吃了一驚。「什麼時候？」

「正好是在你和典子逃走之後吧。不對，我到的時候看見新井田同學跑開。其實我很想趕在你出發之前回去。總之，那時我才發現有兩個人……已經死了。就在那所分校的出口處。」

秋也的眉毛上揚。「赤松他只是暈過去吧？」

幸枝搖搖頭。

「我雖然沒有靠近看，不過他那時好像已經死了。脖子上……插著一根箭矢。」

「這麼說是新井田他……」

幸枝點頭。「應該就是他吧。」

秋也接著問道：

「妳不害怕嗎？難道妳不怕有其他像赤松那樣的人嗎？」

「那個啊……我當然也考慮過那樣的問題。不過我也沒有別的辦法了，總之，一定要設法組織起一個團隊才行。分校正面不是有片樹林嗎？我想躲在那裡的話，應該不會被發現吧。萬一還是被人發現，那也沒辦法了。」

秋也由衷地感嘆。自己雖說還得照顧受傷典子，但是究竟還是完全不管其他人死活，只顧著自己逃走。杉村弘樹他雖然留下來等千草貴子，但弘樹是男生，而且還懂得拳腳功夫。

「妳眞了不起。不愧是班代。」

幸枝笑了。「你直呼典子的名字，卻叫我班代啊？」

秋也一時說不出話來。「不是，嗯。那個……」

「沒關係，你不用勉強啦。」

幸枝又笑了一下，感覺有些落寞。接著繼續說道：

「然後，看見中川有香出來，我就出聲喊她。」

「那她馬上就同意了嗎？畢竟……班、班代妳人望不錯嘛。」

「嗯嗯。那個啊。」幸枝點頭。「我不是一個人回去的。一開始，我心裡也相當混亂。可是，我心裡想無論如何都得回去才行，就在回到分校的途中，偶然遇見了谷澤遙。你知道的嘛，我和谷澤遙兩人感情最要好了。」

秋也點頭。記得谷澤遙和幸枝同樣是排球隊的。

「然後，我和谷澤遙討論。谷澤遙聽說我要回去，一開始還不願意，但起碼我們手上有武器——我的背包裡放著一把手槍。於是，我們兩個人一起開口喊有香，所以她才相信我們的吧？」

秋也思考了一會兒，想起先前說過的那個「法則」。

「可是，在這場遊戲裡，就算對方有兩個人在一起，也不見得可以相信呀。」

幸枝點頭。「是啊。你說得沒錯。」

「妳的意思是？」

「所以我們把男生都排除在外。不好意思，我們討論過後，覺得有男生在的話還是不妥。所以就把男生排除在外，接下來是聰美，然後文世……」幸枝的話停了下來。藤吉文世（女子十八號）出發前就已經死了。「跳過文世，接著是知里。這樣我們就有五個人了。之後，我們雖然也喊了南佳織，可是她……」

秋也接著說下去。「她逃走了？」

「嗯。逃走了。」

秋也想到自己忘了對幸枝說南佳織死在自己眼前的事。心想要不要說出來，最後還是作罷了。既然殺害佳織的清水比呂乃也已經死了，說了也沒什麼意義。何況，那件事對秋也來說也不是什麼美好的回憶。另外，這種說法雖然不太好，但現在不是拿死人的話題來打發時間的場合。

「矢作同學和南同學一樣的反應嗎？」

秋也同時說出排在女子座號最後兩個的矢作好美和南佳織的名字，然而突然覺得不寒而慄。死人的名字。兩個都是。兩個都是啊，JESUS。那個久違的黑衣男子笑臉，又出現在秋也的腦海裡。嘿嘿，七原同學。你還活著嗎？還眞頑強哪。

「嗯嗯。」幸枝將視線自秋也身上移開，用力抿起雙唇。瞇起眼睛。「不是。」

「什麼？」

幸枝嘆了口氣。

「我是想開口喊她，可是有好幾個人反對。你也知道，矢作同學她是相馬同學那伙的。所以有人說無法相信她。」

秋也陷入沉默。

幸枝的臉還是向著一旁，說道：「她已經死了。都怪我們見死不救。」

秋也說：「不是的。」幸枝的目光回到秋也身上。

「有些事情是沒有辦法的。並不是某個人的錯。」

雖然秋也心裡明白這句話沒什麼道理，但還是說了。

幸枝露出苦笑，嘆了口氣。「七原同學，你眞溫柔。你總是這麼的溫柔。」

眼看又要陷入另一場沉默，秋也起了個話頭繼續說下去。「三村……如果妳們找到他當同伴就好了。」

如果幸枝她們一直等到座號最後一號的人出來，那應該也有機會出聲喊三村信史（可惜他已經死掉了）才對。

「三村……應該是個靠得住的人。」

幸枝又嘆了口氣。「我也這麼想。只是，三村同學不怎麼受女生歡迎呢。你瞧，三村同學他不是給人有點……花花公子的感覺嗎？再來，人家都說太過聰明的人會遭人畏懼。沒錯，典子受傷的時候，三村同學挺照顧她的。可是也有人說，那可能是他算計好，故意做給旁人看的。」

這和川田告訴秋也，當他看見信史時，心裡所想的事情不謀而合。

「而且，在我們還沒有做出結論之前，三村同學就已經不見蹤影了。」

幸枝動了動一邊的肩膀

「總而言之，我們一開始就決定不要找男生加入。所以，就連山本同學我們也沒有出聲喊他。」

是啊。山本和彥和小川櫻在交往，人長得帥，又非常溫文儒雅，毫不做作，像他這樣的人才應該最受女孩子們歡迎才對。然而幸枝她們卻放棄邀他加入。以這個原則看來，當初要讓秋也進到這裡時，會起爭執也是可想而知的。

接著，秋也發現，根據剛才幸枝所說的內容，她們這個團體應該一共只有五個人。沒有提到榊祐子（女子九號）的名字。

「榊同學呢？照妳所說，榊同學她沒有加入嗎？」

幸枝點點頭，將臉轉向秋也。

「祐子是偶然加入的。我們幾個從昨天早上就來到這裡——因爲這裡非常適合拿來當做要塞——到了昨天晚上，對了，八點左右吧。剛好看見祐子從這附近經過。她看起來害怕極了。」

幸枝說到這裡頓了頓。像是有什麼事欲言又止似的。秋也正想問她怎麼回事時，幸枝先開口了。

「總之，祐子大家都很熟，讓她加入沒問題。」

幸枝話說到這裡就算告一段落。秋也本來想問關於榊祐子的事，最後還是算了。直到昨天晚上祐子都還是孤身一人，說不定她遇上了什麼可怕的事情。可能是被人追殺一路逃到這裡，也可能是親眼目睹某人和某人互相殘殺。也可能是不小心遇上了戰鬥下死狀淒慘的屍體也說不定……

秋也輕輕點了幾次頭。「我明白了。」

「我這裡還有一個問題。」幸枝說道。秋也將視線抬起，幸枝接著說：「也不是什麼大不了的事啦……」

「你提到杉村同學他要去找加代子，所以才沒有加入你們。」

剛才和幸枝簡短談話的時候，秋也心裡也在意著弘樹的事情。弘樹他還活著，而且琴彈加代子也還活著。弘樹他已經找到琴彈加代子了嗎？

「你說他有事要找加代子。到底是什麼事呢？」

秋也搖頭。

「我們沒問他。那傢伙著急得很。我們也覺得他的樣子不太尋常……」

一邊說話，秋也腦海一隅想起到一件事。杉村弘樹已經找到琴彈加代子了嗎？如果找到了的話……耳邊響起川田的聲音。「這東西的聲響就是車票。只要你願意，隨時歡迎你搭乘我的列車。」

秋也張大眼睛，自言自語道：「鳥笛。」

「咦？」

秋也看向幸枝。「我有辦法和典子與川田他們會合。」

「是嗎？」

秋也用力點頭。於是，努力地想要移動身體。說明以後再做就行了。「總而言之，我要和川田與典子取得連繫。我得離開這裡。」

「哎，你等等。」幸枝制止他。「休息一下比較好。」

「不行。我在這裡發呆的時候，萬一……」

「我叫你等等。你也多少聽一下仰慕你的女孩子說的話吧。」

幸枝的臉頰略顯泛紅，不過還是把話說出口，然後臉上帶著惡作劇般的笑容。

「我們當初以爲你就算清醒過來，身體也無法活動，才決定收留你。現在你這麼活蹦亂跳，有人會害怕的。」

秋也睜圓了眼睛。不過，說不定眞是因爲這樣，所以其他的女孩子才會同意讓幸枝和自己獨處。

幸枝接著說下去。「總之你先待在這裡，我先把你剛才告訴我的事情說給其他女孩們聽。重新說服她們你是可以信賴的人。還有川田同學也是。而且，你說要和典子她們取得連絡，我也不可能讓你一個人去，太危險了。這件事我也會和其他人商量。所以你先等一會兒。」

又補充說道：「吃得下飯嗎？」

「嗯嗯。」

肚子的確是餓了。雖然心裡還是惦記著典子和川田，但姑且吃點東西墊肚子總是好的。這麼一來也可以培養對槍傷的抵抗力。

「能分我一點吃的東西就感激不盡了，身子確實感到沒什麼體力。」

幸枝笑了。

「現在剛好在準備中飯，我拿點過來。應該是濃湯之類的，可以嗎？」

「濃湯？」秋也回問。

「嗯嗯。這裡呀，有好多食物。雖然都是些儲存用的罐頭和眞空調理包，不過我們有水也有固體燃料，做料理還不成問題。」

「了不起。」秋也說道：「那眞是太感激了。」

幸枝輕輕移開放在床沿的手，邊走向門口，邊說：「不好意思，門我會鎖上。」

「咦？」

「對不起，不這麼做有人會不放心的。不好意思，你稍等一下。」

幸枝說完話笑了笑，打開門走了出去。兩根辮子看起來就像是秋也從未見過的奇妙動物的尾巴，繞著圈子晃動著。一眼瞥見水手服底下，裙子後面插著一把手槍。

關上的門外傳來一聲喀嚓聲響。門鎖，可能是門閂之類的吧。這會不會是爲了秋也才特地裝設的呢？

秋也用右肘勉力撐起上半身，看著頭上的窗戶。窗戶上釘著幾根木條，光線由間隙處落了下來。當然，這最初的目的是要防範來自外部的侵襲——但是對現在的秋也而言，正是一個最適合不過的監獄了。

秋也他用幾乎無法動彈的左手指尖，在毛毯下無意識地按著和弦。曲子當然是送吉他給秋也的那位中年男子的偶像的名曲，Dance to the Jailhouse, Rock Rock Rock。③

秋也嘆了口氣，又躺回床上。光是這樣的動作，便牽動腹側的傷口，傳來劇痛。

【殘存人數14人】

60

沖木島燈塔，雖然老舊但十分牢固。塔身面向北方高十七公尺，自南邊由紅磚建造的居住用附屬平房設施，將塔身包圍其中。緊臨燈塔南側的是兼具廚房、飯廳、客廳功能的起居室，更南邊則是倉庫和衛浴，再向南走，靠近正面玄關處有大小各一個寢室，以及另一個倉庫。建築物西側有一道走廊將這幾個房間連結在一起（秋也躺在靠近玄關較小的寢室內）。

在那個比起學校教室都還較爲寬敞的起居室裡，靠在房間一隅，有一張尺寸顯得不相襯的小桌子。榊祐子（女子九號）坐在圍繞在桌子旁的其中一張圓椅上，疲軟地將身體靠在桌子上打瞌睡。比起其他五人，祐子花了更長時間在島上徬徨失措所造成的疲勞，經過一個晚上的休息，也沒能得到多少回復。這也難怪，她因爲某個理由，晚上無法順利入睡。

內海幸枝的團隊將這個房間當成起居室和寢室來使用。幸枝認爲除了燈塔上必須留人警戒外，其他人最好都在一起活動。

緊接在祐子身後，谷澤遙（女子十二號）和松井知里（女子十九號）正站在瓦斯爐前，用固體燃料代替停止供氣的瓦斯升火，手忙腳亂料理燈塔裡的存糧。谷澤遙在排球隊的位置是攻擊手，與舉球員位置的幸枝是知名的好搭擋。她身高一百七十二公分，一頭短髮，和個子嬌小長髮的知里站在一起，看起來就像是一對男女朋友似的。至於菜色部分，則是放了一些罐頭蔬菜的調理包濃湯。兩人面前，陰暗的天空透過毛玻璃窗射進暗沉光線，原本放置在倉庫裡的木材，胡亂地釘在窗上。這是爲了要防範來自外部的侵襲。幸枝一行人，一定到這裡，便由內側將這個設施的出入口全都封鎖起來（只留下玄關當做唯一指定的出入口，祐子就是由那個出入口進到這裡，取得庇護的。如今已經用桌子、置物櫃之類的傢俱堆成防禦工事阻斷通路）。

另一方面，祐子所在的位置可將整個房間一覽無遺，房間另一邊的角落，有一張寫字桌，上面放著傳眞機電話和電腦。桌子左側本來有一整套沙發組、茶几，被動員拿去構築防禦工事，僅剩下靠牆的沙發。野田聰美（女子十七號）正坐在上頭。聰美和幸枝一樣是模範生，平常一向給人冷靜的感覺，如今或許也因爲稍顯疲憊，拿下波士頓型眼鏡，睏了似的揉著眼睛。

那張沙發的左邊，靠廚房區的那道門，面向直通到玄關的走廊。另一方面，祐子右手邊，房間的深處，則有一道通往燈塔基部的門，由該處可以看到通向燈器室的鐵梯的最下面幾級階梯。現在這個時候，中川有香（女子十六號）應該正在燈器室監視著外面的動靜。祐子還沒有擔任過警戒的工作，不過內海幸枝說過：燈塔設施後面接著就是海，前方只有一條從港口延伸過來的小路，除此之外都是山區，警戒的工作並不是那麼困難。而幸枝現在正在靠近玄關的那個收容七原秋也的房間裡。

七原秋也。

祐子內心又稍微湧起恐懼的情緒。那個讓祐子永生難忘的景象同時浮現腦海。啪啦一聲破裂的頭顱。由頭顱上拔下來的染血柴刀。還有，手持著那把柴刀的男子。

那是讓她全身凍結的回憶。而那個男子——七原秋也，現在正在這座燈塔裡，同一個屋簷下。那豈不是……

不，不要緊的。不要緊的。

祐子用力抓住自己，努力克制渾身的戰慄，她盯著白色桌面，心想：是啊，他幾乎可說命在旦夕，依他的傷勢看來，應該再也醒不來了吧。更別提他的出血量了。

感覺到有人在敲自己的肩膀，祐子抬起頭來。

谷澤遙在身旁的椅子坐下，看著祐子的臉問道：「妳有睡一會兒了嗎？」

看來是料理中偷空休息。松井知里則是仔細盯著存糧的外包裝，確認料理的方法無誤（知里她今天早上還在房間一角靜靜哭泣。記得谷澤遙悄悄告訴自己，她是因為聽見凌晨六點的廣播宣布了三村信史的死訊才這樣。祐子才知道原來知里喜歡三村信史。到了現在，知里的眼睛都還是紅的）。

祐子勉強堆了個笑容，回答道：「嗯，睡了會兒。」不要緊的。只要我們這六個彼此熟識的女孩子在一起，一定不要緊的。在這裡可以得到安息。就算這只不過是時限來到前的安息也罷了。然而……

「嗯，關於妳昨天說的那件事情。」谷澤遙先說了出來。

「啊啊。」祐子笑道：「那件事沒關係了啦。」

是啊。已經沒關係了。自己一點都不想去思考事實眞相爲何。一想到那個場景，全身就不寒而慄。打自心裡渾身發抖。不過，是啊……

七原秋也應該不會再醒過來了。如果這樣的話，那就已經沒關係了。

谷澤遙露出一個有點複雜的笑容。「嗯。如果是這樣，那就好了。」

沒錯，祐子非常強硬反對收留昨天在燈塔設施前面發現的失去意識的七原秋也。她還對大家說出自己眼見的一切（與其說是說明，倒不如比較像是在嘶喊）：七原秋也自大木立道那顆啪啦一聲破裂的頭顱上拔出柴刀這件事。試圖告訴大家七原秋也是危險人物。如果讓他活下來，大家一定都會被他殺了。

祐子和內海幸枝因此差點大吵一架。最後是谷澤遙及其他女孩出來調停，說畢竟不能對眼前命在旦夕的人見死不救，才將七原秋也搬進屋內。祐子鐵青著臉，隔了一段距離，盯著渾身是血，被大家抱著的秋也。就像是出現在小時候的惡夢裡，不知眞面目爲何的怪物，而現在正要引他進家門似的。不，大家所做的事情根本就是那樣沒錯。

不過，經過了一段時間，祐子總算也讓自己接受這個現實。是啊，七原秋也就要死了，受了那麼重的傷，不可能再清醒過來的。當然，就算知道他快要死了，心裡仍舊是不舒服，但祐子勉強壓抑自己的情緒。只不過，唯有要將秋也的房間上鎖這點要求，無論如何都無法妥協。

谷澤遙繼續說下去。問了一個昨天就重複問過許多次的問題。

「妳說妳看見……七原同學殺了大木，但那也有可能是正當防衛不是嗎？」

沒錯，祐子聽見距離自己藏身的樹叢不過數公尺遠的地方，傳來咚的一聲沉重聲響，探出頭來窺視時，只看到七原秋也將柴刀自大木立道的頭上拔下的畫面。緊接著自己就離開了現場。

也就是說，如同谷澤遙所說（那也是因爲祐子是這麼對她說明狀況的），祐子看到的只是最後的結果。以可能性而言，確實有可能是正當防衛也說不定。只是……

谷澤遙和幸枝不管重複告訴她同一件事情幾次，祐子的腦袋還是無法理解。不，可以說她根本就沒有打算要去接受這樣的情形。

什麼叫做可能性？自己看到的就是：啪啦一聲破裂的頭顱、手持柴刀的七原秋也、柴刀上的血跡、向下滴落的鮮血。

那個景象深烙在腦海，只要是關於七原秋也的事情，祐子已經無法做出理性的思考。這種情況多少有些像是面對洪水或是龍捲風般的天災也說不定。只要祐子稍微一想到關於秋也的事情，那個景象、那份恐怖便立刻湧現，壓過其他思緒。最後留下來的，只剩下：七原秋也很危險，這種近似皮膚直覺的定律。

關於這點，或許原因其來有自也說不說。祐子她討厭暴力。或者說她忍受不了暴力也可以。過去在B班教室裡，祐子她曾經有聽見同學在討論肚破腸流的電影時（記得那個同學是中川有香吧？當然，她是以嘻笑的口吻說著：哎呀，沒什麼了不起啦，像內臟什麼的，不多灑一點出來怎麼行，哈哈哈），感到身體不舒服而被送到保健室的經驗。

這大概是受到與父親相關的記憶影響所致。明明是親生父親，不是繼父，祐子的父親卻經常酒後暴力相向，祐子的母親、祐子的哥哥，還有祐子自己都是受害者。當時自己實在太過年幼，不知道爲什麼父親會如此對待家人。到了現在，也沒有向母親詢問理由到底是什麼。連想也不希望想起。不，基本上說不定根本就無所謂的理由。不知道眞相到底是什麼。只是，當父親因爲賭博糾紛而被黑道分子刺殺身亡時——祐子那個時候是小學一年級——是啊，與其說感到悲傷，倒不如說打心底鬆了一口氣。由那時起，母親、哥哥和自己過著平靜的生活。也能夠邀請朋友到家裡來玩。父親的存在消失了的家庭，有著發自心靈的安息。

不過，現在有時候還是會做惡夢。被高爾夫球桿（對貧窮的家裡來說，這可是非常高級的東西）打中頭部，血流不止的母親的景象。被菸灰缸擊中，差一點就失明的哥哥的景象。還有，被點著的菸頭燙在身上，卻怕得不敢發出任何聲音的自己（母親過來阻止，又被毆打了一頓）。

可能是因爲這種經驗的影響，也可能完全沒有關係，總而言之，祐子現在一心一意只想到：七原秋也是個危險人物。

「就是說嘛。」

谷澤遙像是要再次確認一般的話語雖然聽進耳裡，但沒能到達祐子腦中的意識領域。身體伴隨著惡寒，一個景象閃過心頭。包含自己在內，現在在這裡的六個人都倒在地上，每個人的腦袋都啪啦一聲破裂開來，而七原秋也手裡拿著柴刀獰笑著……

不、不。現在已經不要緊了。七原秋也應該再也起不來了才對。

「嗯嗯。」祐子抬起頭來，點點頭。其實完全不明白谷澤遙對自己說了什麼。不過，既然七原秋也再也無法起身，那就沒有必要刻意去破壞團體的和諧。心裡思索著該說哪些能讓谷澤遙接受的回應。最後說了：

「是，是啊。我先前怎麼會那樣？一定是太累了吧。」

谷澤遙聽後略顯安心，說道：

「七原同學他人不錯啊。我覺得很少有像他那麼好的男生呢。」

祐子用一副在博物館看著木乃伊展示品般的表情，注視著谷澤遙的臉。

沒錯，祐子她以前也是這麼想的。七原秋也雖然有些地方怪怪的，但大致上自己對他也很有好感。甚至還覺得七原這個人蠻帥的。

然而，如今祐子的腦海裡已經完全忘記自己曾經這麼看待七原秋也。不，應該說這份記憶隱藏在那個啪啦一聲破裂的頭顱的景象後面，無法再憶起也說不定。

什麼？妳在說什麼，谷澤遙？妳說他是不錯的人？妳在說什麼啊？

谷澤遙看見祐子的神色，又表情詫異地接著說道：「所以啊。如果他清醒過來的話，妳可別再鬧意見了哦。」

祐子感到不寒而慄，怎麼能忍受得了他清醒過來呢？如果，如果事情眞的變成那樣的話……

不過祐子還是運用一部分剩下來還能發揮作用的思考回路，對谷澤遙點點頭說道：

「放心吧，我不會那樣的。」

「嗯，那我就放心了。」

谷澤遙也點頭回應。接著維持坐姿側身向知里說：「聞起來味道不錯嘛。」

伴隨著白色的蒸氣，濃湯的味道由火爐上的鍋子四散開來。

知里轉過頭來，用她一貫成熟的聲音，輕輕說道：「嗯，還不錯。說不定會比昨天的湯好喝。」

因爲三村信史的死而傷心了好一陣子的知里，現在看起來狀況還算不錯。這點就連祐子也看得出來。

就在這個時候，通往走廊的那道門打開，幸枝走了進來。走路時背脊挺直，步伐輕快，就像幸枝一向給人的感覺。祐子來到這裡後，看到幸枝雖然發揮了優秀的統率能力領導大家，但總覺得什麼地方給人有些黯然的感覺。等到七原秋也送進這裡後，不知道為什麼，她的表情卻是愈來愈顯沉重（正確說來，那應該是與秋也重逢的喜悅；還有看見秋也身受重傷、命在旦夕的擔憂；夾雜這兩種情緒的複雜表情。但祐子不會想到如此深入）。所以，感覺上好久沒有看見心情這麼愉快的幸枝。再加上，她的表情是如此耀眼。

當然，一般的情形下，看到對方如此，自己也會跟著打起精神。但是……

就在此時此刻，祐子的背後卻像是爬滿了毛蟲一般，感到坐立難安。

幸枝猛地站定身子，兩手插腰。接著開玩笑似的用兩手圈住嘴邊當成擴音器。對大家說：「七原同學，他醒過來了。」

谷澤遙和知里哇地發出歡呼，聰美也自沙發上起身，在一旁……

祐子的臉色卻鐵青起來。

【殘存人數14人】

61

「眞的?他能說話嗎?」谷澤遙問道。

「嗯。他還說想吃東西。」

幸枝點頭，然後看著祐子說：

「不要緊。我把房間上鎖了。總不能讓妳擔心嘛。」

話中並沒有諷刺的感覺。而是以身爲領導者已經做了必要的處置，這樣的語氣說話。

先不管幸枝的話，祐子她霎時心念一動。不，在天還沒亮的時候，就已經將那件事情思考過無數次了。一方面確信七原秋也再也不會清醒過來，但一方面也考慮到：萬一他醒過來怎麼辦?這種情形的對策。而今……祐子再次確認了傳到鼻腔來的味道。

時機正好。現在是用餐時間。再說，命在旦夕的人，就算情況突然惡化也沒什麼好奇怪的吧?

祐子堆出一個笑容（眞是刻意堆出來的，而且還盡可能讓這笑容看起來完美），搖搖頭。

「用不著擔心我。」祐子接著說：「對不起，昨天我的反應太激烈了。我已經不再懷疑七原同學了。」

聽她這麼說，幸枝的表情緩和下來，鬆了一口氣。

「那太好了。早知道我就不用上鎖了。」

幸枝一臉笑容朝向祐子，繼續說：

「大木同學那件事果然是個意外。七原同學他告訴我了。」

聽見大木立道的名字，祐子的腦海裡又掠過那個景象，背脊整個發麻，但祐子還是維持笑容點點頭。意外。這樣啊，對大木立道來說，這個意外未免也太過嚴重了吧？

幸枝接下來對谷澤遙說：

「谷澤遙，妳可不可以幫我叫有香回來？我有些事情想一邊用餐，一邊和大家討論。」

谷澤遙回問道：「那用不著留人警戒了嗎？」

「嗯。」幸枝點頭。「反正整棟建築物的出入口都封起來了，不要緊的。只有一下子而已。」

谷澤遙點頭，接著就消失在可以向上通往燈器室的那個房間裡。登登登的，傳來踏著鐵梯向上走的聲響。

聽美和知里「他的狀況怎麼樣？」「他可以吃和我們一樣的食物嗎？」一個接一個詢問幸枝的時候，祐子悄悄地起身離座，朝流理台走去。

不斷冒出蒸氣的濃湯鍋子旁邊，疊著幾個有點深度的白色陶盤。這是知里和谷澤遙自餐具櫃裡拿出來的。

祐子的右手伸進裙子口袋，緊握著裡頭的東西。祐子配發到的背包裡找到的武器是一根伸縮式的特殊警棒。不過，表面貼著「特別附贈」標籤的那東西，也放在裡面。原本以為那東西在這場遊戲應該派不上用場才對。受到大家接納來到這裡之後，一開始也想說沒有必要特別提到那東西。但隨著七原秋也的出現，考慮到即將要做的事情，最後終究也還是沒有告訴任何人那東西的存在。

以往肆虐家人的所謂「父親」的暴力，在一個偶然的事件中宣告結束。而一家人終於重拾安息。

如今，祐子置身的這個場所，存在著另一個暴力的陰影。而這次必須靠祐子自己的力量，去終止那個暴力。雖有如此，才能再次得以安息，不需要再擔心害怕。

沒有必要猶豫不決。祐子感到不可思議地冷靜。

祐子用單手在口袋裡將那小小瓶子的軟木栓，輕輕地推開。

【殘存人數14人】

62

「幸枝。」

祐子喊了幸枝一聲。正和聰美、知里兩人說話的幸枝，將臉轉了過來。

祐子繼續說：「不如我們先送飯給七原同學吃怎麼樣？」

幸枝一瞬間露出笑容。

「也好，就那麼做吧。」

祐子裝做不在意，接著說下去。「那，濃湯好像已經煮好了，我裝給他吧。」

手裡拿著一個盤子。正是那個盤子。

「嗯。啊啊，對了。」幸枝像是想起什麼事情似的說道，「那裡的桌子抽屜裡有個藥箱。我想裡頭應該有鎮痛劑，妳可以幫我拿出來嗎？我們得把藥和餐點一起拿給七原同學才行。」

「哦，哦……」

祐子於是將盤子放下。盤子碰到流理台時發出了喀嗒一聲。「知道了。等我一下。」

在流理台對面的房間一角，有一張上面放著電腦和電話的書桌。祐子繞過餐桌，朝那個方向邁步前進。

登登登登，傳來一陣步伐踩在鐵梯上的聲響，谷澤遙和中川有香跟著出現在房間裡。中川有香的肩上吊掛著一把槍身短得像是將自動手槍後半段整個拉長的機槍（那是一把九釐米小型烏茲衝鋒槍。原本是配發給野田聰美的武器，因爲看來最具威力，所以都交由負責警戒的人持有）。

「聽說七原同學他醒過來了？」

將烏茲放在餐桌上，有香以一貫精神飽滿的語氣問道。有香稍微有些豐滿。拜網球社的戶外球場之賜，膚色曬得黝黑的她，即使在這種狀況下，仍然沒有失去她的開朗。

「嗯。」幸枝滿臉歡喜地點頭。

「那眞是太好了哦，班代。」

聽見有香故意裝模作樣話中有話，幸枝的臉變得有點紅了。

「妳這是什麼意思。」

「哎呀，少來了。看妳明明高興得很。」

幸枝蹙了蹙眉，微微地搖頭。於是，有香才啊的意識到知里，將臉轉向她，閉上了嘴。失去了心愛的男子——三村幸史的知里，只是略低著頭而已。

祐子對那些對話幾乎都是左耳進右耳出，將自書桌抽屜裡找到的一個頗大的木製藥箱拉了出來。放在書桌上，打開來。裡面塞了許多各式各樣的藥品和消毒紗布、藥用貼布之類的東西。只有繃帶因爲幾乎全都用在包紮七原秋也身上，已經所剩無幾。

鎭痛劑……是哪個呢？當然，這也沒有意義，已經沒有意義了。因爲……

「哇啊，好香的味道哦。」有香爲了改變氣氛而說道。祐子也聽見了。但這句話也幾乎都沒放在心上。

鎭痛劑……啊啊，有了，是這個。藥效有頭痛、生理痛、牙齒痛……啊啊，我剛才也覺得有些肚子痛。等一下我也要吃。等一切都結束後，是啊，等一切都結束後。

「對了，妳有話要對我說？」傳來一個有點沙啞的聲音，這次是聰美在問幸枝。

「啊啊，是呀。妳得告訴我們有什麼事。」谷澤遙說。

「嗯嗯，那個嘛，嗯，從何說起才好呢？」幸枝支吾道。

祐子突然嚇了一跳抬起頭來，因爲她聽見有香的聲音：「來來來，讓我試試味道。」

將臉轉向那個地方。祐子看見，在流理台前，有香單手拿著裝有濃湯的盤子，直接對著口接著喝。如果是試味道的話，用湯匙就好了，偏偏拿了「那個」盤子，還直接對著嘴喝。那個半透明的粉末灑了到處都是的盤子。

祐子的臉色發青。想要喊出聲來，可是沒來得及阻止，一切就發生了。

有香的盤子摔落到地面，發出嘩啦一聲破裂的聲響，濃湯在地板上四處飛濺。所有人的目光都集中在有香身上。

有香壓著喉嚨，喀的將剛才喝下去的濃湯全吐了出來。接著又是一陣劇烈的嘔吐，在白色的餐桌上四處飛濺。接著吐出來的變成鮮紅色的東西。在白色的餐桌上，由中央一團圓形的物體向四周呈放射狀飛散的紅色，看起來就像是大東亞共和國的國旗一般。接下來，有香整個人立刻頹倒在灑滿濃湯的地板上。

「有香！」

所有人——除了驚嚇失聲的祐子以外的所有人——一邊發出尖叫，一邊衝向有香身邊。

身體扭曲橫躺在地上的有香，再一次吐出血來。被太陽曬黑的臉色一點一點變得慘白。嘴角冒出紅色的泡沫。

「有香！有香！妳怎麼了？」

幸枝搖晃著有香的身體，可是除了嘴角不停冒出鮮紅色的泡沫之外，再也沒別的反應。眼睛睜大到幾乎是極限的地步，好像快要跳出來似的。眼睛白色的部分，也被染成鮮紅色。可能是因爲不明原因的急速充血，或者是因爲微血管破裂，發青的臉色上浮現出數個紅黑色的斑點，有香的容貌已經完全變成一張長相怪異的怪物的臉了。

還有一個很明顯的事實，只要看了就能明白。

有香已經不再有呼吸了。

所有人都不發一語。幸枝用顫抖的手去摸了摸有香的喉嚨，說道：

「她死了……」

幸枝和谷澤遙在有香身邊坐下，祐子呆站在她們身後不遠處，面如死灰。全身不住發抖（關於這點，說不定其他四個人也是一樣的狀況）。

啊啊，怎麼會這樣、怎麼會這樣！弄錯了，我弄錯了！怎麼會……她只喝了一小口呀……藥效怎麼會這麼強？怎麼會……這一切都弄錯了！我殺了她、殺了她……弄錯了。我也不想這麼做，我要殺的是……

「這個，不是食物中毒吧……」幸枝以顫抖的聲音，繼續說道。

知里接口說道：「我，剛才也試過味道。可是什麼也沒發生。像這樣、像這樣……到底是……」

谷澤遙再接下去說道：「會不會是毒藥？」

這句話成了導火線。所有人（正確說來，是除了祐子以外的所有人，可是其他四個人並沒有察覺到這點）都在彼此相覷。

喀啦一聲，野田聰美將放在餐桌上的烏茲衝鋒槍拿在手裡，將槍口指向其他四人。包含祐子，四人反射性地由有香的屍體旁，向側邊或是向後邊移動。

聰美叫喊著。眼鏡鏡片底下的眼睛，圓睜睜的。「是誰！是誰幹的！誰下的毒？到底是誰企圖要殺了我們？」

「快住手！」幸枝喊道。一瞬間，手打算要朝向插在裙子後頭的手槍（白朗寧九釐米強力手槍。這是幸枝配發到的武器，畢竟她算是團體的領導人，就這麼保管在她手裡）伸去，但是又勉強克制住，放回到原來的位置。這一連串動作都看在祐子眼底。「把槍放下。這一定是哪裡弄錯了。」

「這才不是弄錯了。」聰美搖搖頭。總是給人冷靜形象的聰美，毫不客氣地頂撞回去。「剛才廣播裡提到只剩下十四個人還存活著。已經所剩不多了。就算先前一直僞裝成同伴的人，現在露出眞面目也沒什麼好奇怪的。」

接著，看著谷澤遙，說道：「濃湯是妳煮的吧？」

谷澤遙連忙搖搖頭。「不是我一個人煮的。知里她……」

「太過分了。」知里說道：「我才沒有做那種事。再說……」稍微猶豫了一下，說道：「聰美和祐子妳們也有充分的時間可以下毒啊。」

「就是說嘛。」谷澤遙轉向聰美。用陰鬱的口吻說道：「妳的反應這麼激烈，反而讓人覺得可疑。」

「谷澤遙！」

幸枝出言制止，但已爲時過晚。聰美的臉色整個變了樣。

「妳說什麼？」

「我又沒說錯。」谷澤遙繼續說下去：「妳晚上一直都沒有睡覺對吧。我很清楚。我半夜醒過來的時候，就看到妳還一直沒睡。這代表妳不信任大家對吧。這不就是再明顯不過的證據了嗎？」

「谷澤遙！我叫妳別說了！」幸枝再一次開口制止。接著幾乎是尖叫地喊著：「聽美！快把槍放下！」

「怎麼？」聽美將烏茲的槍口朝向幸枝。

「不要裝做一副領導者的姿態。妳是因爲盛毒給大家吃的計畫失敗了，所以才會這麼做來掩飾是吧？我說的沒錯吧？」

「聽美……」幸枝愕然地張開口。

祐子手掩著口，向後退了二、三步，一臉茫然。一瞬間發生的事情發展成這樣，讓身體感到麻痺。可是——我一定要說出來，說明事實的眞相——照這樣下去，會發生……會發生非常糟糕、非常糟糕的事情。

突然間，知里動了一下。朝著面對流理台右手牆邊的餐具架移動。那裡放著配發給六人的武器裡的另一把槍械——捷克製CZ75手槍（這原本是配發給有香的武器）。

噠噠噠，擊發音在整個屋內迴響。知里的背後整整開了三個洞，就這麼倒向餐具架，抱著餐具架的一端，緩緩向下滑，最後俯面摔倒在地上，已然失去了生命，連上前確認都不需要。

「聽美！妳做什麼！」幸枝將眼睛瞪大喊道。聲音變得尖銳。

「怎麼樣？」聽美手裡握著槍口還在吐著煙硝的烏茲，狠狠看著幸枝。「她想要過去拿槍耶！可見她就是犯人！」

「妳自己還不是拿著槍！」谷澤遙叫道：「幸枝！快開槍！制服聽美！」

喀的一聲，聰美將烏茲轉向谷澤遙。聰美的臉色已然變成了暗黑色。似乎馬上就要朝谷澤遙扣下扳機。

祐子的眼中所映出的幸枝的側臉，好像正在忍受著什麼痛苦似的。而下一瞬間，她的手朝裙子後方的白朗寧伸去。一定是……幸枝她在迷惘了一陣子之後，最後終於決定要動手攻擊聰美的手臂之類的地方。

唰的一聲，聰美將烏茲的槍口向旁一滑，瞄準了幸枝。

伴隨著噠噠噠的擊發音，幸枝整個人向後方飛去。鮮血自水手服胸口開出來的洞穴噴出，仰頭向後倒去。

谷澤遙呆站在原地一會兒，下一瞬間便朝著幸枝掉落在地上的白朗寧手槍跑去。聰美的烏茲跟著谷澤遙的軀體移動，噠噠噠地又發出了怒吼。子彈擦過水手服的側腹處，纖維和著鮮血一道噴出。谷澤遙的身體滑倒在地上。

接著，聰美將手中的烏茲指向隔著一張餐桌的祐子，說道：

「妳呢?!妳和她們不是一伙的吧?」

祐子只是不停發抖，不停發抖。一邊發抖，一邊看著聰美的臉。

聰美的額頭左側，碰的一聲，開了一個洞。聰美張著口，看著左手邊。額頭的洞穴裡流出泊泊的血液，流向眼鏡的鏡片深處，在眼尾的地方略爲停止一下，又繼續向下流。

祐子生硬地轉動已經變成像機械一樣僵直的脖子，跟隨著聰美的視線，看到的是倒在地上的谷澤遙痛苦地撐起上半身，右手緊緊抓著白朗寧手槍。

聰美的烏茲此時噠噠噠噠噠噠的怒吼著。不知道是刻意攻擊，還是手指痙攣所造成。只是射出的子彈在地面上像是助跑一般排出一列彈痕後，準確地穿過谷澤遙的身體，谷澤遙的身體回轉半圈後跳了起來。鮮血灑成霧狀在空中飛揚，谷澤遙的頭部，在項圈以上被碎成左右兩半。

接著，聰美的身軀緩緩向前倒去，正好疊伏在中川有香的屍體上，之後便再也沒有絲毫動靜。

如今整個房間裡就只剩下祐子一人，而她也只是不住地發抖，不住地發抖。如石塊般僵硬的身體不停在發抖，兩隻眼睛就像是誤入一個奇特詭異博物館的小孩子一般，環顧著五名同班同學倒在眼前的景象。

【殘存人數9人】

63

剛開始聽見嘩啦一聲，秋也還心想：哎哎，不知哪個冒失的女孩，準備午餐的時候不小心把盤子打破了吧？諸如此類和平的事情。但接著聽到爭吵的聲音，便一骨碌起身。

左側腹和肩頭上的傷口傳來劇痛。秋也呻吟了一下，勉力以沒有受傷的右手撐著身體下床，赤腳踩在地板上。如今全身上下只穿著一件學生褲而已。爭吵的聲音持續不斷。秋也聽出裡頭還夾雜著幸枝的喊叫聲，十分在意。

秋也走到門邊，伸手去轉門上的喇叭鎖。鎖頭轉了一圈，就這樣把門向外一推，喀啦一聲有東西擋住了。由打開一公分左右的門縫看出去，門外有個看來像是交叉放置的木條。正如幸枝所說，她上了鎖——一道就地製作的簡單門閂。

秋也右手握住喇叭鎖頭，好幾次咯嗒咯嗒地搖晃，門板卻再也推不開。試著用手指伸出門縫去移開木條，不過不知道木條到底是用什麼方法固定住的，完全無法動彈。

秋也嘆了一口氣，正要放棄的時候，耳邊聽見噠噠噠這個早已聽慣的聲響透過門縫傳來。緊接著是好幾聲慘叫聲。

秋也當場面無血色。遭人襲擊嗎？可是……無論如何，極度不尋常的事情發生了！

秋也挪動受傷的身體，努力保持平衡抬起右腳，用杉村弘樹以前教過他前踢的技巧，以赤腳腳底踢在門上。可是，門堅固地不為所動，反而秋也因為踢腿的後座力失去平衡，一屁股坐在地板上。側腹的傷口傳來劇痛。而且同時還感到自己想要小解，不過現在不是時候就是了。

又傳來噠噠噠的聲響。接著，又傳來另一陣噠噠噠聲響。

秋也快速轉頭看向自己之前躺著的床，站了起來，用右手將那張鐵管床架一邊向上翻。碰的一聲，床架橫倒在地上，毛毯和床單掉了一地。

秋也拉著床架，一端頂在門上，轉過身來用力向後朝床架踢去撞門。發出木頭破裂的聲音，門動了一下。再來一次。

碰！傳來槍聲。這次是單發的。

床架整個鑲嵌進木製的門，發出巴答一聲，門由中間斷裂成兩半，朝走廊開去。秋也以右手單手粗暴地拉開床架，在門前推倒至地板上。

噠噠噠噠噠噠噠噠噠噠，像是打字機的槍聲，如今少了門的阻隔，聽得十分清楚。

秋也來到走廊。釘著木條的窗戶外側，遮陽板降了下來，理所當然沒有打開照明裝置的走廊顯得昏暗。左手邊是玄關口，右手邊則是一道長廊，有三個並排的門。最裡面的那個門稍微打開了一些，由門縫洩出的光線反射在走廊上，形成一個給人冰冷感覺的光線水窪。

秋也在門斷裂的木條中，選了一根約一公尺的較長木條撿起來。拖著隱隱作痛的身體，沿著走廊前進。已經不再有聲響傳來。到底發生了什麼事情？有人襲擊過來嗎？還是……

秋也謹慎地靠近打開的門，朝門縫裡望去……他看見：在那個有廚房設備的房間裡面，內海幸枝和谷澤遙在中央的餐桌旁；再過去是中川有香（她的臉是怎麼回事？），右手邊靠牆處是松井知里；桌子底下還有一個人趴倒在地。那個人應該是野田聰美吧？因爲有個身材相對嬌小的身形，背對著秋也，呆站在原地，一頭及肩的長髮，如果秋也沒有看錯的話，那是榊祐子。

倒在地上的幸枝等人周遭，散落了好幾把手槍。滿地飛濺的鮮血，腥味直衝向鼻子。

秋也因驚愕而全身僵直。這種一瞬間所有感官全部麻痺了的感覺，就和在那所分校前，看見天堂眞弓的屍體時，完全一樣。

到底……怎麼了？發生了什麼事情？幸枝她……那個才對秋也說過「你也多少聽一下仰慕你的女孩子說的話吧」的內海幸枝，倒在地上。其他四個人也都倒在地上。死了嗎？她們都死了嗎？

背對著秋也的祐子，手裡沒有拿槍，只是呆站在原地，就像是突然被拋棄在冥王星的金星人似的，一動也不動。

秋也幾乎茫然地慢慢握住喇叭鎖打開門，走進房間。

於是，祐子轉過頭來，用布滿血絲的眼睛一瞬間凝視著秋也。緊接著，就撲向掉在幸枝和谷澤遙兩人之間地板上的手槍。

同時間，秋也也像是掙脫魔咒似的，以沒有受傷的右手用盡全力，將手上的木條丟了過去。就像是以前在少棒聯盟（眞叫人懷疑這東西是否還存在這個地球上。感覺起來就像遙遠的、遙遠的仙女座星雲附近，用五隻手裡其中三隻來打棒球的國家的事情。順帶一提，最後一局的時候還特別允許使用尾巴），偶爾客串投手時，以渾身力量投出直球一樣。

多虧了這個動作，全身發出劇痛，秋也表情整個扭曲，但木條在祐子眼前碰的打在地板上彈開，祐子用兩手護著臉部停下腳步，就這麼跌坐在鮮血四濺的地板上。

秋也朝那把手槍跑去。在這個搞不清楚到底發生了什麼事的狀況下，如果讓祐子拿到了手槍，一定會讓事情更加難以收拾。

祐子於是呀啊叫了一聲向後退，撐起上半身，一轉身就朝房間的另一側跑去。穿過桌子旁邊後，消失在房間裡面的另一道敞開的門彼端。傳來登登登的金屬聲響。那裡有階梯嗎？

秋也在祐子消失後看著那個方向一會兒，但還是先跑到內海幸枝的身邊。在她身旁跪了下來。

幸枝的水手服胸口上開了個洞。鮮血開始在身體下方擴散開來，她的眼睛像是睡著了般安穩地閉上。微張著口……

已經不再有呼吸了。

「啊——！」

秋也用沒有受傷的右手伸向她那平靜的臉龐，而且，自遊戲開始以來，第一次感到自己的眼中盈滿了淚水。是因爲不到幾分鐘前兩人才交談過？還是因爲……「我不知道，萬一你死了，我該怎麼辦才好呢。你明白我這話的意思嗎？明白嗎？」

「你直呼典子的名字，卻叫我班代啊？」

那淚眼汪汪、但又一臉安心的表情。那副不知哪裡有些落寞的表情。還有，現在眼前她那不可思議的平靜的表情。

秋也環顧四周。不需要再行確認了。中川有香的臉變色，自口中溢出血泡。趴在地上的野田聰美，頭部下方已經形成一灘血漥。松井知里背上有彈孔；谷澤遙，脖子碎成左右兩半。

爲什麼……爲什麼會這樣？

秋也目光放回幸枝身上。接著用感覺幾乎已經麻痺了的左手，努力幫著右手，將內海幸枝的上半身抱了起來。這或許是沒有意義的行動，但是秋也就是無法不這麼做。

抱起身體後，幸枝由前胸貫穿到後背的彈孔裡流下汩汩鮮血，發出滴落在地板上的聲音。頭部無力地向後倒去，紮著辮子的頭髮，碰觸到秋也的手臂。

「你明白我這話的意思嗎？」

秋也的眼中不斷落下淚水，打在幸枝的水手服上輕輕濺了起來。

「嗚──」秋也閉緊雙唇將幸枝的身體輕輕放在地板上，拾起剛才祐子試圖要去拿的白朗寧手槍，朝房間盡頭祐子消失的那道門走去。由於受了重傷的關係，身體感到莫名沉重。秋也以握著白朗寧手槍，赤裸的右手臂，擦了擦眼角。

門的另一邊，是一個水泥裸露在外的圓筒型空間。是燈塔。這就是燈塔的塔身。正中央有一根粗大的鐵柱，周邊圍繞了一圈鐵製的螺旋狀階梯。沒有對外窗戶的昏暗空間裡，只有來自上方的微弱光線落下。

「榊！」秋也喊道。一邊喊，一邊沿著階梯向上走。「發生了什麼事？榊！」

階梯上面並沒有看到祐子的身影。可是……就在那個時候，榊祐子呀啊的叫聲，在燈塔的圓筒型空間形成回音傳入耳中。秋也眉頭一皺，加速踩上階梯。側腹的傷口，不斷傳來劇痛。可能是傷口再次出血，秋也感覺到綁帶似乎變得潮溼起來。

【殘存人數9人】

64

榊祐子氣喘噓噓一口氣衝上燈塔頂端。看起來像是個巨大獨眼怪的佛式透鏡爲中心，旁邊僅留下可供走動的空間。透過燈具室周圍的防風玻璃，可以看見灰暗的天空。左手邊有一道通往狹窄陽台的矮門，祐子拚了命把門打開，來到外頭。

也許是距離地面有些高度，風勢比想像中強勁。濃濃的海潮氣味隨風飄來。

緊臨著正面就是海。海映著灰暗的天空，呈現暗淡的藍色，白色波濤如同布帛一般在海面交織花紋。祐子繞向右側。北方山地聳立在眼前，燈塔設施前面有一個小廣場。左手邊附近有一條未舖整的道路繞著山麓連接過來，靠近此處的地方有一個徒具形式的大門，一旁放置著一輛白色的輕型客貨兩用車。

祐子靠在圍繞在陽台邊的鐵欄杆上。朝下俯瞰，看見燈塔附設的平房建築屋頂，剛才自己所處的房間就在裡頭。就這麼順著欄杆繞燈具室走了一圈，原本以爲應該會有的東西──鐵梯子，居然沒有。祐子還沒有輪到上燈塔警戒，所以她不清楚燈塔外側是怎麼樣一個情況。走投無路了。自己就像進到一條朝向天空的死巷子一樣。眼前的事實讓祐子一瞬間恐慌了一下，但她立刻咬緊牙關，鎮定下來。如果沒有梯子的話──那就只好跳下去了。

氣喘吁吁走了一圈，結果回到原來的位置，然後再次朝下方看去。

太高了。雖然比直接跳到地上距離短些，但還是非常的地高。不，其實根本就不是能夠跳下去的高度，但祐子的腦海中，在下達正確判斷之前，又彈出那副景象。這次只剩下自己一人，啪啦一聲破裂的頭顱；向上噴出的鮮血，沾得七原秋也滿臉都是。我必須要逃走。無論如何，我都必須要逃走。而且，沒有時間了。

祐子蹲了下來，鐵欄杆建造得頗爲簡陋，鐵柱間隙隔得很開，祐子把身子向其間一滑，穿了過去。她抓著欄杆，小心翼翼地站在外頭寬僅十公分多的陽台邊緣上。

低頭一看腳底下的景象，直讓祐子的腦袋發暈。好高！這根本……不可能跳得下去嘛。太高了，這實在是……

突然間，眼前的景象一晃，腳滑了一下。百褶裙下的小腿側撞到陽台邊緣的水泥（傳來皮膚被掀開來的觸感），祐子的身體整個浮在空中。呀啊發出一聲驚呼。同時間，兩手胡亂揮動，好不容易抱住鐵欄杆下端，其中一根細小的鐵柱。祐子的身體，就掛在陽台的邊緣晃動著。

抱住鐵欄杆的祐子口中，傳來吁吁喘聲。好險，差一點就摔死了。

祐子咕嘟吞了口口水，手腕使力。無論如何，是啊，無論如何先拉起身體，回到欄杆的另一頭去再說。然後再思考怎麼樣對抗七原秋也。只能這麼做了。

風強勁地吹來，祐子的身體晃動了一下。嚇得她呀啊叫出聲來，但這一點幫助都沒有。原本牢牢抓住欄杆的手滑了一下，現在變成只用兩手手掌好不容易才攀在陽台邊緣的姿勢。看樣子，就連要再伸手去抓欄杆也不可能了。

而手掌心居然在這個時候沁出手汗。因恐怖與狼狽，祐子現在陷入恐慌。爲什麼、爲什麼、爲什麼這個時候居然會冒汗？手、手要滑下去了……

右手小指自水泥邊緣滑落。

「不要啊！」

祐子驚叫。接下來是無名指。跟著整隻右手全都滑落下來（原本以爲用食指指甲扣住了水泥地，但指甲一下子就整個脫落，到此時已無力回天了），身體以左手爲支點左右搖晃著。然後就連左手也……

「啊啊啊啊啊啊啊啊啊——」

伴隨著尖叫聲，身體向下摔落，不知爲何一種身在夢境的感覺，佔據了祐子的身體。

然而，一陣強力的衝擊由手腕接著傳到肩膀上來，祐子只向下掉了不過數十公分就停了下來。全身只以向上伸展的左手爲支點，祐子左右搖晃就像是個鐘擺似的。祐子一臉恍惚抬頭一看，七原秋也上半身跨越欄杆，伸出右手，抓住祐子的手腕。

剎那間，祐子無意識地望著秋也的臉，但下一瞬間便「不要啊——！」尖叫起來。

當然，手一放開自己就會死，可是抓著我的手的人居然是七原秋也！

「不要！不要！」

眼睛睜大、頭髮紊亂、不斷尖聲大叫的祐子心想：爲什麼？爲什麼要救我？是想要利用我來讓自己生存下去嗎？還是……啊啊，一定是這樣的吧？你想要親手殺了我！

「不要！快放開我！」祐子大叫。腦袋裡所剩無幾的理性思考能力，已經支離破碎。「我不要！與其被你殺害，我寧可死在這裡！放開我！快放手！」

聽到這裡，七原秋也心裡思考著什麼、也或許什麼也沒在想。總之，他表情沒有任何變化，大喝：「不要亂動！」

於是祐子又一臉恍惚地抬頭看著秋也，然後察覺到秋也脖子右側的傷口，包紮在銀色項圈下面的綳帶滲出血來，流向裸露的肩頭。

鮮血緩緩地流到秋也的手臂，接著流到祐子的左手。

「唔！」秋也發出聲音，更加用力握緊祐子的手。秋也的臉上浮出汗水。是啊，不光是脖子上的傷，秋也全身受了那麼重的傷，卻還只用一隻手支撐住我的體重，而且還試圖要把自己拉上去，想必秋也全身上下的傷口都痛得很厲害吧。

祐子訝異地張著口。爲……什麼？爲什麼要忍著劇痛來……來幫我？那是……

突然間祐子不可思議地想通了。就像是一陣疾風吹來（剛好就像正吹在祐子身上的海風一樣），將覆蓋在祐子頭上的黑霧吹散了一般。那副秋也手握染血的柴刀，低頭看著大木立道屍體的景象，被那陣風吹得無影無蹤。以前（其實也不過就兩天前的事情）在三年B班教室裡，那個活潑的秋也的表情回來了。那個和國信慶時或三村信史開玩笑時洋溢的笑容；在音樂教室重複彈奏困難的吉他樂節時認眞的表情；體育課時，女生在體育館打排球，朝操場一瞥，剛好看到秋也一棒揮向三壘方向，飛奔到二壘壘包後在上面擺出勝利姿勢時的笑顏；還有在上課中，坐在鄰座的秋也看見自己因嚴重生理痛而發青的臉色，溫柔地對自己說：「榊，妳還好吧？臉色很難看哦。」接著急忙打斷英文老師山元的朗讀，叫衛生股長藤吉文世過來幫忙，那時候一臉擔心的表情。

啊啊。祐子終於能夠正確理解眼前發生的事情。是七原同學。七原同學他想要幫助我。我……爲什麼？爲什麼我會想非得殺了七原同學不可呢？爲什麼我會有那種想法呢？七原同學……他是七原同學哪。是我好幾次、好幾次，覺得他眞是帥氣、眞的是個好人的那個七原同學呀。

接著，內心引發種種思緒。想到自己採取的行動，以及所招致的結果。祐子的表情再次鐵青了起來。

我、我一時鬼迷心竅……都是因爲我，大家才會……

祐子眼淚撲簌簌流了下來。看到祐子的反應，秋也臉上的表情顯得訝異。

「七原同學！」祐子叫道。「是我……是我！我原本想要殺了你！」

秋也有些吃驚看著自己的手腕前方、淚流滿面拚命抬頭望向自己的祐子的臉。

祐子繼續說道：「我以爲你殺了大木同學，我看見了……好可怕。眞的好可怕。所以，我才會打算在你的食物裡下毒。可是，卻被有香吃了。所以大家……大家才會……」

秋也聽到這裡，明白發生了什麼事情。自己和大木立道發生衝突，將柴刀自立道的臉上拔出來的場景，被躲在附近某處樹叢裡的祐子看見了。她卻沒有接著看見元淵恭一和川田出現之後的情形，只看到大木的那個場景。當然，那件事可以解釋成秋也的正當防衛，也可以解釋成一場意外。但是祐子驚恐過度的心，卻怎麼也無法不去害怕秋也。於是企圖要毒殺秋也——卻被中川有香誤食——由於不知道到底是誰下的毒，所有人彼此疑神疑鬼一發不可收拾。最後只剩下眞正下毒的祐子活下來。

「別再說了！」秋也叫道。「妳別亂動！我現在拉妳上來！」

此時秋也上半身穿過欄杆間隔，幾乎整個人趴在陽台上。左手不聽使喚無法抓住欄杆，不過他扭轉著身體，只靠著背筋力好不容易才將右膝縮回身體下方，調整好姿勢。緊握住祐子的手腕，用力向上拉。側腹、左肩，還有右邊的脖子，所有傷口的疼痛感都一口氣增加。可是……

祐子淚流滿面的臉孔左右搖頭。「不行、不行！因爲我的關係，大家……大家都……」話剛說完，祐子就試圖要掙脫秋也的手。好不容易才握緊的手一鬆，秋也急忙更加使勁握住。但秋也脖子上流下來的鮮血，緩緩滑入手中。

祐子的手終於脫離秋也的手。原本加諸在秋也手臂上的重量，一下子消失了。

抬頭看著秋也的祐子的臉孔愈來愈遠……

碰的一聲，祐子面朝上仰躺在眼前俯瞰的平房建築屋頂上。與其說是由自己的手中掉落下去，倒不如說秋也有種像是電影鏡頭突然快速拉遠，然後祐子就出現在那裡的錯覺。

而她的身體，水手服與百褶裙下的身體呈現大字型，脖子扭曲成一個奇怪的角度。因而看起來離身體有一段微妙距離的頭部右上方，潑灑出一道看起來像是細長變形的楓葉一般紅色血霧。

「啊……」

秋也的右手臂保持垂在陽台上的姿勢，凝視著祐子的屍體好一陣子。

【殘存人數8人】

65

杉村弘樹（男子十一號）倒吸了一口氣。

大約十分鐘前，聽見一陣激烈的槍聲。弘樹當時人在北方山地裡四處徘徊，判斷出聲音的方向，便急忙向東走。接著，四周又回復到一片寂靜時，弘樹來到了位於島東北端的燈塔前。地圖上雖然明確標示著這個地方，但弘樹心想琴彈加代子不可能會單獨一個人躲在這麼顯眼的目標裡，因此先前並沒有調查這個場所。槍聲的來源眞的是這個地方嗎？先不管這件事，弘樹在將燈塔包圍住的山崖上一眼就看到燈塔附設的紅磚建築屋頂上，有一個女孩子倒在那裡。雖然距離很遠，也可以看見她頭底下的紅色物體——看來她已經死了。短短的頭髮、相對嬌小的體型、和當初看到江藤惠的屍體時一樣，她看起來也很像是琴彈加代子。

於是弘樹由崖邊半滑半走來到山下。下山的途中，便已經看不見屋頂上的屍體了。總之先繞到燈塔正面的入口處。敞開的玄關裡，雜亂堆放著桌椅。這副景象就像是有人構築了防禦工事，但後來不知爲了什麼又把它給撤除了似的。接著，一邊望著釘上木條的窗戶，一邊小心地在走廊上前進時（一進玄關，附近有一個放著床的房間，門不知道爲什麼被破壞了），手上的雷達探測器出現了反應。有六個標記。弘樹謹愼地向前步去……

於是，弘樹佇立在如今地上滿是血窪的房間裡。

在這個有廚房設備的房間裡，五個女孩子倒在地上。仰躺在中央桌旁的是女子班代表內海幸枝。在她右側是脖子快要斷成兩截（！）的谷澤遙。桌子後面則是臉色變得漆黑的中川有香。右手邊小餐具櫥前面井知里俯臥在那裡，蒼白的臉朝向這個方向。還有一個人，布滿血污的桌子後面，還有一個人趴倒在地上。

看得見臉孔的幸枝等四人，很明顯已經死去了。不過，看不見臉的另外那個人呢？

弘樹再一次小心環顧整個房間。仔細傾聽房間深處另一道敞開了的門那方的動靜。不過，感覺起來似乎沒有其他人躲藏在那裡。

於是，弘樹將左手的槍收進褲子後頭，走過內海幸枝和谷澤遙的屍體之間，經過中川有香的屍體旁邊，繞到桌子後面。鞋底踩在飛濺得到處都是的血跡上，發出吧唧吧唧的聲響。總之，先走到那俯倒在地的另一人身邊，蹲下身來，將右手拿著的棍棒放在地板，兩手扶在那人身上。一使力，被相馬光子擊中的右肩傷口傳來劇痛。至於織田敏憲開槍打的腿傷只是擦傷，出血和痛楚都不嚴重。不過，弘樹無視於傷口的疼痛，將那人身體翻了過來。

是野田聰美。額頭左側開了一個紅色的洞穴，眼鏡雖然歪了一邊，但還算是戴在臉上，左側的鏡片可能是摔倒在地上的時候撞破了。當然，她也已經氣絕身亡。

弘樹將那屍體重新放倒後，視線移至房間深處那一道敞開了的門。是燈塔那個方向。那裡可以向上通往燈具室。

雷達探測器上反應的另一個人，當然就是屋頂上的某人了。雖說那幾乎已經是一具屍體不會有錯，但還是得去確認那人的身分。特別是那人的身形很像琴彈加代子。

弘樹再次取出手槍，走進那道門。有一道鐵梯。弘樹快速——但仍舊小心不發出聲響——躡手躡腳地步上階梯。說不定上面還有其他人在。右手同時握著棍棒和雷達探測器，一邊確認反應一邊前進。

結果，直到走進燈具室，也沒有看見新的反應。弘樹將雷達探測器收進口袋，手槍也插回褲子後頭，來到圍繞著燈具室的陽台。

手搭在鐵製的欄杆上，咕嘟地嚥了口口水，一口氣將臉向外一探。

看見一具身穿水手服的屍體。一具脖子扭曲成奇怪的角度，頭部下方濺出鮮血的屍體，不過——那不是琴彈加代子。而是榊祐子。

話說回來……

臉上感受著海風的吹撫，弘樹茫然地遠眺大海，心裡想：六個女孩子，一口氣死在這裡。房間裡雖然沒有看到槍械，可是看她們的傷口，還有穿在牆壁、地板上的那些洞孔，剛才那陣槍聲果然是源自這裡，錯不了。以劇情推論來說：她們幾個設法聚集在一起，接著躲藏在這裡，可是後來不知道受到誰的襲擊。這樣的推論應該合理吧？首先五個人在下面被殺害，榊祐子雖然逃到這裡，但不等襲擊者下手，她就摔下去死了。而那名襲擊者，在弘樹好不容易趕到這裡前就已經不知去向……

可是，玄關處的防禦工事，窗戶也都釘上木條，恐怕所有的出入口都封鎖住了。爲什麼襲擊者出現後，女孩子們卻反而把防禦工事撤除了呢？或者說防禦工事是那名襲擊者離開這裡的時候才撤除的呢？不過這麼一來，又無法說明他是怎麼進到屋內的。難不成，其實她們原本一共有「七個人」，其中一人突然背叛大家，不，應該說是露出眞面目？是這樣子嗎？不，這不可能吧。還有一點，那個中川有香的死法不像是被槍擊身亡。感覺像是……被勒死的。桌上四濺的血跡也很不可解。怎麼會有那麼多的血灑在那裡呢？另外，玄關旁的房間，門爲什麼被破壞掉了呢？

現在想這些也沒有幫助。弘樹搖搖頭，再確認了一次建築物的屋頂，便回到燈具室。

沿著環繞在昏暗的塔身裡的螺旋鐵梯登登登地往下走時，無意識地看著塔身的內壁，弘樹覺得自己體內彷彿裝進了一個會自行轉動的螺旋狀軌道似的，讓他有些暈眩的感覺。當然，這也可能是因爲過於疲憊所致。

這麼一來，一下子少了六人。正午的廣播，坂持說還剩下十四人。那麼就只剩下八人。應該說最多只剩八人才對。

琴彈加代子她還活著嗎？由正午直到現在這段時間，她該不會已經在自己所不知道的某個地方死去了吧？

然而，弘樹心想：不，她一定還活著。

這個念頭雖然沒有任何根據，但弘樹卻堅信如此。剩下八人，可能還更少也說不定。不過，自己還活著，而琴彈加代子一定也還活著。時間，浪費太多時間了。打遊戲開始至今，已經過了整整一天半，而自己卻還沒有辦法找到琴彈加代子。可是，自己一定有辦法找到她。弘樹同樣也堅信如此。

接著，想起七原秋也等人。秋也他們三個人的名字也沒有在廣播裡出現。川田章吾說過：「只要你願意，隨時歡迎你搭乘我的列車。」

眞的有可以得救的方法嗎？而自己和加代子能夠平安到達車站嗎？關於這點仍舊是未知數。不過，至少要想辦法讓加代子搭上那班列車才行。

有需要的話，讓我爲您服務吧，Mademoiselle。④

這簡直就像是三村信史會說的話。是啊，似乎可以體會信史之所以會和瀨戶豐交好的原因了。信史經常開玩笑。當然，和阿豐說的笑話有些不同，是一種更具諷刺性，時而內容辛辣的笑話，而且信史他知道什麼叫做「笑一笑過日子的重要性」。信史有一次，對了，記得是在二年級正月前的結業式，政府地區教育委員在發表無聊的演講時，和弘樹私底下聊天時提過：「我叔叔以前說過，笑是維持協調的重要因素之一，我們能藉以逃避現實的就只有這個了。你明白這個意思嗎，杉村？我還不太能理解這句話的意義。」

弘樹雖然隱隱約約感覺這話好像有點道理，但又還差了一點沒辦法完全理解。可能是自己年紀還太小的關係吧。然而，不管怎麼說，三村信史和瀨戶豐都已經死了。就算想要回答信史的問題，也已經沒有辦法了。

腦子裡茫茫然想著這件事，不知不覺已經回到躺了五具屍體的廚房。弘樹再一次環顧這血染的房間。

瓦斯爐上架著一口鍋子，由鍋裡飄來令人垂涎的味道，混雜在強烈的血腥味中，弘樹先前沒有注意到。當然，瓦斯被停掉無法使用，她們應該是用固體燃料正在做什麼料理吧。看看鍋內，雖然鍋底的火已經熄滅，但裡頭看起來像是濃湯的東西，還在冒著熱氣。

遊戲開始以來，就只吃過配發的麵包（水喝完時曾到民家的水井打過水），肚子雖然餓了，但弘樹搖搖頭，將目光自鍋裡移開。在這個房間裡，實在沒有食欲。更何況，還得要盡早找到琴彈加代子才行。還是盡快離開這裡吧。

步履蹣跚地走到走廊。或許是因爲很長一段時間沒有睡覺的關係，腳步感覺很不踏實。

長廊的盡頭，玄關口有個人站在那裡。走廊光線昏暗，而那個人又背對著陽光射進來的玄關，看起來就像是張剪影畫似的。

弘樹還來不及睜大眼睛看之前，就向旁邊一跳，再次撲進廚房。同時間那張剪影畫的手邊噴出激烈的火焰，一排彈著點掃過弘樹還留在走廊上的腳尖前面。

弘樹滿臉緊張，一口氣起身，砰的一聲關上門，壓低姿勢急忙一把抓住喇叭鎖，按下門鎖。

那是聽過的槍聲。就是在那個猛烈的爆炸聲前後所聽見的槍聲。是半夜裡和織田敏憲交手後逃跑時，在背後聽見——也就是收拾掉敏憲時發出的槍聲。也是日下友美子和北野雪子死亡時，聽見的槍聲。其他還有好幾次聽見過這個槍聲。

也就是說，是「那傢伙」來了。恐怕他和弘樹一樣，聽見這裡傳出槍聲，才會過來察看。或者是爲了要來解決掉攻擊內海幸枝等人的襲擊者。又或者是，他就是那個襲擊者，而又回到這裡來。

弘樹膝蓋抵在地板上，保持這個姿勢，左手繞到背後，握住手槍握把。光子留下來的背包裡找到備份的子彈，手槍現在已經裝填滿彈藥，不過備用的彈匣光子可能放在自己口袋，背包裡沒有。柯特單動模式半自動手槍。裝彈數僅有七加一發，沒有重新裝填子彈的時間。做那種事情的時候，對方就會用機槍，或者用其他持有的槍械，輕易擊倒自己。

弘樹身體緊貼在門邊，環顧躺著女孩屍體的廚房。不妙的是，窗戶內側都釘著木條。要把木條拆下再跳到屋外，太花費時間了。也看了看通往燈塔的門。不行，那行不通。要由燈塔上面跳下來，太高了。如果眞那麼做，最多也只能得到和榊祐子並排躺在屋頂上做日光浴的結果罷了。不行。那個「某人」會採取什麼行動？他會躡手躡腳悄悄進逼到這道門外？還是會埋伏在外頭慢慢等弘樹出來？不對，想必對方也沒有這個閒工夫才是。如果不趕快分出勝負，到時候自己也可能被剛才那陣槍聲吸引過來的人自背後襲擊……

果如所料。以喇叭鎖頭周圍爲中心的門板被擊穿了幾個洞（而打穿門板的子彈，有好幾發打在門板正前方的松井知里屍體上，將她肩膀和側腹附近的肉給扯了下來）。

砰！門被打開了。

下一瞬間，一道黑影躍進房間。

當他一個翻滾起身時，看見那原來是身著學生服的桐山和雄（男子六號）。桐山看也不看房裡其他屍體一眼，直接就將機槍指著門板後面的死角，跟著就是一陣掃射。

五、六發子彈將牆壁打穿。擊發音停了下來。因爲那裡沒有任何人。

弘樹趁勢舉起棍棒，朝桐山和雄頭上打去。原來弘樹當機立斷，躲藏在固定在門邊牆上的高櫃上。再也不依靠用不習慣的槍械，把手槍又收起來。如今得要做的就是，讓對方——已經知道是桐山了——無法再開槍攻擊。

桐山察覺到後抬起頭，同時也將槍口跟著上揚，但在那之前，弘樹手上那根原本是掃帚柄的棍棒，啪的打中桐山的手腕。INGRAM　M10九釐米衝鋒槍喀啦一聲落在地上，滑到桌子另一端的野田聰美屍體旁才停下。

桐山伸手抽出插在褲子前方的另一把手槍（是一把大型的自動手槍，和織田敏憲持有的那把左輪連發手槍不同），但著地後重整姿勢的弘樹立刻揮動棍棒，將那把手槍也打落下來。

連續攻擊！一口氣把他打倒爲止！

棍棒再次揮出，然而桐山和雄上半身快速向後一倒，順勢做了個後空翻，越過內海幸枝的屍體，轉了一圈，最後站在房間中央的桌子前面。身形看來就像是功夫電影一般優雅。當他站定時，右手已經握著一把左輪連發手槍。是原先織田敏憲手上的那把。

不過，想必即便厲害如桐山，多少也對弘樹的行動感到吃驚吧？弘樹一瞬間衝向前去，將兩人的間隔，縮短至距離桐山眼前正好八十公分處。

「喝啊！」

弘樹迴旋揮出一棍，自桐山手裡第三次將手槍打落。手槍飛舞在空中，還沒有落至地面前，弘樹便用棍棒的另一端再朝桐山顏面打去。桐山身後就是桌子，已經沒有退路。

然而，棍棒卻在桐山顏面數公分前停了下來。下一瞬間，弘樹看見棍棒前端斷了三分之一左右，掠過桐山的頭部，飛舞在空中。啪的一聲棍棒折斷的聲響，不可思議地延遲了一會兒，才傳至弘樹的耳中。這才知道原來是桐山用高舉到面前的左手掌底將棍棒打斷。

下一瞬間，桐山右手取一個貫手形⑤，直攻弘樹顏面。目標是弘樹的眼睛。

弘樹急忙低下頭，能躲過這個攻擊說不定眞可以說是奇蹟。畢竟那是一個如此快速的攻擊。

弘樹總算是避開這次攻擊。閃身躲過攻擊時，弘樹放開棍棒改用兩手抓住桐山攻來的手腕。一把抓住後，便立刻使出逆關節技制服他。同時間，右膝朝桐山的腹部猛力一記膝擊。臉上全無表情的桐山口中，發出一聲短短的呻吟。

弘樹左手保持壓制著桐山的手腕，右手已經掏出手槍，將擊鎚立起。抵住桐山的心口，扣下扳機。不停地扣下扳機，直到所有彈藥打完爲止。每開一槍，桐山的身體就稍微晃動一下。

最後手槍的滑套卡在後面，第八發子彈的彈殼，喀啦滾落地板上，撞到先前落在地上的彈殼，發出金屬碰撞的聲音。

弘樹握著桐山右腕的左手，感覺到桐山的身體慢慢失去力量。整頭向後梳的髮型——桐山的頭部——無力地下垂。如果弘樹現在放開手的話，桐山的身體就會沿著桌角滑落頽倒在地板上吧。

不過就好像兩人剛跳完一隻奇特的舞蹈似的，弘樹和桐山相對佇立在原地，肩膀上下起伏劇烈喘著氣。

贏了！

我打贏那個桐山和雄了。那個運動神經可能比三村信史、七原秋也還要優秀，而且傳聞中從來沒有在打鬥中敗下陣來的桐山和雄。

我贏了那個桐山……

突然間，弘樹的右側腹感到一陣銳利的刺痛。弘樹嗚的發出呻吟，又驚又怒地睜大眼睛。

桐山和雄抬頭看著弘樹。而他的左手——握著小刀的左手，整個插在弘樹的腹部上。

弘樹慢慢地由那手再將視線移回桐山臉上。桐山和雄還是那麼俊美，但是目光冰冷，直盯著弘樹。

爲什麼……他……還活著？

當然，那是因爲桐山和雄身上穿著織田敏憲的防彈背心，不過弘樹自然無從得知此事，而在目前這一瞬間，思考這個問題也是於事無補。

桐山扭轉刀身，弘樹發出悲鳴。扣住桐山右手手腕的力道，開始鬆懈下來。

啊啊——不妙！這樣下去不行。

於是弘樹使盡全力，再一次用力扣住桐山的手。同時將還握著彈藥用盡的手槍的右手，向上一揮。呈直角彎曲的右肘擊中桐山的下巴。

桐山摔了出去，滑過沾滿血污的白色桌子。原本像是大東亞共和國國旗的血痕，如今變成了合眾國旗幟的圖樣。同時，刺在弘樹腹部的小刀，刨下弘樹約三十公克左右的肉，血噴了出來。弘樹打自肺部深處，發出呻吟。

發出呻吟的下一瞬間，弘樹轉身便朝向通往走廊的那道門跑去。

正要通過門的時候，聽見槍聲，門框砰的一聲碎裂開來。桐山應該沒有時間撿起掉落在地上的槍，那就是說他還有第四把手槍了（大概是藏褲子裡、纏在腳踝之類的地方吧）。

無視於槍聲，弘樹繼續跑。

躍過散置在玄關的桌椅，正要到外頭去時，這次聽見了熟悉的機槍槍聲，不過因爲弘樹壓低了身子，沒有被打中。

外頭烏雲滿布的天空好像隨時會下雨，但卻感覺看起來異常明亮。

弘樹拚命跑向停放著輕型客貨兩用車的大門對面的草叢。他經過的地方，白色的土地上滴著點點紅色血跡。

身後又聽見機槍的聲音，但弘樹已經跳進草叢裡頭。

當然，要想先在那裡休息一下是不可能的。

【殘存人數8人】

66

小雨開始落下，清洗著覆在島上的綠葉。從厚雲及水滴間落下的微光，閃躍著鮮豔的色彩。

秋也在綠葉中穿梭，慢慢地移動著。右手邊一片開闊，可以看得見海。隔著雨簾看到的海是濁灰色的。

秋也身上穿著在幸枝她們房間裡找到自己的襯衫、學生服和運動鞋，而學生服被從樹上落下的雨滴沾溼了。右手握著吊在肩上的烏茲衝鋒槍握把，褲前插著CZ75。白郎寧手槍則和彈藥一起都放在背在身上的背包。

秋也最後決定馬上離開那座燈塔，可以說正如自己所料，當他在靠近島北端的崖上，爲了生煙火而開始收集木材時，不到十五分鐘左右，便從燈塔那個方向傳來槍聲。雖說槍聲發生在屋內，但還是可以聽見幾度傳來的聲響，應該是有某人和某人到了那裡，然後彼此展開戰鬥吧。

秋也猶豫後，準備再度回去燈塔。剛才的槍聲聽起來覺得很耳熟，很像是桐山和雄的機槍。雖說典子和川田應該不會特別到有槍聲的地方，但現在剩下的參賽者也沒有幾個人了。假設其中一人是桐山，另一人很有可能會是杉村弘樹，當然，也有可能是相馬光子。

不過，那槍聲旋即停止。秋也再次想了想，決定不回燈塔。就算回去，大概也不會有人還待在那裡吧。就算有，等在那裡的可能也只是幸枝等人以外的另一具屍體罷了。

秋也在崖上的石壁準備好兩個火堆時，開始下雨了。因爲雨的關係，從燈塔帶出來的打火機，沒能很順利地升起火。

雨又更大了，秋也決定放棄，離開那裡。典子和川田，應該不會移動太長的距離。C＝3已經變成禁區，而鄰接的D＝3，C＝4還不要緊。他們應該在那附近才對。到了那附近再升起煙火應該也還好。

心裡如此盤算而開始移動的秋也，大概兩點半左右，在島的北岸要轉向西側時，遠遠聽見隱約的吱吱、吱吱鳥叫聲。秋也豎起耳朵聽了一會兒，連忙看著手錶。秒針動了七格，那微弱的鳥叫聲停了下來。

川田曾經說過十五秒。把看手錶前的時間一起算進去，的確聽到差不多十五秒左右的鳥叫聲。而且，應該沒有太多種鳥會在雨中鳴叫才對。至少現在幾乎都沒有聽見其他遊戲開始以來，白天偶爾會聽到小鳥們的歌唱聲。

秋也就這麼順著島的西北岸繼續前進，再次聽到同樣的鳥叫聲。這次聽得很清楚。從剛剛聽到的鳥叫聲，到現在剛好經過十五分鐘。同樣叫了十五秒便停下來。是川田。不需等到秋也用煙火打信號，川田已經用鳥笛在呼叫。

然後三分鐘前又聽到第三次模擬的鳥叫聲。那聲音已經很近。以所在的區域來說，秋也是由B＝6往B＝5區移動。

秋也稍微停下腳步休息一會兒，左手腕移到烏茲衝鋒槍身下方，用左臂撐著。這樣比勉強用著臂力輕鬆些。因手錶的玻璃沾滿雨滴而看起來扭曲的指針，正指著下午三點零五分。

鳥叫聲聽起來，比起海邊感覺上更像從稍微靠山地的方向傳來。秋也再望了海邊一眼，便朝著緩坡上方前進。抬起頭往上看，眼前的北側山地形狀有點不同，秋也知道自己已經沿著山麓，深入島的西岸部分。

還差一點。到目前爲止，不過走了不到一點五公里的路程，然而受到大量失血的影響，身體感覺輕不著地。全身傷口的痛楚，幾乎使得自己快要吐了出來（本來是應該要安靜修養才是）。不過，還差一點。就差一點了。

一旦進入樹叢中，因爲需要撥開樹叢，使得身體更加勞累。當然，即便是現在，也可能在樹叢的空隙處被人偷襲。但是，根本沒有空閒去管那些。如果眞的發生了那種事，也就只有扣下烏茲衝鋒槍的扳機一途。

互相重疊的低矮樹枝變得稀少，樹叢出現了一塊空地。秋也嚇了一跳。不是因爲有人拿著槍站在那裡，而是在那狹窄的地面上，有著奇怪的東西。

一開始，秋也的眼睛看到的是兩團灰色硬硬的東西。而且，那個東西還在動。再仔細一看，那兩團東西中間，各自可以看見穿著黑色褲子和運動鞋的腳。

秋也明白那是屍體。不知是哪兩個男生死在這裡。

在灰色的硬塊當中啉的有一個紅色小點往上一抬，嘎的叫了一聲。秋也這才知道那是一隻頭上染著紅色髒污，像鷺一樣大的鳥。那些鳥正在啄食著屍體！

秋也反射性地拿起烏茲衝鋒槍，準備向著那邊扣下板機。但還是作罷了。他走向該處。

於是，鳥群們拍起翅膀離開兩具屍體。

在雨中，秋也佇立在那兩具屍體旁，不禁一陣作嘔，舉起拿烏茲衝鋒槍的右手捂在嘴角。

這場景眞讓人全身不寒而慄。兩具屍體裸露的臉部都被鳥啄食，隨處可見紅色的肉塊在皮膚下翻開，上頭沾滿了血。

然而，秋也忍著嘔吐感盡可能觀察，看起來那應該是旗上忠勝和瀧口優一郎。另外，也發現到忠勝的臉似乎並非受到鳥群啄食，而是骨格本身便有著特別嚴重的變形。連逃過被鳥啄的鼻子也已塌陷。

秋也看了看周圍，發現旁邊的草堆中掉了一根球棒。雖然球棒前端被雨水沖洗過，但仍看得出上面有些微的紅色。和忠勝臉上的傷痕聯想起來，忠勝大概是被毆打致死。而兇器就是這根棒球比賽時絕對少不了的球棒。

相較之下，優一郎的臉還算完整。當然，他臉上可能也已經沒有眼睛及嘴唇了吧。

翅膀拍動的聲音響起，一隻鳥飛回秋也腳邊的忠勝臉上。接著，兩隻、三隻陸續地飛回來。因爲秋也一直站著不動，所以鳥群以爲可以放心了吧。

可以放心？開什麼玩笑！

秋也又使力想扣下烏茲的扳機，但還是又作罷。現在最重要的是趕快回到川田和典子的身旁。更多的鳥飛回來了。

散落在島上的其他屍體也都像這樣會被鳥啄食嗎？還是，只是因爲這裡靠近海邊才會如此？

秋也把視線從兩人的屍體拉回來，腳步不穩地繞過那裡，進入正面的樹叢中。

背後傳出嘎——的聲音。

繼續走了一段距離，秋也胸口再度衝上嘔吐感。已經習慣了目睹死亡，可是被鳥……被叫人痛恨的鳥啄食，眞是……我已經沒有辦法再以心平氣和的心情，佇立在海岸邊欣賞飛舞的海鳥了；自己創作的歌曲再也不會歌頌海邊的鳥兒；說不定暫時也不敢吃雞肉了吧。鳥眞是——最差勁的東西。

然而此時吱吱吱的那個鳥叫聲，又再度響起。秋也抬起頭，大雨打在臉上。

啊——鳥眞是最差勁的東西——不過，小鳥就還算可以吧？

又是剛好過了十五秒就停下來。這次聽起來已經非常接近了。

秋也環顧四周。樹叢沿著緩緩的斜坡生長著。應該，應該在這附近。川田和典子，應該就在附近了。可是……在哪兒呢？

在秋也進一步思考前，那壓抑在喉嚨深處的嘔吐感又從再次湧出。想起兩人臉部被啄爛的屍體。及那柔軟的肉塊，成爲鳥群午後的點心。多謝您的招待。

不應該吐出來，這樣體力會更加流失，可是……

秋也的膝蓋跪在地面吐了。當然，一直都沒吃東西，只吐得出胃液。鼻腔充滿刺激的酸味。

秋也又吐了出來，黃色的液體中參雜著粉紅色，就好像顏料掉在上頭似的。也許連胃都受不了了。

「七原。」

秋也很快抬起頭，本能地拿起烏茲衝鋒槍指向聲音的來源。不過，槍口慢慢地再指回地面。

那張趁著廟會時出來擺攤、賣些不知是否眞貨的年輕人的臉出現在樹叢間。是川田。左手拿著用木頭做成的像弓的東西，右手拿著箭，正放下來。啊啊，對了，應該是自己勾到川田圍在四周的警戒線。

川田說：「你宿醉啊？」開玩笑的話語裡，帶著非常溫柔的聲音。

沙沙聲響，典子出現在川田身後。被雨淋溼的頭髮下，看著秋也的眼睛及嘴角顫抖著。

半推開川田，典子邊拖著腳跑了過來。

秋也用力擦了一下嘴角，無力地站了起來。手放開了烏茲，伸出右手抱住典子。雖然因爲撞到典子的身體，而使得側腹傷口一下子傳來劇痛，但這種事根本就微不足道。即使兩人是在剛吐出來的東西上再次相逢，這種事同樣也不算什麼。在冰冷的雨中，典子緊靠著自己的身體，好溫暖。

典子在秋也的手臂中抬起頭來，哭泣道：「秋也、秋也，太好了……太好了……」眼角流下一顆顆的眼淚，和打在臉上的雨滴混在一起了。

秋也微笑著，覺得自己也快掉下眼淚。死太多人了。這個遊戲已經死了太多人，但還好，兩人都沒事，這比什麼都好。

川田走過來，輕快地伸出了右手。秋也一瞬間弄不清他是什麼意思。明白後，便越過典子的身體，伸出右手，握住川田的手。那果然是又大又厚實的手。

「你總算回來了，歡迎你。」

川田以很平穩的聲音說道。

【殘存人數8人】

67

在往海邊稍微下去的地方，樹和樹中間露出了岩石，形成了一道面海的低矮岩壁。岩壁上鋪著兩根大號的樹枝，上面再堆上幾根樹葉茂密的樹枝，做了一個可以避雨的屋頂，看起來好像是川田用刀子努力加工過似的。雨點兒一滴一滴從樹枝端滴了下來。

秋也先從川田那裡接過從診所帶出來的強效鎮痛劑之後，說起在燈塔發生的事。川田用空罐和木炭燒了開水，那咕滋咕滋的聲音，和下雨的聲音夾雜在一起。

川田聽完，說了聲：「這樣啊。」呼的喘了一口氣後，叼起了一根WILD SEVEN。烏茲衝鋒槍放在雙腳中間。結果那把烏茲槍交給川田持有。而秋也拿的是ＣＺ７５，典子拿的則是白朗寧手槍。川田點起了菸。

「眞是太慘了！」秋也無力地搖搖頭。

川田從嘴裡吐出些煙，將菸拿離了嘴。

「沒想到內海集合了那麼多人，居然出現了叛徒。」

秋也心情沉重地點了點頭。

「要相信一個人，還眞是困難。」

「沒錯。」川田視線垂了下來點了點頭。「很難。」

川田好像有什麼心事，靜靜地吸著菸。接著才說道：「不過，總之很高興你還活著。」

秋也想起了內海幸枝的臉。我還活著，多虧了內海幸枝她們幫忙，所以我還活著。但是幸枝她們卻已經從遊戲中退場了。

秋也望著左邊的典子。典子聽見和自己很要好的內海幸枝和谷澤遙死去的消息，似乎很難過。不過看到水滾了之後，便拿了兩顆好像是川田事先保留下來的高湯塊，放入空罐內。高湯的味道慢慢地飄了過來。

「秋也，你吃得下嗎？」典子問道。

秋也盯著典子的臉，稍微挑了眉。雖然知道不能不吃點東西，但是才剛把胃裡的東西都吐光，實在是沒有食慾。而且，最根本的原因，是腦海裡不時閃過圍在旗上忠勝和瀧口優一郎身上的灰色硬塊的景象（這件事並沒有跟他們兩個人說——那群「硬梆梆的傢伙」應該還在一百公尺遠的前頭蠢動著——只說自己是因爲傷口疼痛才吐了出來）。

「吃吧，七原。我和典子同學已經吃過午飯了。」

叼著菸的川田說。秋也把眼神移到川田那張愈長愈長、一臉雜鬍的臉上。最後，微微地點頭。川田用手帕捏著罐緣拿起罐子，把湯倒進塑膠杯中，然後遞給秋也。

秋也接過杯子，慢慢湊到嘴邊喝下去。高湯的味道口中散開來，溫熱的液體慢慢地滑過食道來到胃裡。看來並沒有所想的那樣難受。

典子將麵包遞過去，秋也拿過麵包咬了一口。咬下第一口後，想不到食慾還不錯。一轉眼就全都吃光了。姑且不管精神方面——至少在身體方面，看來還眞的是餓了好長一段時間。

「還要嗎？」

典子開口問。秋也點頭，「再給我一些湯。」舉起空杯子回答說。這回是典子幫他倒的。

一邊接過杯子，秋也一邊叫了一聲「典子。」典子抬起視線，看著秋也。

「怎麼了?」

「妳的身體，已經不要緊了嗎?」

「嗯。」典子微笑著。「我有持續吃感冒藥，不要緊的。」

秋也看著川田的臉。川田叼著菸的側臉，微微地點頭。川田也從診所拿了一套的抗生素注射藥劑，不過，看來是不需要了吧。

秋也又把視線轉回典子身上，對她笑了笑。「太好了!」

典子接著又問了一次已經問過好幾次的問題。「秋也，你的傷，眞的不要緊嗎?」

秋也點點頭說：「不要緊。」

事實上並非不要緊，不過不知道該怎麼回答她才好。從制服袖口露出的左手顏色，跟右手稍微不一樣。是因爲肩膀的傷?還是手肘上的傷的關係?自己也不明白。或者單純只是因爲手肘上緊緊包著繃帶的關係也不一定。總覺得左手愈來愈僵硬。

再喝了一口湯之後，秋也把杯子放在腳邊。然後叫了聲：「川田。」

正在確認烏茲槍狀況的川田，挑起一邊的眉毛看著秋也。「怎麼?」

「是關於桐山的事。」

沒錯。仔細回想昨天發生的事情時，腦子裡突然浮現跟川田和典子道別之前，腦子裡一直想著的那個疑問。還有剛才離開燈塔後，聽到的槍聲。總之，自己那時候喊道：「搞什麼!那傢伙，到底想怎樣!」

也就是說，桐山和雄到底是怎麼樣的一個人?

當然，照推測看來，桐山和雄並不是唯一「積極投入」這場遊戲的人。和秋也發生搏鬥的大木立道、赤松義生都是。如果相信杉村弘樹說的話，相馬光子也算屬於那種人吧。不過，桐山他那手下不留情、毫不遲疑、冷酷及冷靜的態度……秋也經常從桐山身上感覺到的那種不協調的感覺，在這場遊戲當中，一下子突顯出來，更直接威脅到秋也。秋也再次想起那機槍口噴出的火焰，對方看著自己的冰冷眼神，不禁背脊發涼。

川田不發一語，於是秋也就繼續說下去。

「那傢伙……到底想怎樣？我實在是怎麼都想不透。」

川田垂下了眼神，用指尖玩弄著具有可切換全自動／半自動開關的烏茲衝鋒槍的安全裝置。

說到這裡，秋也心裡突然間想到：川田好早之前就說過，沒有必要去弄懂。現在該不會又要這麼說了吧？

不過，川田的回答並不是這樣。

「說的也是。」川田突然抬起頭來。「我以前見過跟那傢伙很像的人。」

「是在之前的遊戲嗎？」

「不是。」川田搖了搖頭。「是在別的地方。跟現在完全不一樣的地方。身為貧民區裡醫生的兒子，我見過各式各樣不同的人。」

川田又拿出菸點了起來，吐了口煙後接著說著：「我想他是……非常空虛的那種人。」

「空虛？」典子問道。

「對。」川田點點頭。「對於倫理或是愛情。不，應該說不管對於什麼樣的價值觀，心裡根本沒個底。他就是這種類型的人。而且……他這樣，很可能是沒有理由的。」

沒有理由。秋也在想，這是不是指他這樣的人格是天生的？那不就……

川田又吸了一口後，將煙吐了出來。

「杉村他說過相馬光子的事吧？」

秋也和典子點了點頭。

「那傢伙到底是不是眞心投入這場遊戲，我們沒有確認，所以不知道。不過，在班上稍微注意一點，就可以發現相馬和桐山其實很像。但是，相馬她只是特意排除掉倫理和愛情而已。她應該是有什麼理由才對。是什麼我就不知道了。可是，桐山他是沒理由的。這兩者的差異很大。桐山可是沒有理由的。」

秋也注視著川田的臉，一個人喃喃自語地說：「眞可怕。」

「對，很可怕。」川田同意。「你想想。那或許不是他本人的錯。不，應該可以說也不是其他什麼人的錯，不過至少那傢伙很可能無法擁有『未知的未來』。生爲一個人，來到這個世上，有什麼比這更叫人恐怖的事嗎？」

川田接著又說：「這是我的看法。」

「就算是像我這樣的平凡人，常常也會覺得一切都是沒有意義的。爲什麼我早上起來然後就吃飯呢？吃了之後等會兒不就只是變成大便嗎？爲什麼我要去學校唸書？縱使萬一將來成功了，總有一天還不是一樣要死。穿著漂亮的衣服，獲得大家羨慕的眼神，即便賺了錢，這又有什麼意義？一點意義都沒有。不過，說不定這些無意義的事，正適合這個爛國家。話又說回來，我們至少也還有快樂、高興這樣的感情吧。即使這只是些微不足道的小事。但是能夠彌補我們心靈上空虛的，不就是這些嗎？至少除了這個以外，我不知道其他的答案。然而，桐山大概欠缺這樣的感情。所以那傢伙沒有所謂的價值基準。於是，他只能用選的，選擇自己要做什麼。並沒有一個固定的基準。只是走到盡頭便選擇下一個前進的方向。就拿這次來說，說不定那小子其實很有可能是選擇不投入這個遊戲。但後來選擇投入遊戲。這只是我自己的假設。」

一口氣說完這一大串話之後，又接著說。

「沒錯，很可怕。說不定有人可能眞的過著那樣的人生，很可怕。而且我們現在不得不把那樣的人當做是對手，也讓人覺得可怕。」

陷入一陣沉默。川田再吸了一口已經變短的菸後，就把它捏熄在地上了。秋也又拿起裝湯的杯子，喝了一口湯。

之後，秋也從川田做的那個樹枝屋頂的邊緣，仰頭看著陰陰的天空。

「杉村他，不要緊吧？」

離開燈塔之後聽到槍聲的事，雖然也和典子和川田說了，但心裡還是有點擔心。

「一定不會有事的！」典子說著。

秋也望著川田。

「如果煙升起來的話，看得到嗎？」

川田點點頭。「不要擔心了。在這裡的話，不管是從島上的哪裡有煙升起，都能看到。我會時時留意的。」

而秋也這時想起了那個鳥笛。自己就是受到那東西的指引來到這裡。不過川田怎麼會隨身帶著如此特別的物品呢？正打算開口問他的時候，典子先開口說道：

「杉村同學，不知道見到加代子了沒有？」

「如果見到了，他們會升起煙火的。」川田回答。

典子點頭，接著又一個人自言自語。

「杉村同學到底找加代子有什麼事情呢？」

這是在離開診所之前就提過的話題。而秋也也和那時同樣答道：「這個嘛……」

「他們兩個看起來並不像感情特別好的樣子呀。」

不過，就在此時，典子「啊——」了一聲。似乎是想到什麼似的。

秋也抬起頭來。

「怎麼了？」

「我也不清楚。」典子搖搖頭。「可是說不定……」

語尾拉長。秋也蹙了蹙眉毛。

「說不定什麼？」

「在這場遊戲裡，」川田插嘴說道，秋也將目光移向川田。川田動手拆開一包新的香菸，眼睛看著手邊的動作，繼續說道：「那個想法，未免太過於感性了。」

「可是……」典子接著說：「如果是杉村同學，也許……」

秋也還是一頭霧水，交互看著兩人的臉。

【殘存人數8人】

68

琴彈加代子（女子八號）置身於茂密的樹叢中，抱著她的膝蓋。如果以區域來說的話，相當於北側山地的山腰處，南側斜面的E＝7區。

黃昏時分雖然近了，但射入樹叢中的光線，倒看不出太大的變化。裡頭就是暗。中午過後，厚厚的雲層就籠罩著這裡，兩個小時前不久，終於下起雨了。

加代子用手帕蓋住頭遮雨。由於頭頂上有樹枝，雨滴沒有直接打在她身上。但即便如此，水手服的肩部也已經徹底溼透，好冷。當然，還有更甚於此的恐懼。

加代子一開始藏身的地點，是北側山地頂峰的東側C＝8區的地方。當然，日下友美子與北野雪子被殺之事，加代子也從差不多算是「近在眼前」的短距離內目睹了。但她也只能努力屏住呼吸。她知道幹掉兩人的某個人就在附近，直覺不動還好，一動可能就有危險。她屏住呼吸——於是，沒有任何人襲擊她，就這樣度過了白天，度過了夜晚。

後來，她遵照禁區的廣播，反覆進行了兩次的移動。第二次的移動，是今天正午過後不久的事。因爲山頂南側的D＝7從午後一點開始，也列入禁區的名單中。這麼一來，北側山地的山頂附近已經有三個禁區了。可移動的範圍，著實愈來愈小了。

到此爲止，加代子都沒碰到任何人。有時候在很遠的地方，有時候覺得是近在咫尺的地方，她聽到過幾次的槍聲以及什麼東西爆炸的聲音，但她也只是靜靜地屏住呼吸。不過，六小時一次的廣播也讓她知道，同學的人數確實在不斷減少中。

中午的時候，應該還剩下十四人。但在那之後也聽到槍聲。現在已經變成——十二人了，還是已經十個人了？

加代子把右手沉重的手槍（史密斯威森M59自動手槍，還附有說明書，但加代子當然沒有去管手槍的名稱什麼的）放在腳邊，用左手抓著右手的手指伸展，好像要把它往手背拉一樣。由於她一直緊握著那把槍，手指的肌肉好像都變得怪怪的。把手心翻過來看，都印著紅紅的、明顯的手槍握把的形狀。

她整個身體也達到極度疲勞的狀態。一部分是因爲幾乎沒什麼睡，還有就是因爲不知道屋子裡會有誰在，所以也不敢隨便進去，吃也是只用配發的麵包和水打發而已，所以也帶點餓和渴。原本水的攝取量就已經絕對不足。而由於加代子想省著用配發的水，所以從比賽開始到現在爲止，她只喝了一公升多的水而已。雨水帶來的唯一幸運，是讓她可以把先前已經空了的一個水瓶，放在末端滴著雨水的樹枝下方集水。不過連三分之一瓶都還收集不到。有時候她會把頭上的手帕拿來潤溼一下乾燥的嘴唇，但這麼做當然還是無法消解她全身的渴。

加代子從喉嚨深處無力地吐了口氣，無意識地把及肩的短髮往耳朵上方撥了撥，然後再度握起M59自動手槍。她的腦袋昏昏沉沉的。

在加代子昏昏沉沉的腦子裡，再度閃過某個身影。那是自比賽開始以來，一再出現的身影。和同樣也浮現腦海的父母或姐姐的臉比起來，這個身影或許對自己來說並沒有那麼親近。但即便如此，它對加代子來說卻還是個重要的身影。

第一次見到「那個人」，是在加代子參加的茶道教室的流派活動中。那是她剛開始學習茶道沒多久，國一秋天的事。

那次的活動，是接受會場所屬的縣政府指定公園的委託，在秋日祭的那天，供茶給觀光客的野外茶道活動。事實上表演茶道禮節的，都是那些大人。加代子他們則專心忙於布置野外的座位，或是準備配茶用的糕點之類的雜務。不過在茶席上擔任亭主⑥角色的那群人中，就有他。

那個人，是在活動開始很久之後將近中午時才到場的。人雖然長得英俊，但還帶有一些少年的味道，看起來差不多是大學生吧。加代子當時想道，啊，這個人也要幫忙呀。但那人卻對著人在亭主位子上的加代子的老師（四十二歲的歐巴桑了）說了聲：「哎呀，來晚了。」之後兩人便迅速換手，開始泡茶。

眞是精純的技法啊。茶巾的處理方法、使用茶筅⑦的鮮明手法、無懈可擊的姿勢。雖然才這個歲數，但穿起和服來，卻完全沒有不協調的感覺。

暫時忙完自己的工作後，加代子目不轉睛地盯著那個人看。此時，後面突然有人敲她的肩頭。回頭一看，是一開始把加代子拉進茶道教室的、城岩中學茶道部的學姐。「怎麼樣？很帥吧，那個人。」學姐說。「他是掌門人的孫子唷。不過正確來說，應該是小老婆的孫子。我也是他的粉絲呢。就是因爲想看到他，我才持續參加茶道教室課程的呢。」

學姐告訴加代子，那個人現年十九歲，高中畢業後，已經是「師範代」⑧一樣的人物，有好幾個弟子了。加代子當時也只想著：啊，他是不同世界的人呀！世上也有這種人啊！不過那是「當時」。

每次流派一有活動，或是偶然聽到那個人以來賓身分出現在加代子學茶道的教室時，加代子盯著鏡子看的時間就會變得多起來。雖然在這個年紀還無法化粧，但她會把和服穿得整整齊齊，頭髮用梳子梳過，再把最心愛的深藍色髮夾偷偷插在最完美的位置上。線條平順的眉毛、不挺大但細長的眼、不高但形狀不差的鼻子、略寬但緊實的嘴。嗯，雖然大部分地方都很普通，但我呀看起來還是挺大人樣的呢！

那個人的粉絲，從和她差不多大的少女到歐巴桑都有。所以，加代子也跟著變得愈來愈迷他，這件事或許不需要太大的理由。無論如何，那個人是個外表好看、大腦有料、既開朗又不會忘記爲旁人著想的，可說讓人難以置信的理想男性。而且不知道爲什麼，據說他似乎沒有正在交往的女朋友。

即便如此，加代子只有兩次有關那個人的特別記憶（她雖這麼想，不過從別人眼光來看，也許算不上什麼大事）。

其中一件，是加代子升上二年級的春天，流派固定舉辦的茶會中的事。這場茶會是在位於志度町的流派總部舉辦的，距城岩町也相當近。茶會開始後不久，就出問題了。以來賓身分受邀參加的中央政府地區文化委員，突然開始對茶會的運作挑起毛病來。這是當時常有的事。固然有些公務員可以用「清廉潔白、獻身國家」之類的口號來描述，但實際上，利用這種特權從中謀取利益權利的人也很多。或者，也可能是因爲對方表示會考慮多撥一些共和國傳統文化補助金下來，希望你回饋他一些，卻被掌門人愼重婉拒了這小家子氣的交易，所以才懷恨在心也說不定。

問題是，掌門人因爲正在住院，所以人不在。暫代其職的是掌門人的長子，但長子卻只嚇得不知如何是好，一個沒弄好，搞不好還會演變成流派的活動必須停止之類的狀況發生。這時出來收拾場面的，是當時才十九歲的那個人。他把找麻煩的公務員請到別的房間去，過一陣子，他一個人回來了，說：「政府的人已經回去了。他似乎已經不生氣了，請各位不用擔心。」

那個人沒有再多說什麼，在座的流派大老也都沒來問他「怎麼了」之類的問題，茶會活動繼續平和地進行。不過加代子卻因擔心而無法平靜。她擔心那個人會不會是講了「今天的茶會是由我負全責舉辦的」之類的話，然後一個人把問題承擔下來。若是這樣，那個公務員搞不好會以此爲藉口，爲了洩恨而編造假報告書，以「反政府精神污染」的罪嫌（亦即必須遣送至「再教育集中營」的那種人）逮捕那個人。

後來，茶會順利結束後，大家做會後收拾，那個人自己也率先搬運日式座墊等東西。加代子看準他一個人在走廊的時機，下定了決心，自那個人後方以「那個……」出聲叫他。那個人手抱著坐墊、停下腳步，很快地把頭向加代子的方向轉過來。被那個人清澈的目光盯著，加代子雖然心跳加速，但還是勉力把話說下去，「那個……剛才還好嗎？」

那個人似乎察覺到加代子問題中的含意，嘴邊浮出了微笑。然後他說：「謝謝妳的關心。不過，沒問題的啦。」還談什麼關心，光是能第一次好好和那個人交談，加代子就已經整個人飄飄然了。不過，她還是繼續問著：「可是、可是，那個政府的人，看起來也很壞心，萬一……」

不過，那個人打斷了加代子的話，以略帶說理的口吻對她講著有點難懂的話。「那位政府人士也不是自願做出那種事來的唷。當然，世界任何角落都會有同樣的事發生，特別是這個國家的架構……似乎會讓人性扭曲。我們本來就是應該求和諧的，茶道原本也是這樣的東西。但在這個國家，那種事相當困難。」最後那句話，感覺上不如說是他自己的自言自語。

接著，他又把目光轉回加代子身上，繼續說道，「像茶這樣的東西是很無力的。但是它卻也不是那麼壞的東西。嗯，可以的話妳也趁還能享受樂趣的時候，盡情享受吧。」那個人微笑了一下。然後一轉身，又快步走掉了。

加代子茫然地在那兒佇立了一會兒。一部分原因是，那個人乾脆的說話方式讓她感到安心。還有，雖然那個人所講的東西，她並不是完全聽懂，但覺得：啊，眞覺得那個眞的是大人啊！對這個人，自己十分折服。

總之，或許因爲這件事讓那個人對加代子留下了一些印象，後來只要一有機會和他打照面，那個人總是對著她微笑。

另一次是國二冬天的事。對加代子來說，這是決定性的事件。加代子又到了茶會的會場，這次是個古意昂然的寺廟庭院。正當她看著椿樹的花發怔時（事實上此時她也是在想著那個人），突然後面傳來一聲「眞是漂亮呀」，那是她已經聽習慣的、帶有透明感的聲音。一時之間，她還以爲自己聽錯了。回頭一看，讓人難以置信的事發生了——那個人就在那兒，對著加代子不經意地微笑著。既不是在指導她茶道禮節，也不是有事情要討論。他竟然和自己講話，這種事還是第一次。

於是，兩個人稍微交談了一下。

「怎麼樣，茶道好玩嗎？」

「嗯，是的，相當有趣。不過，一直都沒法做得很好。」

「會嗎？但是在學習禮儀的時候，妳的姿勢一直都很棒，讓我很感動唷。不，並不只是因爲妳坐得很直而已，我總覺得妳的姿勢已經很端正了。」

「咦？不會吧。我一點都不覺得。我怎麼會……」

那個人還是一樣把手放在和服的袖子裡，臉上也維持著平穩的笑容。然後他一個轉頭抬頭看著椿樹，說道：「哪裡，我是眞的這麼覺得。對了，恰好就像那朵花一樣的感覺。看起來有它緊繃的地方，可是卻又那麼美。」

當然，一方面她也還只是個孩子，或許那個人不過是在向流派裡的一位茶道愛好者，說了些恭維的話而已。但即便如此，加代子會覺得「萬歲！」也不是沒有道理（她彈著手指高興不已，是後來一個人到洗手間後的事）。

加代子對於茶道的練習愈來愈起勁了。她是這麼以爲的。好棒喔！這樣的話，我雖然還是小孩子，但等我十八歲了，那個人就二十四歲了。還蠻登對的嘛……

就是像那樣的記憶。

加代子把臉埋在百褶裙的膝蓋處。和雨滴不同的溫熱液體，緩緩地弄溼了裙子的膝頭部分，加代子知道自己正在哭。她握著手槍的手震顫著。事情怎麼會變成這樣呢？

她超想見那個人的。雖然自己不過還是個小孩，但小孩也有小孩的表現方式。她覺得自己是眞的喜歡那個人。出生至今，這眞的是第一次認眞喜歡上某個人。哪怕只有一眼也好，她想見那個人，把那件事告訴他。就算那個人把茶會上的事告訴了她，她還是想要對那個用「漂亮」這樣的字眼來形容自己的人說。「我還是小孩，所以對於喜歡一個人的心情還不是很懂也說不定。但是，我大概、應該，喜歡上你了。我非常喜歡你。」——想用這種口吻來講。

樹叢發出沙沙的搖晃聲，加代子把頭抬了起來。她用左手用力擦了一下眼，快速而輕巧地站了起來。她的腳不由自主動著，朝聲音來源的相反方向後退了一步。

在樹叢的隙縫間，看得見穿著學生服的男生杉村弘樹（男子十一號）露出了臉與上半身。他學生服與T恤的袖子已經脫落，右腕整個露了出來。肩口纏著的白布上，滲出了紅色的血。不知是不是雨的關係，它擴散成粉紅色。然後在那隻手上，看得到手槍。

弘樹的嘴微微呆張著，但加代子的眼睛，卻與他被風沙弄髒的那張臉上的兩隻眼睛對上了。看起來閃閃發亮。

加代子的身體裡，恐懼湧了上來。爲什麼沒注意到他靠得這麼近呢。爲什麼……

「琴彈──」

加代子驚叫著，運動鞋的鞋跟向後一轉，衝入了樹叢裡頭。她的臉和頭髮被枝樹勾到了，上頭的雨滴也讓全身溼透了，但這全都不要緊。她只是一個勁兒地逃。不快點逃走的話，會被殺！

加代子咻地快速跑出了樹叢。寬約兩公尺左右的山路曲曲折折不斷蜿蜒著，加代子依著一瞬間的判斷，選擇了這條路衝下來。如果選擇往上衝的話，毫無疑問會被追上。但如果是往下的話……

加代子的背後突然有個聲音。「琴彈！」是弘樹的聲音。他追來了！

加代子驅策著自己疲勞的身軀，死命地用雙腿跑著。這是什麼狀況呢？早知道會這樣，就不要學什麼茶道了，不如及早練跑步才是。

「琴彈！等等我！琴彈！」

這些話，如果處在一個更能冷靜聆聽的狀況下──也就是那只是電影的一幕，而自己是一面拿著爆米花塞滿嘴巴，一面看著演員演出的話──就可以知道那毫無疑問是哀求的口氣。然而，此刻的加代子，聽起來當然是像下面這樣。

「琴彈！妳給我等著！我要殺了妳！」

當然，加代子沒理由等他。前面的山路分成兩條，她選了左邊的路。

左側的視野開闊了起來。從紗一樣的雨水通過的灰暗光線中，看得到柑橘園一層一層連綿不絕。在柑橘園的對面，又是長滿矮樹叢的雜木林。如果能逃到那裡頭的話……

她覺得沒辦法。距離那片樹林，還有足足五十公尺，那是讓人絕望的距離。如果躲在不規則排列的柑橘樹後，再步履蹣跚地走著的話，杉村弘樹應該會追到自己，用手上拿著的手槍把子彈朝著自己背後射進去吧。

加代子緊緊咬著臼齒。她不想這麼做，但非做不可。對方想要殺她。

她在右腳使了力，煞住速度。朝左一轉，加代子整個身體反轉了過來。

在轉身過來的時候，她用兩手握住槍。從她看了說明書以來，槍的安全裝置一直都是在開啓的狀態。即使不扳起擊鎚，也只要扣下扳機就行了。說明書上是這麼寫著的。再來就是自己到底能不能好好使用這種東西的問題了。

在這條已呈斜坡的路上，七、八公尺外的對面，杉村弘樹睜大著眼，站在那兒不動。

已經太遲了。難道你以爲我不會開槍嗎？

加代子穩穩伸出雙手，把扳機扣到底。砰！槍口冒出了小小的火焰，手腕因爲反作用力而往上一震。槍口的另一邊，弘樹大大的身體彷彿被彈到似的轉了一轉，向後倒了下去。

加代子還是一樣握著槍，踩著嗟嗟的腳步聲跑近弘樹的身體。非給他致命一擊不可！一定要他的命！要讓他不能再爬起來！

加代子在距弘樹兩公尺左右的地方站定。弘樹的學生服左胸的地方（雖然她瞄的是腹部那一帶）開了一個小小的洞，洞的周圍開始變成濁黑色的了。可是，他甩到地上的右腕前端，還是握著手槍。他還是可能舉起那把槍。瞄頭吧，非瞄頭不可的。

弘樹突然轉過頭來，看著加代子。加代子把槍口朝下擺定，然後把扳機……

她的手稍稍停止了動作，因爲弘樹把手中的槍丟了出去。還有那麼多力氣的話，應該也能扣扳機的才對，爲什麼這麼做呢？

手槍滾了一圈，才砰的橫向倒下。

……呃？

雨水讓加代子的短髮愈來愈溼，她則兩手握著槍，茫然地站在那兒。

「可以了嗎。」弘樹就這樣橫躺在那四處開始積水的山路上，人雖痛苦但牢牢緊盯著加代子說道，「燒一些樹木吧。生……兩團篝火。我口袋裡有打火機。所以……這樣的話，就能聽到某處傳來的鳥叫聲。」

弘樹的話雖然傳到了加代子的耳朵裡，但加代子卻無法理解弘樹在說些什麼。不，這種狀況本身，她就無法理解。

弘樹繼續說下去：「朝著鳥叫的方向去吧。七原和……中川典子和川田在那兒。他們會救妳的。懂了嗎？」

「呃……呃？」

弘樹似乎微微笑了笑。他忍耐著，又說了一次：「生兩團篝火，然後朝鳥叫聲方向而去。」

弘樹笨拙地動了動右腕，從學生服的口袋裡找到百圓打火機，掏了出來，向加代子的方向丟去。然後他痛苦地閉上眼。

「如果妳聽懂了，就快逃吧。」

「呃？」

弘樹急忙睜大眼睛，叫道：「還不快逃！搞不好有人聽到槍聲了。趕快逃！」

然後，就像片數較多、不容易拚的拚圖，精準地拚在一起，變成一幅圖畫那樣，加代子的腦子裡終於認清了狀況。這次是正確的認知。

「啊……啊……」

加代子丟下手槍，整個人無力地跪在弘樹身旁。她知道膝蓋已經擦破皮，但那種事已經不是問題了。

「杉村同學！杉村同學！我……我竟然做了這種事……！」

在自己沒意識到的狀態下，眼淚從加代子的眼裡，一滴一滴流了出來。確實，杉村弘樹是個讓人覺得有點害怕的男生。他會定期去拳法道場那種地方，給人一種粗暴的印象，而且他常常都是話很少，即使說話，也是沒好氣的。他和男生們，對，和三村信史還是七原秋也那些人講話的時候，有時候也看得到一點笑容。但除此之外，大概都是板著臉。也聽過他和那個千草貴子交往的傳聞，他們兩人看起來是挺要好的。但加代子充其量也只想過：「眞搞不懂貴子的品味啊。她那麼漂亮的人，和那種有點讓人害怕的男生交往，眞的好嗎？」總之，她對杉村弘樹有著這樣的印象，是不會錯的。而且在這種狀況下——同學們確實一個個接連死去的狀況下——自己也極爲害怕杉村弘樹。可是，可是……

「沒關係。」弘樹再度閉上眼，這麼說道。他在笑，好像很幸福似的。

「反正我再不久也是要死的。」

加代子在這時候終於發現，除了剛才被自己所射的傷口外，弘樹的學生服右側腹下方，被和雨水不同的液體弄得整片溼透。

「所以……趕快給我逃吧……我求妳！」

加代子抽噎著，手在弘樹頭部旁邊微微顫抖著。「一起、一起逃走吧。來，站起來。」

弘樹張開了眼睛，看著加代子，似乎笑了。

「不用管我了，」他說，「能見到妳，就很滿足了。」

「……啊？」加代子睜大了充滿淚水的眼睛……啊？剛才，什麼？他講了什麼？

「那個……那個，是什麼……」加代子的聲音在顫抖。

弘樹呼的一聲吐出氣來，不知是在強忍疼痛，或者只是在嘆很長的一口氣。「我如果告訴妳，妳願意聽我的話逃走嗎？」弘樹說。

「什麼？到底是什麼？快回答呀你！」

弘樹講話了，而且相當乾脆。「我喜歡琴彈。我一直．非常．喜歡妳。」

加代子再度無法理解弘樹到底在講什麼。這算什麼？他在說什麼？這個人是……？

弘樹又繼續說下去。他的視線往上看著落下雨來的天空。

「這就是我唯一一直想講的。趕快，逃吧！」

幾乎是無意識地，加代子的嘴唇擠出了幾個字。

「你……可是……你和貴子……」

弘樹再度凝視著加代子的雙眼，說道：「我喜歡妳。」

這麼一來，加代子終於能了解弘樹的話是什麼意思了。好像有什麼東西用力敲了加代子的頭一下。很沉重的一擊。加代子或許就像是被拆除老舊的建築時，在起重機前緣吊著的那種巨大的鐵球打到一樣。

他說「喜歡我」？他說「一直很想說」？他該不會是在找我吧？這是眞的嗎？如果眞是這樣，我到底幹了什麼好事？

沙啞的呼吸，好幾次進進出出加代子的喉嚨。

好幾次她發不出聲音，接著，終於滿了出來。

「杉村同學……杉村同學！」

「快點逃！」

話剛說完，弘樹哇的一聲咳出血來。血變得像霧一樣，飛散在加代子的臉上。弘樹再度睜開了眼睛。

「杉村同學……我……我……我……」

明明沒喝到什麼水，身體應該已經乾到不行的才對，但加代子的淚水卻一波、一波溢了出來。

「沒關係，」弘樹溫柔地說道，靜靜閉上眼睛。「被加代子……」他把加代子的名字當成十分珍惜的寶物一樣，說了出來。弘樹這麼叫加代子，應該是第一次。「被加代子……殺掉的話，一點也沒關係。所以，我求妳，趕快聽我話逃走吧，不快逃的話……」

加代子的淚一滴滴從眼中流下，等待著弘樹接下來的話。不快逃的話？

弘樹什麼也沒再說，加代子靜靜把手伸向弘樹的學生服。她抓著弘樹的肩，搖了搖。「杉村同學！杉村同學！」

連續劇裡面如果有人死掉，話都是講到一半就斷掉的，像「不快逃的……」之類的。可是，弘樹卻是痛苦但清楚地講出「不快逃的話」。後面應該還有別的話才對。不快逃的話？

「杉村同學！喂，杉村同學！」

加代子再一次搖了搖弘樹的身體，然後她終於了解到，弘樹已經死了。

認清這件事的那一刻，加代子的身體裡，壓抑著感情激流的大壩，轟的一聲潰堤了。加代子的喉嚨深處，擠出「啊……啊啊啊」的聲音。

「哇啊啊啊啊啊啊啊啊──」

加代子人還是跪在地上，趴在弘樹的屍體上面，哭了起來。

喜歡加代子。弘樹只是依著這樣子的心情，在不知會被誰攻擊的危險中到處尋找她。這是何等困難的任務啊？不知道會撞見誰，對方或許還會攻擊自己，他竟然還？不……弘樹側腹的傷、肩上的傷……竟然是因爲這樣的原因而來的。他只是爲了要找到加代子。

不是的……不是這樣的。加代子抽泣的聲音，一時之間停了下來。

在最後一刻，弘樹總算達到目的時，自己竟是襲擊了弘樹。

加代子用力閉上眼，又哭了起來。

喜歡加代子。沒錯，和自己想向「那個人」傾訴自己的心情一樣，弘樹一定也是這麼想，才一直找尋自己的。班上原來還有那麼樣喜歡自己的男孩子。偏偏……偏偏……

加代子腦海中不經意回想起某個畫面。某次打掃時間，加代子用溼抹布擦黑板的時候，上面的地方她搆不到。在一旁偷懶不掃，把掃帚像手杖一樣立著，雙手交疊起來撐著下巴的弘樹對她說：「妳好矮喔，琴彈。」把抹布從她手中一抽，然後幫她擦拭她擦不到的地方。

到這步田地了，才想起來。

爲什麼……爲什麼我沒能發現這個人溫柔的一面呢？爲什麼我沒有注意到這麼愛我的人的心情呢？只要想想應該就知道的才對，如果弘樹打算殺自己，爲什麼沒馬上用拿著的槍射自己呢？可是，自己卻沒能搞懂狀況、沒能了解他的用意。我眞是個蠢女人啊。我啊……

加代子又回想起另一個畫面。

有一次她在班上和同學嬉嬉哈哈講著「那個人」的事，當時在一旁的弘樹一邊看著窗外，一邊小聲說著：「太過嬉鬧的話，看起來會像笨蛋的。」自己雖然對這句話感到生氣，但正如弘樹說的，自己眞的是個笨蛋。偏偏……偏偏杉村同學卻對著那個笨笨的女孩說，一直．非常．喜歡她。

加代子止不住哭泣。她一面用自己的臉頰感受著還有溫度的弘樹的臉，一面不斷流著淚。雖然弘樹對她說快點逃，但這種事她實在做不到。我要繼續哭下去，爲愛著自己的男孩的誠實（啊啊，那是任何東西都難以取代的），以及爲自己的愚蠢（啊啊，我眞的是個孩子，怎麼可能會和「那個人」登對）繼續哭下去，在這裡一直哭下去，就算那麼做在這場遊戲中算是一種自殺行爲。

妳打算殉情嗎？腦子裡有人在小聲說著。

是啊，沒錯，我要殉情。伴隨著杉村同學喜歡著我的那種心情，以及自己的愚不可及，一起殉情。

「那，就殉情吧！」有人這麼對她說。

加代子的身子震了震，轉頭望過去。於是她看到了，長長的、美美的黑髮被雨水淋溼的相馬光子（女子十一號），正輕蔑地看著自己，手裡拿著手槍。

手槍砰、砰乾響了兩聲，加代子右邊的太陽穴開了兩個大洞。加代子的屍體，就這樣交疊在杉村弘樹的屍體上面。

然後，從加代子額頭的洞，慢慢地流出了血。血一直流、一直流，沿著加代子的臉流，好像要和把血沖走的雨水對抗一樣。

光子放下從旗上忠勝那兒弄到手的史密斯威森M19點三五七麥格農手槍，說道：「妳眞的太笨了，加代子。爲什麼妳先前沒能懂他咧。」

她的視線移了移，看著弘樹的臉。

「杉村同學，好久不見。能和自己最喜歡的人一起死。滿足了嗎？」

她感嘆似的搖了搖頭，然後往前移了移，準備要撿起加代子掉下來的史密斯威森M59手槍，以及弘樹丟出去（這先前是光子拿著的）的柯特點四五自動手槍。

低頭看著交疊著的兩人的屍體，光子輕輕碰了碰自己的唇。「他剛才是說……篝火嗎？」

光子又輕輕搖了搖頭。正當光子一腳踢開加代子半壓著M59的裙子，準備把手伸向那把藍色手槍時，她聽到了有如老舊打字機一般，「噠噠噠噠噠噠」的聲音。

【殘存人數6人】

69

與此同時，光子的背部承受了好幾道力量的衝擊。水手服胸部的布破了好大一塊，血都噴出來了。她發現自己的腳站不穩，沒多久，好像有人把燒紅的木棒強壓進她身體裡一樣，熱的感覺整個膨脹了上來。

不過，她腦子裡想著的，並不是因疼痛而導致的震驚，而是一種「怎麼可能」的感覺。在這種滿腿泥濘的環境下，自己居然會聽不到背後有人靠近的腳步聲？怎麼可能有這種事呢？

雖然光子已經吃了相當數量的子彈，她還是把頭回了過來看。

穿著學生服的男生站在那兒。脖子後面的頭髮留得很長，髮型向後梳，是很有特色的包頭。他也把外表打理得很整潔，不過就是目光冷冷的。他是那個冷淡的男人——桐山和雄（男子六號）。

光子握住M１９的右手使勁出力。雖然她知道自己的肌肉正在徹底失去力氣，但還是集合僅有的一點力氣，想要把槍舉起來。

這個時候，即便這是個攸關生死的戰鬥正熾烈的時刻，光子的意識突然滑入全然不相關的另一個地方去。當然，那可能只是一瞬間的事而已。

那是自己曾對剛才倒在自己腳下的男生杉村弘樹說過的話。

「我只想當個剝奪別人東西的人。」自己曾這麼說過。

曾幾何時，自己開始就那樣過著生活呢？是和自己告訴過弘樹的一樣，從九歲那年被三個男人強姦時開始的嗎？是從在市區外那個漫無秩序的一角，一棟老舊公寓的房間裡，被拿著攝錄影機的那群男人強姦的那天開始的嗎？

還是說，是從自己的酒鬼媽媽（原本就沒有爸爸）把自己帶到那個房間去，然後在「那件事」開始前，從那群男人手中拿到厚厚（雖說如此，但應該也不是太厚）一信封的東西後，走出房間的那刻開始的？從那個時候開始的嗎？或者說，是從自己因爲那件事心裡受了很重的傷，變得幾乎沒有情感時，只有一位信任的小學老師溫柔地和自己說話，自己終於把發生過的事全盤托出後，他卻目光大變，也強姦了自己的時候開始的？在那天放學後昏暗的、狹小的資料室裡？或者是，自己最親近的朋友看到那件事（至少看到某一部分），不但沒有安慰自己，反而把它當成八卦流傳時（也因爲這樣，那個老師就不見了，不知去了哪裡）開始的？還是說是三個月後，母親再度想把自己帶去做「那件事」，自己在抵抗的時候不小心把母親殺掉的那天開始的？是從自己把證據完全毀掉，還不忘花功夫僞裝成強盜殺人的樣子，在公園裡一個人坐著盪鞦韆的時候開始的？還是說，是在那之後，在收養自己的遠親家裡，一次又一次被那家的小孩欺負，那個孩子在老舊的建築物屋頂上不小心摔死，而被他媽媽說是自己殺了他的那天開始的？是從那個孩子的爸爸好說歹說阻止了媽媽這麼做，但過沒多久，那個爸爸卻又一再欺負自己之時開始的？還是說……

……

每個人都從光子身上奪走了一點點，不是、不是，是很多東西。每個人都沒給光子任何東西。於是光子變成了空殼。不是，可是……

管他的！

我是對的。我絕對不會輸。

光子暗中在手腕上出了力，舉起了槍。水手服的袖口、手腕上的鑰匙像小提琴的弦一樣往上一震。然後她扣下扳……

桐山和雄手上的INGRAM M10衝鋒槍又噠噠噠噠地再度噴出火光，從光子的胸口到臉正中央的地方射出直直一排四個大洞。光子那上唇已經裂掉一半的嘴裡，往上噴出了血來，上半身則往下倒去。

即便如此，光子還是輕蔑地笑著。她重新擺好架勢，站著扣下扳機。

彈匣裡還剩下的四發子彈，全都著實地射中桐山和雄的胸口。

然而，桐山的身體只微微晃了一下，動也不動。爲什麼會這樣，光子並不了解。只是，桐山的INGRAM衝鋒槍又再度噴了一次火。

光子一度美麗的臉被射中，整個變成像是有人丟草莓派在她臉上那樣。這次光子的身體被射飛了，下一秒鐘，她的背部重重撞到溼答答的地面。撞地的那一瞬間，她人就沒氣了。不，或許她更早之前就死了也說不定。肉體是在幾秒之前死的，精神的話，那就是更久、更久之前了。

桐山和雄慢慢踏出腳步，冷靜地從光子的手中抽出了槍，然後把從杉村弘樹手頭滾出來的柯特點四五自動手槍，以及加代子掉在地上的史密斯威森M59撿了起來。對於雨水打著的三個人的屍體，他是看也不看。

70

稻田瑞穗（女子一號）從樹叢的陰暗處偷偷探出頭來。雨下個不停，她修剪得一樣長的漂亮頭髮，都黏在額頭上。

樹叢對面是一片狹窄的田，透過雨形成的薄膜，可以看到田的正中央有個穿著學生服的背影。那人全向後梳的髮型也被雨淋溼了。那是桐山和雄（男子六號）。

桐山和雄把許多像樹枝的東西分成兩堆，現在他在其中一堆前面彎下腰，似乎是在把它整理成山的形狀。

瑞穗調整了自己的呼吸。雖然她又冷又累，可她一點也不在意。這是因爲對她來說，完成最偉大使命的時刻到來了。

以宇宙戰士的身分。

妳已經做好心理準備了嗎，戰士普麗西亞·迪奇安·米茲荷⑨？

【殘存人數5人】

腦海中，光之神阿胡拉·瑪茲達⑩這麼問她。那聲音似乎是透過她掛在水手服下面，紡錘型的神祕水晶（郵購買的，事實上只是玻璃球，但瑞穗相信它是水晶的那個東西）傳來的。

當然。米茲荷這麼回答。我這雙眼親眼看到那個惡魔在日下友美子與北野雪子死後，從現場離去的樣子。後來我追丟了他，直到剛才，我才又發現他。還有，我也看見他把殺害琴彈加代子的另一個惡魔相馬光子殺掉了。那個男人正是我應該打倒的敵人。而現在我追著那個男人到這兒來了。

很好。妳很了解自己的使命是什麼。

當然。在那條街上的那間算命店，我從你那裡收到了訊息，說我是總有一天要爲地球而和邪惡對抗的人。當時我還不太懂是什麼意思，可是，可是，現在的我已經清楚了解了。

很好。妳不害怕嗎？

不會。跟隨著你的指引，我沒有什麼好害怕的。

很好。妳是從神聖的一族迪奇安倖存下來、雀屏中選的戰士。勝利的光芒包圍著妳。……嗯？怎麼了？

沒有，沒有。只是，阿胡拉·瑪茲達大人。原本和我一樣是戰士的洛蕾拉·洛薩斯·卡歐莉⑪，已經死了（以前在B班教室裡，稍微和瑞穗有一些往來的南佳織，只要瑞穗一說「妳是戰士洛蕾拉唷」，她就忍不住打起呵欠來，嗯，總之就是這樣）。她……

她是奮戰到最後的喲，米茲荷。

啊，啊，果然是這樣。可是，可是，她還是輸給了邪惡。

這個嘛，是沒錯。呃……但那個是因爲，再怎麼說她只不過是老百姓出身，和妳是不一樣的。總之，不要太在意這些枝微末節的小事。重要的是，妳也要爲她而戰，然後獲勝，米茲荷。知道了嗎？

知道了。

ＯＫ。就是光。妳要相信宇宙的光，相信包圍住妳的光。

米茲荷的體內充滿了光，好溫暖，它擁有包容一切的大宇宙力量。

休息中的米茲荷再度點了點頭。是、是、是。

接著，她把雙刃刀（在背包裡看到這把刀時，她認爲這是很適合戰士使用的武器）從刀鞘裡拔了出來，兩手擺出握著姿勢。那把藍色的刀充滿白色的光，米茲荷透過那道光看見了桐山。

可以看得到桐山的背部，毫未設訪。

就是現在，現在來打倒這個敵人！

知道了！

米茲荷躲在樹叢後面，盡量不發出聲音往桐山的方向跑去。長度才十五公分的這把刀，周圍散出光芒，變身爲長足足一公尺的傳說之劍。光之劍應該可以一直線刺穿邪惡的怪物吧。

桐山和雄一面用左手整理著樹枝，一面迅速用右手拔出貝瑞塔Ｍ９２型手槍，連頭也不回，只把手伸到背後，扣了兩次扳機。

第一槍打中瑞穗的胸部，止住了她的動作，第二槍則命中她的頭。

傷口緩緩向空中拖出一道紅色的曲線，瑞穗往後重重倒下。雨水很快開始清洗她的血。戰士普麗西亞·迪奇安·米茲荷的靈魂，踏上通往光之國的旅程。

桐山和雄一如往常，背對著瑞穗的屍體收好槍，繼續他整理樹枝的工作。

【殘存人數4人】

71

雨繼續下著，秋也無力地把背靠在溼漉漉的岩壁上，一面看著從樹枝搭的屋頂側緣落下來的雨滴。大約二十分鐘前，不斷聽得到持續而激烈的槍聲。接著，大約五分鐘前，又有另一次槍聲，這次是兩次單發的槍響。他覺得這些槍聲聽起來都不是那麼近，但也沒有到那麼遠。應該是和秋也一行人一樣，處於北側山地的某個地方吧。

斗大的雨滴從「屋頂」的一片葉子咕溜一滑，滴了下來，掉在秋也伸長了的右腳所穿的Keds運動鞋旁邊，叭嚓一聲把混著污泥的水滴濺了上來。

「杉村同學不是喜歡加代子嗎，」典子這麼說道，「如果是我的話，我會這麼做，」她看了一下秋也，「去找自己喜歡的人。」

……是這樣子的嗎？弘樹喜歡那個琴彈加代子嗎？那他又爲什麼……他明明和B班的第一美女千草貴子交往過，爲什麼又會喜歡像加代子這種普通到不行的女生呢？

不過，嗯，或許是這樣子的吧。會喜歡上一個人，就像比利．喬所唱的「沒有必要自己太過覺得自己很平凡唷。我覺得妳原本的樣子就很好」⑫一樣。

還有……沒多久之前的那兩次槍聲，到底是誰和誰在相互開槍呢（特別是後面那一槍，很像是單方面的有人開槍射別人的感覺）？如果再加上秋也剛離開燈塔時聽到的那一槍，那麼從凌晨零點開始（先不算內海幸枝那群人的部分），就已經有三聲槍響了。依常理判斷的話，如果已經有三人以上死亡，也不奇怪。這樣的話就還剩五人？死掉的三個人是誰呢？或者說，都沒有人死，對幹的雙方都各自逃掉了，再加上自己這群人，還剩下八個人呢？

「你累了嗎，七原。」

秋也一行三個人原本是肩並肩坐著的。川田跑到典子的對面這麼問秋也後，秋也的視線又放回其他兩個人身上。

「你要不要先睡一下？」

「不要，」秋也笑了一笑。「中午爲止我已經睡夠了。倒是你，你不也是沒睡嗎？」

川田聳聳肩。

「我無所謂。不過，典子小姐爲了等妳，差不多都沒什麼睡。」

聽到這句話，秋也再次向著典子的臉看去。典子把手伸到臉的前面，手心朝著秋也，一面笑，一面搖著手。

「才沒有呢。我想我模模糊糊還是打了盹吧。川田同學才是呢，爲了我，一直都沒睡。」

典子這麼說著，把視線從秋也這邊移向川田去。

川田笑了笑，聳聳肩。然後他大動作把右手高舉在胸前，說道：「我會一直守護著妳的，公主大人。」

聽到這番話，典子也稍稍笑了笑，把自己的左手蓋在川田那隻手上面，說：「眞的很謝謝你，川田同學。」

秋也揚了揚眉毛，看著他們兩人的互動。怎麼說呢，典子與川田看起來很親密。從遊戲開始、碰到川田以來，典子大多只透過秋也才和川田講話的，但現在卻有點不一樣，光他們兩個人，看起來完全就是很契合的團隊了。嗯，這個嘛，在秋也不在的半天多時間裡，他們差不多都是兩人獨處，所以會這樣也是理所當然的吧。

川田突然指著秋也說道：「妳看、妳看，七原在吃醋了，因爲我和典子小姐太要好了。」

聽到這句話，典子眼睛睜得大大的，看著秋也的臉。她隨即露出笑臉，說：「騙人！」

秋也有些緊張。

「你在說什麼，我哪有吃什麼醋。」

川田聳聳肩。他揚了揚眉，以吃驚的口吻對典子說：「他眞是相信妳，眞是愛妳喔。」

「……」

秋也半張著嘴，卻吐不出半句話來，讓川田笑了出來。眞是有趣。秋也本來應該是想說些什麼的，兩人相視，不覺莞爾。典子也笑了起來。

那是十分幸福的瞬間。就像是放學後，在一家常去的喫茶店裡，與相熟已久的朋友們一起聊天，然後露出笑容一樣。當然，也帶有一些在共同朋友的葬禮上再次碰面後的感覺，即便那感覺揮之不去。

嘴角還留著笑的川田看著手錶，再次走出屋簷，確認是否有來自杉村弘樹的暗號了。

典子略帶微笑地看向秋也。「川田同學老是愛搞笑呢。」

秋也也笑了。「是啊。不過……」秋也看了一下空中。我是在吃醋也說不定啊。

秋也的臉又轉回典子這邊來。即使只是玩笑話，他剛才其實是想講出來的。「我或許是在吃醋哦。」典子一定又會笑著說「騙人」的吧。大概。

川田回到了屋簷的對面。蓄著鬍子的臉上，被雨水淋溼了。

「有煙。」他這麼說著，隨即退了回去。

秋也慌亂地站了起來，用空著的右手拉了要站起來的典子一把，兩人一起跑到川田站著的地方去。在稍微減緩的雨中，眼睛定神細視，確實看得到空中有煙在流動著。接著，順著川田的視線一看去……從北側山地正背面的地方，清楚看得見兩條白色的煙柱。

「耶！」

秋也不由得以搖滾樂的方式小小聲叫著。秋也與典子目光相對，和他一樣浮現笑容的典子說：「杉村同學沒事了呢。」

川田從口袋裡拿出鳥笛，面對煙的方向吹了吹。出現一陣小鳥唧唧、唧唧的嘹亮叫聲，擴散到覆蓋著全島的雨中。川田看著手錶，在剛好十五秒的時候停了下來。

接著川田看向秋也兩人的方向。

「在那兒再等一會兒吧。要靠得夠近才聽得到這聲音。還需要一些時間。」

三人又回到了屋簷下。

「杉村同學找到加代子了耶。」

典子這麼說著，秋也正要點頭同意，但點到一半的頭停了下來，因爲注意到川田噘著嘴。接著，典子也收起了笑容。

「川田……」

秋也一開口，川田抬起了臉，然後搖了搖頭，說：「沒什麼。我只是覺得事情未必如此。」

「咦?可是……」秋也用張開著的右掌往上比，「杉村可不是會放棄的那種人唷。」

川田稍稍點了點頭。「或許是這樣吧。」

他的話停了下來，視線錯開秋也兩人。「不過，也可能是發現了琴彈的屍體。」

秋也的臉繃了起來。當然，這樣的可能也是有的。一直到正午的時候，加代子應該都還活著，但後來又傳出好幾聲槍響。剛才也才又聽到單發的槍響而已。尋找了兩天，最後弘樹找到的也可能是琴彈加代子的屍體。

「或者是……」川田繼續說道，「還有別的可能性。」

典子問道：「……你指的是？」

川田從口袋拿出香菸盒，直截了當地回答：「琴彈未必會相信杉村的。」

秋也與典子再度陷入沉默。

川田點起了菸，又繼續講。

「嗯，總之我們只能祈求杉村能夠再回到這兒來，不是嗎？至於他是否帶著琴彈回來，那就不知道了。」

即使川田不說，秋也也會祈禱的。希望弘樹可以帶著琴彈加代子一起回來。這樣就……五個人了。可以五個人一起逃走。

就只有這五個人。

秋也想起，稻田瑞穗至少到正午爲止，都還活著。

「川田。」

川田頭沒動，看向秋也的方向。

「稻田還活著。能不能聯絡上她呢。」

川田微微聳了聳肩。

「我講過好幾次了，在這個遊戲中，不要太相信別人比較好的。雖然對杉村不好意思，但事實上，我也不相信琴彈。」

秋也咬著嘴唇。「話是這麼說沒錯，但……」

「不過，如果狀況允許的話，是可以思考一下怎麼聯絡上稻田。但是呢，」他吐了吐煙，「可別忘記，我們幾個能否活到那個時候，都還不知道呢。」

沒錯，川田曾經這麼說過。「要等到最後。等其他人的死了之後，就有逃出這裡的方法。」這句話的意思是，無論如何，秋也他們幾個，還必須再和桐山再度對決，或是得和相馬光子對決不可。光子怎麼樣，他是不知道，但如果對上桐山的話，彼此一定會有激烈的搏鬥吧。那個男的可沒這麼簡單就死。還有，對戰之際，秋也一行三個人，也不能保證人人都能全身而退。

川田吸著變短的香菸，說話了。

「我再和你確認一次，七原。」

他呼的一聲吐出嘴巴大小的煙，看著秋也的眼睛繼續說下去。

「即便可以順利和杉村會合，我們還是必須與桐山再度對決，或是和相馬決一死戰。你們必須要能狠得下心幹掉他們。知道嗎？」

就是這樣的事。即便有某種方法可以聯絡上稻田瑞穗，也是打倒桐山或光子之後的事了。不管事情如何演變，自己仍無法完全習慣於「殺死同班同學」的想法。秋也對於這樣的自己感到討厭。但他仍然回答：「知道了。」

秋也這麼說著，點了點頭。

72

【殘存人數4人】

川田又跑去吹鳥笛了。這是第三次。雨勢稍微減弱，從屋頂邊緣掉下來的水滴，間隔也變長了。現在，已經超過下午五點。

秋也自己是在聽到同樣的鳥叫聲四次之後，平安與典子、川田會合的。不過那是因爲他大概知道兩個人的位置。對缺少這些資訊的杉村弘樹來說，或許還要多花一點時間。

川田一回到屋簷下，又叼起一根WILD SEVEN，點了起來。

川田吐了一口煙突然說：「我想找個地方去。」

秋也看著坐在典子對面的川田。川田把臉轉向他。

「忘了跟你們說明，我稍微有點門路。離開這裡後，會暫且逃到那裡去。」

「門路？」

秋也一反問他，川田就點了頭。「我爸的朋友。」

他繼續說下去。

「那個人會幫忙安排逃往國外的方法……這你們應該不會反對吧？如果待在國內，有一天一定會被抓到的。會像老鼠一樣被幹掉。」

「你說逃往國外……」典子有點吃驚地問道，「真的逃得出去嗎？」

秋也也發問了：「那個人是誰？我是指，令尊的朋友是什麼人？」

聽完這番話，川田用左手夾住叼著的菸，似乎在思考什麼似的看著兩人的臉。

但沒多久，他把菸拿開，說道：「我覺得不要講出他的身分比較好。」他接著又說：「萬一……我們在逃走的時候因爲什麼事情而走散了，你們若被政府抓到，什麼都招供出來，那就傷腦筋了。我並不是不相信你們，只是一旦你們接受政府的拷問，無論如何抗拒，大概都還是會說的。所以，到時候我再介紹吧。」

秋也稍稍思考了一下，點了點頭。川田做的，應該是正確的判斷吧。

「不過呢……這樣吧。」川田這麼說著，把香菸挾回嘴上，從口袋裡抽出一張紙。

似乎就是「我們——要——互相殘殺」的那張紙。川田把那張紙撕成兩半，用鉛筆在兩張紙上各寫了什麼東西。然後他愼重地把兩張紙折得很小，分別遞給秋也與典子各一張。

「這是什麼？」

秋也一面問，一面要打開紙片。川田哎呀一聲，制止了他。

「現在沒必要看它。萬一我和你們走散的話，上面寫著聯絡方式。時間與地點我都寫了。每天在那個地點、那個時間，請你們到那裡去看看。我也會到那兒去的。」

「現在看不可以嗎？」典子問道。

「不可以。」川田答道。「萬一我們走散了，才可以看。也就是說，典子小姐的紙片，和七原的紙片，內容是不同的。你們兩人也是一樣，各自都不要知道比較好。這是因爲怕你們有其中一人被抓到。」

聽完川田的話，秋也與典子面面相覷，然後又轉向川田。

「我一定會待在典子身邊的。不管發生什麼事。」

「我知道啦。」川田苦笑。「只是，我們不能保證，不會再發生像上次被桐山攻擊的事情，不是嗎？」

秋也噘了噘嘴，看著川田的臉……結果，他還是點了點頭，也對典子使了個眼色，然後把紙片收到口袋裡。典子也是這麼做。

誠然，誰都不知道會發生什麼事。一開始想從這兒逃走，就是一件難如登天的事。但如果是這樣的話，是否自己和典子兩個人一起決定碰頭的地點與時間會比較好呢？瞞著川田這麼做？……但川田如果被政府逮到的話，我們兩人可就幾乎無計可施了。

川田開口說道：「對了，你們想去哪？」

聽了這句話，秋也想到川田是在問他們逃到國外後想到哪兒去。他雙手插在胸前，稍微想了一下。

然後他說：「應該還是美國吧。」

「那是搖滾樂國度，我一直很想去，至少該去一次看看。」

不過他並不認爲自己逃得掉。

「這樣啊。」川田點了點頭。「那典子小姐，妳呢？」

「我是沒有特別想去的地方，不過……」

典子這麼說著，稍稍往秋也的方向看了看。秋也點頭回應她。

「一起去吧。可以嗎？」

「啊……」典子睜大眼睛，很拘謹地笑了笑，點頭應允。「好啊，當然好。如果秋也覺得好的話。」

川田笑了出來。他把香菸的煙吸了進去，然後又問了。

「你去美國想做什麼？」

秋也又思考了一下，苦笑著回答：「我想至少先當個走唱吉他藝人，賺點小錢。」

川田說了聲「是喔」，笑了。他又說：「當個搖滾樂手吧，七原。你是有才華的。不管你是移民到美國，還是流亡到美國，應該都沒有太大的問題。我是這樣聽說的。」

秋也嘆了口氣，苦笑。

「我的才華算不了什麼，還沒有到專業水準。」

「那可就不知道囉。」

川田微微搖了搖頭笑道。接著他看著典子。

「典子小姐呢？妳沒有想做的事嗎？」

典子的嘴緊緊嘛著，然後說：「我本來是想當老師的。」

秋也是第一次從典子口中聽到這樣的話，略為訝異地說：「妳想當老師？」

典子把頭轉向秋也，點點頭。

「在這種勞什子國家當老師？」

秋也繼續說著，典子則是苦笑。

「還是有很出色的老師呀。我……對了，」她的視線往下看，繼續說道，「我覺得林田先生就是很好的老師。」

這番話讓秋也想起林田老師頭部飛散掉一半的屍體。他已經好一陣子沒有想到這件事了。那個「蜻蜓」林田老師為了我們而喪了命。

「是啊……」秋也表示同意。

川田說道：「流亡在外還想當老師，或許有點困難吧。」

「不過，或許當得上某所大學的研究人員也說不定，因為日本這個國家現在是全球矚目的焦點。眞是諷刺。所以也不是沒辦法教書。」

川田側臉對著兩人，把變短的煙蒂丟在腳邊的水窪中，然後拿出另一根新的，銜著點上了火。他繼續說道：「就這樣做吧，你們兩個。去做自己想做的事。聽從自己善良的心，努力去做。」

秋也覺得這話說得眞好。聽從自己善良的心，努力去做。這剛好和那個現在已經不在了的三村信史一樣。秋也想起，他也常會講一些認為「怎樣怎樣才是眞理」的話。

秋也固然覺得這話很好，但他突然又想到別的事。川田的說法中好像少了一塊什麼。

他馬上注意到這件事。

「那你呢？」秋也聲音裡帶著追問與焦急的感覺。「你有什麼打算？」

川田聳聳肩。

「我不是講了嗎？我還欠這國家一些東西。不，不對。應該是說我借給它太多東西，現在我要它還回來。無論如何，我是無法和你們一起成行的。」

「怎麼這樣……」典子發出悲痛的聲音。

但秋也的思考畢竟還是和典子不同。他稍微緊咬牙關說道：「如果你有什麼事想做，我們來幫你。」

川田看了秋也的臉一下，然後他低著視線說：「什麼啊，」搖了搖頭。「少說傻話了。」

「爲什麼呢？」

秋也的聲音有點強硬。

「我也是有東西要這個狗屎一樣的國家還回來啊！」

「對啊。」典子開口說道。這倒是讓秋也有點感到意外。

典子看著川田又說了：「我們一起去做吧。」

川田看了看典子與秋也，提了提肩，又放下肩，一面深深地嘆了口氣。

他的頭抬了起來。「好吧。」川田說道。

「我之前或許已經講過，這個國家雖然和狗屎一樣，但是它的構造很密實，要破壞它不是件容易的事。不，應該說現在的它是摧毀不了的。不過，我啊……」

川田把頭轉過去，凝視著屋簷對面因雨勢減弱而看得見一點白色的天空，然後又望回秋也和典子這邊。

「如果用一句老話來說，就是『至少要讓它重重吃我一刀』吧。我要復仇。就算那只是自我滿足而已，也不是壞事。」他停了下來，又說了一次。「那並不是壞事。」

「所以……」秋也正要發言，被川田舉起手打斷了。

「請你先聽我講完。」

秋也一靜下來，川田又開口了。

「我的意思是，如果你們和我一起去的話，只有死。你剛才不是才講的嗎，要典子小姐和你一塊走的。這意思就是……」

川田看了看典子，再看看秋也的眼睛。

「你還有典子小姐在，你要保護她，七原。萬一典子小姐有受傷的危險，那時候你就要戰鬥。不管對手是哪裡來的強盜、大東亞他媽的共和國，還是外星人，你都要保護她。」

接著川田又向著典子，極其溫柔地說了。

「典子小姐，妳也一樣。妳還有七原，不是嗎。妳要守護著七原，典子小姐。妳不可以隨便死，那太笨了。」

川田頭又轉回秋也這邊。「懂了嗎？我已經什麼也沒有了。所以就算只是自我滿足，我也要做。這和你們是不一樣的。」

最後的這句話，口吻相當嚴肅。川田看了看手錶，又把煙蒂丟到水窪裡，站了起來，走出了屋簷。沒多久又聽那唧唧、唧唧的鳥笛聲傳了開來。

秋也聽著鳥笛聲，想起中國大陸有個搖滾歌手⑬唱過的歌《一無所有》。副歌是這麼唱的，「莫非妳是在告訴我，妳愛我一無所有。」

不過，川田說他什麼也沒有，這……

結束了剛好十五秒的鳥笛聲，川田又回到屋簷下，坐了下來。

典子靜靜地對著回來的川田問道：「川田同學沒有喜歡的人嗎？」

沒錯。秋也也是想問這個問題。

川田略爲睜大了眼睛，然後露出像是苦笑的表情。

「我本來不打算講的……」川田說道。他吐了一口氣，繼續說道，「不，我想我是先告訴你們好了。」

只見他把手伸向學生褲背面的口袋，順手抓出車票夾來，從中抽出一張邊邊折到的照片。

一旁的典子接過照片，和秋也一起看。

照片拍到的是川田胸部以上的部分，頭髮比現在穿著學生服的秋也還長，臉上掛著笑容。那是現在的川田身上比較不容易想像到的那種羞赧的笑。然後，在川田的左邊，有個穿著水手服的女生。一頭黑色頭髮綁著，垂到了右肩的前面。是個個性看來有點好強，但笑容十分有魅力的女子。照片的背景看起來，像是某個地方的大馬路。此外也拍到了銀杏之類的路樹、威士忌的廣告看板，以及一台黃色的車子。

「她眞是漂亮……」典子感嘆地說道。

川田搔了搔鼻頭。「是嗎？我覺得以一般人的標準來說不太算是美人，不過我是認爲她很美。」

典子搖了搖頭。

「不是的。我認爲她很漂亮，她非常成熟。和川田同學同年紀嗎？」

川田露出和照片中有點類似的羞赧笑容。「嗯，沒錯。謝謝妳。」

秋也看著照片裡並著肩的兩人一臉幸福的笑容想著：什麼啊！你並不是什麼都沒有嘛。

但秋也忘記了一件重要的事。

「這個女孩現在人在神戶嗎？」

秋也一問，川田又開始苦笑起來。他搖搖頭，說道：「你忘了嗎，七原。我參加過和這次一樣的遊戲，而且還是最後的生存者。」

聽到他的話，秋也終於察覺了。典子似乎也察覺了，表情突然僵硬了起來。

川田繼續說著：「她和我是同班同學。後來我沒能救慶子的命。」

大家沉默起來。大概是秋也終於眞正理解川田那種憤怒有多深了吧。

「懂了吧，」川田說。「我已經什麼也沒有了。而這個殺了慶子的國家，還欠我很多東西。」

川田又叼起一根香菸，點上了火。煙飄了起來。

「她名叫ㄑㄧㄥˋㄗˇ嗎？」秋也終於問了。

「嗯，」川田稍稍點了好幾次頭。「喜慶的慶，孩子的子。」

和慶時同一個字呀……秋也茫然想著。

「慶子小姐她……」典子柔聲問道。「你們一直在一起嗎？一直到最後？」

川田默默吸了一口煙。過了一會兒，他說：「妳問我這個，可就難受了。」

他接著說：「慶子的姓是大貫。按照當時的順序，女生十七號是第一個，……算了，那個沒什麼關係。慶子的號碼比我還前面，她在我之前三個人出發。」

秋也和典子兩人都靜靜地聽著。

「我本來以爲，她搞不好會在出發點附近找個地方躲著等我。不過，我沒看到她——唔，那也是沒辦法的事吧。和這次一樣，在出發地點附近蹓躂的話，是很危險的。」

川田吸吐了一口煙。

「不過，我總算還是找到她了。那是個和這個島一樣的地方，但我還是努力找到了她。」

他又吸吐了一口煙，接著說道：「但她逃走了。」

秋也的心揪了一下，看著川田的臉。鬍子沒刮的川田臉上，毫無表情。秋也覺得他是刻意壓抑著。

「我想追上她的時候，有別的人來攻擊我。我好不容易打倒那個人，卻找不到她了。」

川田又吸了口煙，然後吐了出來。

「慶子她並不相信我。」

雖然川田擺著一副撲克面孔，但眼睛四周卻因爲神經質而顯得有些痙攣。

他又說了下去。「即便如此，我還是尋找著她，但當我再發現她的時候……慶子卻已經是屍體了。」

聽完這番話，秋也終於了解到，爲什麼當他回到這裡，告訴兩人內海幸枝那群人的故事，並表示「要相信一個人，還眞是困難」的時候，川田會回他一句「沒錯，很難」，然後露出很複雜的表情了。還有，他也了解到，爲什麼川田會說杉村弘樹「也可能是發現了琴彈的屍體」，以及「琴彈未必會相信杉村的」這些話了。

「你那時問過我吧，七原。」

川田這個問題讓秋也抬起頭來。

「你不是問我爲什麼會相信你們嗎？第一次碰面的時候？」

「嗯，」秋也點了點頭。「我確實問了。」

「我應該也講過，你們兩個人，看起來就是很要好的一對情侶。」

川田講到這裡，稍稍抬頭看了看屋頂。當他再把頭轉回來的時候，雙頰的抽動已經停住了。

「我講的是眞的。你們看起來就是這樣。所以我決定自己要無條件設法幫助你們。」

「嗯。」秋也點點頭。

過了一會兒，典子說：「我想她一定……」秋也目光看向她。

「我想慶子小姐一定是覺得很害怕，心中很混亂。」

「不，」川田搖搖頭。「我非常喜歡慶子。但我想一定是因爲我平常對她的態度比較差吧。我認爲是這個原因。」

「不會有這種事。」秋也以略爲強硬的口氣說道。川田用手抱住立了起來的膝蓋，看著秋也。他手中的香菸緩緩往上冒出如絹絲般的煙。

「只是你們剛好錯身而過吧。一定是因爲些許的錯身而過所造成的。是因爲這種狗屎一樣的遊戲！因爲各種條件都很惡劣。一定是的！是這樣沒錯吧？」

川田的嘴邊又露出有如苦笑般的表情，「我不知道，」他只說了這麼一句。「我已經搞不懂了。」

然後川田再度把香菸丟到水窪裡去，從口袋裡拿出鳥笛來。

「就是這個。」他說。

「慶子很喜歡都會小孩很少從事的爬山活動。那個狗屎遊戲進行再隔一週的星期日，她本來要帶我去賞鳥的。」

川田把那個紅色的鳥笛挾在右手的姆指與食指間，感覺上像在鑑定寶石一樣，放在眼前看著。「她給了我這個。」

川田笑著看了看秋也與典子。

「她只留下了這個。這是我的護身符啊。雖然不能算是太好的回憶。」

典子等川田把鳥笛收回口袋裡，把照片還給了他。川田先把照片原封不動放回車票夾，再把車票夾放回褲子的口袋裡。

接著，典子對他說：「喂，川田同學。」川田抬起頭來看著典子。

「我無法了解慶子小姐當時的想法是什麼，可是……」她用舌尖稍微潤溼了一下嘴唇。「可是，慶子小姐應該是有她自己的方式，來表達她很喜歡川田同學的。如果不是這樣的話……你看，那張照片裡，她看來可是挺幸福的呢。不是嗎？」

「是這樣嗎？」

「是的，」典子點點頭。「所以如果我是慶子小姐的話……我會希望川田同學活下去。我不會希望你爲了我而死。」

川田笑著搖頭。「這就是個人選擇的問題了吧。」

「可是，」典子很堅持。「請你把這個可能性也列入考慮，好嗎？求求你。」

一時之間，川田似乎想說些什麼而動了動嘴唇。但他還是聳聳肩笑了，雖然帶有一點寂寞的感覺。

此時川田又看了看手錶，走出屋簷到外頭吹鳥笛去了。

【殘存人數4人】

73

川田第六次吹鳥笛的時候，雨完全停了。雖然再五分鐘就要六點，但顏色感覺上比先前明亮得多的光線，籠罩著整個島。三個人把樹枝搭的屋頂從岩壁上取了下來。

現在這個岩壁已經看得到正上方的天空了。在此坐下之後，典子說：「天氣變好了呢。」秋也與川田都點點頭。

安穩的風輕拂著草木。

川田又拿出香菸銜著，點起了火。

看著川田的側臉，秋也猶豫著到底該不該開口。最後他還是決定問問看。

「川田。」

把香菸叼在嘴巴一側的川田抬起頭來。

「你呢？你沒有特別想做什麼嗎？」

川田吐著煙，哈的一笑。

「我想當醫生唷，」他說道。「和我老爸一樣。如果當了醫生，那麼即便在這狗屎般的國家裡，總覺得或多或少可以幫得上別人的忙。這是我的想法。」

秋也聽了這番話，湧起一股力量。

「那你就當醫生啊。你不是有天分嗎？」

川田一面抖落煙灰，一面搖頭。像是在告訴秋也，別再討論這話題了。

典子叫著「川田同學」，川田看向典子那邊。

「我也想再講一次同樣的事。假設我是慶子小姐的話，我一定會講這段話。」

典子的視線往上盯著橘色光線稍稍開始交錯的天空，繼續說道：「請一定要活下去。一定要講話、思考、行動。有時候要聽聽音樂……」她頓了頓，又說下去：「看看畫，要有感動。要常笑，有時也要流淚。如果你碰到喜歡的女孩子，請你去追她，和她相親相愛。」

從頭到尾好像一首詩。

聽到這兒，秋也覺得有點感嘆。這番話是典子說的。而話語是與音樂不分軒輊的，偉大的神的力量。

川田沉默地聽著。

典子又繼續說：「我覺得，你如果這樣做，才像是我眞正喜歡的那個你。」

然後她看向川田的方向，似乎有些不好意思，但還是說了。

「如果是我的話，我會這麼想吧。」

川田手中香菸的灰變長了。

秋也開口了：「喂，川田，或許有些迂迴，但也有那種活下來也能摧毀這個國家的方法啊？」

接著又說：「我們不是好不容易才成爲朋友的嗎？如果你不在了，我們會很寂寞的。大家一起去美國吧！」

川田沉默了好一陣子。後來他似乎是注意到香菸連濾嘴都燒焦了，趕緊把它丟掉。

然後他抬起頭，看著秋也兩個人。好像想說些什麼。

秋也想道，沒錯，一起跟我們走吧，川田。我們要一直在一起。因爲我們是一國的啊！

「喂——」

耳邊又響起坂持那已經讓人聽習慣了的聲音。

秋也連忙用右手抓起左腕，確認時間。泥巴弄髒的錶面上，秒針的刻度在六點整過五秒的地方。

「聽得到嗎？你們這幾個——說是這麼說，但已經剩沒多少人了唷！接著我來給各位報告死亡名單。男生的部分，」

秋也已經思考過了。男生的部分只剩下秋也、川田、杉村和桐山四個人而已（當然女孩子也有人存活，只有典子、琴彈加代子、相馬光子、稻田瑞穗四個人而已）。桐山可沒這麼簡單就死。弘樹也傳來暗號了。男生的部分……應該沒人死亡才對的，應該。可是……

「只有一人——十一號的杉村弘樹同學。」

秋也的眼睛張得大大的。

【殘存人數4人】

---

①約翰藍儂的反戰名曲。

②Boogiewoogie，一種爵士樂鋼琴曲式，重複之低音節奏及旋律為其特徵。

③原曲為貓王的《監獄搖滾》（Jailhouse Rock）

④法文，小姐的意思。

⑤空手道招式，以手指攻擊目標。

⑥指茶道進行過程中負責泡茶的主人。

⑦沏茶時用來攪拌抹茶的工具。

⑧師父不在時，代為傳授技藝的優秀弟子。

⑨米茲荷的讀音MIZUHO與日文的「瑞穗」相同。

⑩Ahura Mazda，祆教中的善神與智慧之神。

⑪卡歐莉（KAORI），讀音同「佳織」。

⑫出自比利喬（Billy Joel）的經典名曲《Just The Way You Are》。

⑬即大陸歌手崔健。

【第四部】最終章

目前剩餘學生四人

74

「嗯，接下來是女孩子，人數挺多的喔。一號的稻田瑞穗同學；二號，內海幸枝同學；八號，琴彈加代子同學；九號，榊祐子同學；十一號，相馬光子同學；十二號，谷澤遙同學；十六號，中川有香同學；十七號，野田聰美同學，還有，十九號，松井知里同學。」

秋也和典子四目相覷。典子的眼神透露著動搖。關於幸枝等人的事情心中早已有數，但弘樹？加代子？還有相馬光子，而稻田瑞穗也在名單裡？簡單說來，存活下來的，只剩下秋也等人和桐山而已嗎？

「這怎麼可能……」

秋也不禁脫口而出。會合暗號的煙升起後，並沒有再聽見槍聲。還是說弘樹他是被刀子類的武器殺害了嗎？又或者說——秋也剛才聽錯坂持所說的話嗎？難道是幻聽？

秋也沒有聽錯。坂持繼續說道：

「好，現在只剩四個人了。你們聽見了嗎？桐山、川田、七原、中川。你們幾個很努力。老師對你們的表現感到很驕傲。好，再來報告接下來的禁區……」

正當秋也要動手抄寫下來時，川田說：「把行李收一收。」

「咦？」

秋也反問，但川田只做了個要他動作快的手勢。坂持繼續說道：「七點開始……」

「別發呆！對手是桐山，那傢伙很可能已經知道我們和杉村的連絡方法。說不定我們先前還一直送訊號給桐山。」

於是，秋也急忙起身。典子也將自己的背包揹在肩上。然後，當坂持「好，還差一點就結束了，接下來也要努力哦……」正要結束廣播的時候，秋也看見川田的視線快速移向那個先前也做過的「防範裝置」——在眼前的細樹幹上刻一道缺口，再將警戒線夾在縫隙裡。

兩人看到其中一條線自被雨水打溼的樹幹上脫落下來。

「趴下！」

川田叫道，同時響起噠噠噠噠噠噠的聲響。秋也和典子頭才一低下，緊臨頭上的岩壁就啪啪啪地擦出火花，被削下的岩石碎片掉落在頭上。

川田保持著低姿勢，拿起烏茲衝鋒槍朝樹叢裡開槍。

也不知道打中了沒有，無論如何，桐山（不然還會有誰？）他沒有還擊。川田說：「這裡。快！」秋也一行三人朝桐山開槍的反方向，沿著岩壁往南邊逃去。

離開川田一直以鳥笛發出信號的岩壁後，由背後又傳來噠噠噠的聲響。沒有命中目標，秋也等人跳進眼前的樹叢。

地面上有一道深達腰際、寬約一公尺不到的岩石裂口。底部堆積著泥土和樹葉，一路朝南方延伸過去。秋也不知道這裡有這樣的地形，但川田大概也將這個考慮進去，才會於是，他只能用選的，選擇自己要做什麼。在這裡落腳。這簡直就像一道天然的壕溝。川田催促著秋也和典子往下跳。川田自己先是用烏茲衝鋒槍朝後方掃射一番，才隨後跟著跳下。秋也接著聽見和川田開槍時發出不同音質的噠噠噠噠聲響，頭部附近，根部自岩石裂縫邊緣生長出來的細樹幹啪的一聲碎裂開來。

「快跑！」

川田吼道，秋也等人便在那道裂口的底部向前跑。秋也一度被散落在裂口底部枯枝絆住腳步，但總算是重整姿勢，追在典子背後。身後有兩種槍聲交互響著。

突然，跑在前面的典子好像被什麼東西彈回來似的停下腳步，唔的發出呻吟，蹲了下來。原本回頭看著川田方向的秋也，急忙跑到典子身邊。腳下被什麼東西絆倒了嗎？

並非如此。抬頭看向秋也的典子左眼下方有一道橫向裂傷，臉頰上流滿了血。右手似乎也受了傷，輕握住拳的手裡在滴血。原本拿在手上的白朗寧手槍掉落在腳邊。

秋也右手扶在典子肩上，抬頭看眼前的空間——正好在相當於臉部高度的地方，拉著一條鋼絲線。先不管這東西桐山是怎麼弄到手的（大概是從固定什麼東西用的鋼索拆下來的吧），他居然早就預料到秋也等人逃跑時會通過這個岩石裂口！以秋也的身高來看，如果是他，恐怕那條鋼絲正好會直接切進脖子。幸好典子沒有受到那樣的傷害！不過，萬一一個不小心也很有可能會因此失明。

秋也心裡充滿怒火。管他桐山是什麼來頭。川田說過：「他只能用選的，選擇自己要做什麼。」不管他是異常也好、正常也好、某種天才也好、狂人也好，既然他害典子受傷，什麼都一樣。——我要宰了他！

總之，秋也將CZ75塞進褲子裡，撿起白朗寧手槍，用握著槍的手抱著典子的肩膀，想要扶典子站起來。典子搖搖晃晃勉強站起身來。

川田一邊開槍一邊由後趕上。視線朝兩人瞄了一眼，又快速地移動視線，看見那條鋼絲線，嘴角浮現咬緊牙齒的表情。川田又再一次回頭看去，跟著秋也看見在川田對面，岩石裂口的一端，身著學生服的桐山和雄躍入眼簾。

川田對秋也一邊喊道：「把頭低下！」一邊開槍。手裡拿著機槍的桐山迅速將身體藏進構造複雜的裂口側面，川田射擊出去的子彈沿著岩壁曲線打下一排岩石碎片。煙塵瀰漫。

「快跑！」

川田又喊了一次，秋也將典子抱起，鑽過鋼絲線下方拔腿就跑。不知道還有沒有拉著其他的鋼絲線，因此速度慢了不少。

秋也心急如焚。如果兩隻手都聽使喚的話，一隻手可以扶著典子，另一隻手就可以把子彈打進桐山那傢伙的身體裡。

川田仍然不停開著槍，緊緊跟在兩人身後。另一方面，桐山也一邊還擊，一邊一點點向前逼進。

足足長達五、六十公尺的岩石裂口來到了盡頭，秋也較典子先一步跳上地面。抓住典子沒有受傷的左手，將她拉上來。典子一臉堅毅的表情，但左半邊臉流滿了血。

「不要停下來！」

川田的聲音蓋過槍聲傳到耳邊，秋也拉著典子的手，衝進眼前的樹叢裡。

穿過樹叢後，看到一戶緊貼著山地裸露地表建造的房屋的庭院。是一間古舊的平房建築。玄關前的作業道旁停著一輛白色的小型卡車。貨台上不知爲何橫倒堆放著老舊的洗衣機和冰箱各一台。該不會是正要將大型垃圾載出去丟棄吧？

「車子的後面！」又聽見背後傳來川田的聲音。秋也和典子踩在因雨而泥濘的土地上，手牽著手跑進那輛卡車後面。

秋也讓典子坐下，重新握好白朗寧手槍，川田跟著滑了進來。一道黑影在樹叢中一閃而過。便朝向該處連續開槍。衝擊力道傳至彈頭還留在裡面的肩膀，又再次感受到一陣劇烈疼痛。不過現在不是在意這件事的時候。

川田趁這段空檔更換烏茲衝鋒槍的彈匣後，交給秋也。說道：「開槍！牽制住那傢伙的行動。」

秋也將白朗寧手槍放在腳邊，接過烏茲衝鋒槍，再次朝剛才看見桐山的那一帶開槍射擊。

桐山並沒有回擊。秋也在卡車的貨台上，只露出一對眼睛，典子緊靠在身旁，不停出血的右手，牢牢握住他放置地面的白朗寧手槍。

「妳不要緊吧？典子。」

一邊凝神觀察桐山在樹叢中有無動靜，秋也一邊問道。

「嗯。我不要緊。」典子回答。

秋也的視線朝位在典子另一邊的川田瞄了一眼。川田上半身趴在車門打開了的駕駛座上，不知道窸窸窣窣在做什麼。

突然，轟的一聲，秋也和典子倚靠著的卡車搖晃了起來。馬上又變成更爲低沉的引擎聲，隨著那微弱的震動，附著在卡車車身上的水珠開始流動。

川田探出頭。「上車！我們要逃走了！典子同學，快點！」

典子藉著川田幫忙，爬進卡車裡。接著，川田跳進駕駛座。

「七原！你坐助手席！」

川田喊道。接著卡車一下子快速後退。打過方向盤，讓車尾朝向桐山所在的方向，就這麼一迴轉，助手席的那一側朝著秋也。典子把車門打開。

正當秋也伸出右手，要爬進車內時，聽到噠噠噠的聲音。只是這次同時間還聽見鏗鏗鏗的聲響。在秋也眼前，卡車車內狹小空間的車頂被子彈開了幾個洞，看見貫穿進來的子彈正好在川田眼前由內側向外擊穿擋風玻璃。秋也快速將身體靠緊卡車——他已經察覺到了，將烏茲朝向上方瞄準，扣下板機。將民家包圍住的山地裸露地形上的樹叢間，一道黑影又閃了進去。桐山他居然繞到上面去了。

秋也沒有留下空檔，跳進助手席。同時間川田把車子開了出來。卡車滑上未鋪整的作業道時，又響起噠噠噠的聲響。放置在貨台上的洗衣機後面拖著一條破破爛爛的排水管，像是蛇的身體一般舞動著，然後滾落在卡車後面，馬上就被遠遠地甩在後頭。

槍聲停了下來。

「典子，妳不要緊吧？」

聽秋也問道，坐在秋也和川田之間的典子，動了動染成鮮紅色的臉孔，點頭說：「嗯。」不過她的身體還是顯得十分緊張，兩手緊緊握著白朗寧手槍。秋也把右手上的烏茲放在膝間，自口袋裡掏出大手帕擦了擦典子的臉龐。傷口看得見底下粉紅色的肉，馬上又冒出血來。這傷口，不仔細進行手術處理的話，恐怕會留下傷疤。典子她……是個女孩子耶！

「可惡！」秋也看向手裡打著方向盤的川田。「那傢伙早就來到我們附近。連我們可能逃走的路線都被他看破了。」

不過川田說：「不。」搖搖頭。一邊忙著切換排檔，通過蜿蜒曲折的道路，一邊說道。

「正確說來，他應該不知道才對。直到最後的最後，他才知道我們所在的位置。不然他應該會在坂持開始廣播之前就現身。只要我們還以爲他是杉村，毫無防備地迎接他的話，他可以很輕易就把我們都解決掉。那根鋼絲線是他還摸不清我們所在的位置，等待我以鳥笛送信號之前，用來打發時間才裝設的。大概不只是那個地方才有。」

秋也心想：是嗎？事情說不定眞是那樣。打發時間。可是，多虧他這麼做，害得典子受了重傷。

「典子，右手給我看看。」

典子終於放開手槍（握把也已經染成鮮紅色），右手伸向秋也。給人感覺非常小巧纖弱的手，正好在小指和無名指根部的地方，裂出一道斜著橫斷手掌的傷口。鮮血在手掌上印出和手槍的握把止滑紋路一模一樣紋路的血印。大概是鋼絲線先傷到典子的臉部，然後她跌倒的時候，不自覺地伸出手去扶，才會造成手上這道傷口。說不定因爲她手上握著手槍，所以這傷還算是受得輕的。

秋也本來要幫她纏上手帕，但想起自己的左手不能動了。

典子說：「不要緊。我自己來。」自秋也手上接過手帕，左手揮了一下甩開，然後纏在右手上。將邊角折入固定後，又握起白朗寧手槍。

有著彈痕裂縫的擋風玻璃面前，突然間，視野一片開闊。卡車已經來到山下。黃昏的天空，像是被兩側山地的綠意夾著一般，朝田地與平野的方向一路擴張出去。

秋也提醒著說：「川田。禁區就在……」

「你放心。我自有考量。」川田一邊看著前方，一邊答道。

「還有，你剛才聽見了嗎？七點開始B＝9，九點開始E＝10，十一點開始F＝4。追加到地圖上吧。」

秋也大致上也記得。拿出口袋裡已經破破爛爛的地圖，在喀登喀登搖晃的車裡，攤開在膝上用鉛筆粗暴地標上記號。

卡車向下坡通過民家旁邊，來到一條路寬相當、但鋪有柏油的道路。順著田地延伸的方向看去，遠處是南方山地。右手邊則是由北方山地接續過來的低矮丘陵近逼眼前。左手邊，前方兩百公尺左右有一戶民家（那裡應該已經被列入禁區範圍）。稍微靠左還有兩戶人家。再過去是零零散散的幾戶人家，一直走下去就可以連接到島的東岸村落。前面不遠處，被矮丘遮蔽在背面看不見的地方，應該就是秋也等人和桐山第一次見到面的田地才對。再隔一道山丘應該就是分校，不過在這個位置同樣看不見。

川田稍微減緩速度，繼續驅車向前。視野望去又是朝下。前方可以清楚看見橫貫島東西岸的大路。

穿越田地中央，馬上就來到那條大路。川田打著方向盤，又打回來，車子停在馬路中央。引擎保持運轉的狀態。川田粗暴地用拳頭敲打著有裂縫的擋風玻璃，連同窗框一起打落車前。發出啪啦一聲響。

「幫我確認一下地圖。」

川田手放回方向盤說。秋也再一次拿出地圖。

「我的記憶裡這條路還可以就這樣一直通向東側。沒錯吧？」

秋也和典子一起確認了地圖。

「嗯嗯，你說得沒錯。可是，前面的F＝4十一點以後就不能通行了。」

「那沒有關係。」川田盯著前方說道。在他視線的前方，被雨水濡溼的黑色柏油路，連同兩側如邊框般的白線一直線向前延伸。「這麼說來，這條路一直走到東側的村落前面，都還沒問題吧？」

「嗯。一直到彎道前面都沒問題。」

川田聽了之後點頭。

秋也又把頭伸出窗外，朝來時方向看去。

「桐山他……」

川田此時總算轉頭看向秋也。

「他會追來。他不可能不追上來。仔細看……」

話還沒說完，秋也等人先前所處的那座山的下坡路上，一輛汽車繞過彎道，出現在眼前。是一輛黃綠色，車身色彩模糊、老舊的輕型客貨兩用車。秋也注意到那是停放在剛才經過的民家旁邊的車子。

調整照後鏡確認那輛車後，川田說：「你看吧。」

那輛車一路靠近，等到秋也可以清楚分辨坐在駕駛座的人是桐山時，下一秒鐘便看見那張臉孔前面，噴出激烈的火焰。秋也將臉自車窗縮回車內。子彈不知打到卡車的什麼地方，發出鏗鏗的聲音。川田打進排擋，卡車猛地動了起來。在寬廣的道路上，朝東邊駛去。

秋也再次自車窗探出上半身，看見後方桐山的輕型客貨兩用車緊跟著開上同一條道路。秋也扣下烏茲衝鋒槍的扳機。桐山本身的反射神經彷彿整個轉移給車子似的，輕型客貨兩用車迅速向右邊移動，躲過了攻擊。

「好好瞄準，七原。」

在川田說話的時候，桐山的輕型客貨兩用車旋即加快速度追了上來。

「川田！車速不能再快一點嗎？」

「哎，你不要著急。」

川田說後，將方向盤緩緩地左右轉動。讓車輪不會被當成攻擊的目標。桐山又開槍打過來，秋也把頭縮進車內。看樣子桐山也把擋風玻璃打破，方便持槍射擊。秋也馬上又探出頭，朝桐山的上半身扣下扳機。桐山打著方向盤，再次快速地閃避過去，幾乎連頭都沒有低過。秋也手上的烏茲衝鋒槍的拋殼口拋出的彈殼列停了下來，擊發機構發出鏗的一聲，彈藥用完了。

川田越過典子的身體，遞出烏茲衝鋒槍的預備彈匣。秋也還沒有接下彈匣，桐山的輕型客貨兩用車一下子就靠近過來。秋也自褲子前方抽出ＣＺ７５九釐米手槍，開槍。但桐山仍舊毫不在乎地直衝過來。

「呿！」聽見川田說話。他的側臉浮現些微的笑意。「想和我飆車，還早得很呢！」

突然間，川田猛打方向盤。同時左手用力將手煞車向上一拉，秋也的身體猛地承受到重力。就像是電影裡飛車追逐的做法一般，緊靠馬路邊緣，卡車在原地迴轉半圈。

迴轉進行到一半時，桐山的輕型客貨兩用車已經進逼眼前。駕駛座上伴隨著熟悉的噠噠噠噠聲，噴出火焰。典子頭部前面不遠的照後鏡被擊飛。

「趴下！」

聽見川田的喊叫聲，不過秋也在那之前已經在用ＣＺ７５手槍朝桐山開槍。奇蹟似的，桐山的機槍子彈沒有打在秋也身上，秋也的連續射擊也沒能擊中桐山。兩車交錯時，卡車的前保險桿擦在輕型客貨兩用車左前方到車門附近，秋也近距離看到，桐山和雄那對一如往常的冷酷眼神。

輪胎吃進潮溼的路面，發出嘰嘰聲，卡車的迴轉停下——在停下的那一刻，追逐者與被追逐者的位置便逆轉過來。川田可說是一邊閃過桐山的輕型客貨兩用車車頭，一邊成功完成三百六十度大迴轉。刻不容緩之際，川田打進排檔，開車。引擎感覺不知道哪裡來的力量，發出低沉的吼聲，一度遠離的輕型客貨兩用車車尾又迅速逼近。看見桐山回過頭來。

「開槍，七原！有多少子彈都打過去。」

川田大喊，就算他不這麼喊，秋也也早已用力扣下更換過彈匣的烏茲衝鋒槍扳機，以全自動模式射擊。炙熱的彈殼掉落在典子的位置附近，但現在沒有餘力去管這些了。輕型客貨兩用車的後車窗碎裂四散。砰的一聲，後行李箱蓋向上彈起。接下來，右邊的輪胎發出碰的一聲爆炸。到此時，秋也的彈藥也已經耗盡，輕型客貨兩用車向旁邊一傾，搖搖晃晃滑向路肩。

川田踩下油門。一口氣靠近客貨兩用車左側，方向盤用力一打，用卡車右邊衝撞輕型客貨兩用車。

於是秋也等人也承受到猛烈的撞擊力，不過桐山的輕型客貨兩用車可不是這麼簡單就沒事。像是失去控制似的，朝馬路右側前行，最後衝出路肩。沒多久，就衝進地勢低上一截的田地，沙的一聲，車頭整個插進土裡。像是小松菜之類的菜葉在空中四散飛舞，車子停了下來。

川田急踩煞車，將卡車停在輕型客貨兩用車差不多正左側的地方，可以向下俯視桐山的車頂。

「槍借我，七原。」

川田說道，秋也把烏茲交給川田。川田換過彈匣，自車窗伸出手臂，朝向那輛桐山還在裡面的車子扣下扳機。川田握著槍的手上下晃動著，秋也在助手席的位置也可以看到輕型客貨兩用車被打得滿是彈孔。

川田又換上一個新彈匣，接著開槍。再裝入一個預備彈匣，也把裡面的子彈打完。在這期間，典子用受傷的手將零散的子彈裝填入空了的彈匣，在一旁等著的川田接過來後，又繼續開槍。典子不停地裝填彈匣。秋也稍微站起身，視線朝典子、川田的手邊、還有標的物的那輛輕型客貨兩用車移動。

再一次，又再一次。連續兩次重複同樣的動作。烏茲衝鋒槍用的是九釐米子彈，和秋也的CZ75、典子的白朗寧子彈一樣，最後連這兩把手槍的子彈也裝填進去。

然後，烏茲衝鋒槍的擊發機構顯示彈藥用盡，又鏗的一聲響起。已經沒有子彈了。川田手肘彎曲向上舉起的烏茲衝鋒槍，短短的槍身前端揚起青色的煙霧，卡車狹小的車內空間，充滿了硝煙的氣味。川田究竟開了幾槍？秋也自幸枝她們那裡拿來的烏茲衝鋒槍，有五隻彈匣，彈藥數量已經算是多的，再加上CZ75和白朗寧的彈藥，至少有兩百五十發？還是三百發？

秋也等人的位置可以看見輕型客貨兩用車車身左側、助手席左端和車頂，變得如同蜂窩一樣。也像是網目，不，應該可以說是一個呈現汽車外型的奇形蟲籠也說不定。

天空已經完全變成橘色。雖然沒有去欣賞的閒工夫，不過以光線的狀況來看，想必西方的天空一定是整片美麗的夕陽才對。

「……打倒他了嗎？」

秋也問道。川田正要開口……

輕型客貨兩用車動了，倒車向後退。一口氣橫切過田地的邊緣，用車尾爬上路肩。再次來到秋也等人的後方。

秋也十分驚愕。除了沒想到汽車的引擎居然還能夠運轉之外，更沒想到桐山和雄還活著，而且還能夠駕駛車輛！川田他想一決勝負，把子彈全都打光，而沒想到桐山他——他居然還活著！

已經滿是彈孔的引擎蓋的後方，駕駛座上桐山的上半身就像是嚇人箱裡的人偶一樣佇立在上，手裡還拿著機槍。聽見噠噠噠噠的聲音，典子頭上的小窗戶被擊飛。順便在旁邊的鐵板上開了兩個洞。秋也心想：就國產車薄弱的車體來說，到目前爲止都沒有被打穿，相當不可思議了。或者說，這都要拜裝載在貨台上的洗衣機和冰箱所賜也說不定。說不定那個洗衣機和冰箱，根本就是川田預料會演變到這種情形，事前裝載在這部卡車上面的。

「可惡！」

川田打入排擋，開車向前。

「開槍，七原！對他反擊！」

秋也對準立刻隨後追上秋也等人的桐山的車子，不停地扣下CZ75的扳機。桐山也予以回擊，打中秋也臉旁邊的卡車鋼架，擦出火花。

彈藥馬上就耗盡。秋也換了一個彈匣，又接著開槍。一邊開槍，一邊想到：已經沒有彈藥了，這次子彈再打完，就只剩下典子手上的白朗寧手槍和備用彈匣一個，這就是所有的存彈了。

正在猶豫不決時，桐山開槍攻來。機槍噠噠噠的聲響傳了過來。咻的一聲，貨台上的冰箱發出火花。冷凍室的門板掀了開來，滾落地面。

「川田！沒子彈了！」

川田冷靜地打著方向盤。「他的機槍也差不多了。那傢伙沒有裝填彈匣的閒工夫。」

正如川田所說，這次聽見的是連續的單發槍響。隨著砰、砰的聲音，典子肩旁的座椅看起來就像是炸開了似的開了洞。

「典子！壓低身體！」

秋也說道，右臂伸出窗外，朝單手拿著手槍的桐山開槍。子彈打完了。由典子手中接過白朗寧手槍。又接著開槍。

車子左前方，在民家與田地之間，看見一個遭到破壞、焦黑一片的倉庫之類的建築。那是——川田說過，半夜聽見爆炸聲傳來時燃燒的建築物吧。而且，距離通往島東端村落的彎道，只剩下不到兩百公尺。

「喂，川田，那裡是……」

川田答道：「我知道。」將方向盤打向左邊。秋也感覺身體下方的卡車左側像是浮上空中一般。不過，車身總算是再次恢復平衡，衝進未鋪整的道路，朝向北方山地開去，又來到田地中間蜿蜒曲折的上坡道。桐山精確地操縱方向盤由後追趕上來。

秋也選定攻擊目標後開槍。桐山低下頭，接著還擊。這次是在川田頭部旁邊的鐵板開了個洞。

「七原！別管那麼多，連續開槍，把所有的子彈打完爲止！不要讓那傢伙有機會開槍！」

川田整個人趴在方向盤上說道。秋也發現川田的學生服，左肩出現裂口，血流了出來，他被桐山開槍擊中了。

秋也一邊開口說：「不過……」一邊還是自車窗探出身子開槍。川田說不定打算再次逃進山區。那麼，在那之前就不能讓桐山有機會開槍。如果運氣好，說不定還可以打倒他……

開槍射擊。

終於，白朗寧手槍的滑套卡在後面。子彈打完了。

山地已經近在眼前。那是一副似曾相識的風景。在一個不搭調的地方，有一戶用水泥磚牆圍住的農家。再加上田地，還有田地裡有一台拖拉機。

秋也想起來了。這是秋也等人和桐山第一次交戰的地方。只不過，這次是由反方向的角度看過來。

「川田，沒子彈了！要逃進山裡嗎？」

川田的側臉彷彿浮現一絲笑意。「子彈嗎？我有。」川田說道。秋也弄不清怎麼回事，蹙了蹙眉頭。

卡車駛離直通到農家的作業道，衝上田地間窄小的田埂道，經過拖拉機的旁邊。再過去道路變得更窄，車輛無法通行。

川田不管三七二十一，直接將車子衝進去。桐山一直保持著同樣的距離——大約二十公尺左右——追了上來。在駕駛座上，又開槍攻擊過來。

卡車衝進田地裡，停了下來。秋也坐著的助手席側，如今朝向桐山的那一邊。川田把車門踢開，叫道：「下車，走這裡！」接著便朝車外衝了出去。

秋也催促典子壓低身體由後面跟上。回頭瞄了一眼。桐山的車子已經接近了……轟！一聲槍響就近在身邊。

桐山的輕型客貨兩用車左前方的輪胎飛掉，車子就近在秋也等人面前十公尺左右。輕型客貨兩用車慢慢地失去平衡，像是挑戰大浪的衝浪板一樣，沿著左側變高的田埂撞上去，車頭高舉到空中。下一瞬間，車頂朝下，在田地上翻轉過來。

車子還沒有完全停下動作之前，一道黑色的影子由駕駛座閃出。一個翻滾單膝著地起身，秋也看見那原來是桐山。他的手邊隨著砰、砰的聲響，噴出火花。同時間，又一次，傳來轟的聲響。

秋也人還在卡車裡，回頭向後看，透過助手席側的窗框看見了！桐山和雄身體成一個弓字，整個人向後方飛去。

咚！桐山背部著地摔在田地裡，一動也不動。

秋也的腦海裡，又浮現出當時元淵恭一的死狀。那個像是香腸工廠的產業廢棄物回收籠一樣的腹部。現在因爲有些距離，看不清楚桐山的腹部變成什麼樣子。不過，被整片霰彈打在身上，不可能有機會存活下來。

秋也好不容易才走下卡車，看到了，果然如此。川田手裡拿著那把霰彈槍——秋也自桐山手裡逃走時，丟到田地裡的霰彈槍——慢慢地自卡車貨台後面站起身來。

「子彈嗎？我有。」川田撿起秋也之前丟下的霰彈槍，又在一瞬間裝填身上帶著的霰彈槍彈（以時間上來說，應該只裝填了剛才擊發的那兩發子彈而已），開槍射擊。而且，精準地擊倒了桐山。

「一開始的時候……」川田緩緩說道：「這傢伙失去了趁我們不備時盡快攻擊的機會，就註定了他的失敗。怎麼說我們這裡也有三個人。」

接著，呼的吐了一口氣。將霰彈槍喀啦一聲放在卡車貨台上的冰箱旁邊，由口袋裡拿出WILD SEVEN的菸盒。抽出一根，點上火。

「你在流血，川田同學。」

典子指著川田的左肩說道。

「嗯嗯。」川田看了看傷口，接著笑了。「這傷沒什麼大不了。」吐出一口煙霧。

砰的一聲，川田的身體傾斜。WILD SEVEN自嘴角掉落，煙霧緩緩飄揚在空中。一臉雜鬚的表情扭曲著。那對眼睛，茫然地看著秋也腳邊某處。

接著秋也看見了，在川田的另一邊，地勢低上一截的田地上，桐山和雄挺起上半身，右手拿著手槍。他還活著！他的腹部明明被那一發霰彈槍打中，整個人向後飛去了不是嗎！

川田的身體慢慢沉下。桐山快速地將槍口指向秋也。秋也這才發現自己的身體和川田一樣，完全暴露在卡車的掩蔽之外。而且，手邊沒有槍。不，應該說是沒有彈藥。也來不及重新裝塡放在貨台上的霰彈槍。怎麼樣也來不及。

十公尺之外，桐山手槍的窄小槍口，看起來就像是個巨大的隧道。那個不管什麼東西都會被吸進去的黑洞一樣。

砰的一聲，秋也瞬間閉上眼睛。胸口附近一緊，好像有什麼東西打進去的感覺。秋也心想：啊啊，我死了。

眼睛睜開。並沒有死。

在夕陽餘暉的橘色斜光之中，桐山和雄的鼻子旁邊，刻上一個紅色的點。手槍自手裡掉落。身體旋即再次向後傾斜，倒地。

秋也慢慢地把頭轉向左邊。典子兩手握著史密斯威森點三八口徑左輪手槍，佇立在原地。

啊啊。原來如此。在川田裝塡霰彈槍的時候，典子也將剩下來的點三八子彈裝塡入秋也丟下的點三八口徑手槍裡。

典子握著手槍的手，喀嚓喀嚓顫抖著。

「唔！」

川田發出聲音。不等秋也過去幫他，自己站起身來。

秋也急忙問道：「你不要緊吧？」

川田沒有回答，拿起霰彈槍，自口袋裡拿出子彈裝塡進去，朝桐山走去。到剛好兩公尺左右的地方停住，朝桐山的腦袋扣下扳機。桐山的頭大幅度地搖晃了一下。

川田轉過身，回到秋也兩人所在的地方。

「不要緊吧？」秋也又問了一次。

「沒什麼大不了的。」

川田走到典子身邊，輕輕握著典子還持著史密斯威森點三八手槍的手，讓她把槍放下。

靜靜地說道：「那傢伙死了。是我殺的，和典子同學沒關係。」

接著，回頭看向桐山。

「防彈背心。」川田說道。

秋也於是終於了解了。桐山和雄身上穿著防彈背心。

「川田同學。」典子以帶點顫抖的聲音問道：「你不要緊嗎？」

川田笑著點頭。

「不要緊。謝謝妳，典子同學。」

接著，重新拿出香菸盒。好像發現裡面空了，看看四周圍，撿起剛才由自己口中掉落的香菸，上頭的火還沒有熄滅，緩緩地叨在嘴裡。

秋也轉動脖子，環顧夕陽餘暉渲染的島上風景。結束了，至少關於那場幸福遊戲的部分已經結束了。而今，這座島上，包含眼前的桐山，一共有三十九位同班同學橫屍於此。

秋也又感到一陣類似暈眩的感覺襲來。或許也可以說思考因空虛感而麻痺。到底這感覺是什麼呢？

一張接著一張的臉孔浮現腦海。喊著「我要殺了你」的國信慶時的臉孔。秋也出發時，三村信史露出微微笑意的臉孔。眼睛布滿血絲，揮舞著柴刀的大木立道的臉孔。「我有一件非得和琴彈見上一面不可的事」消失在診所外黑暗中的杉村弘樹的臉孔。開槍射殺南佳織，在秋也眼前逃走的清水比呂乃的臉孔。「萬一你死了，我該怎麼辦才好呢」的內海幸枝那張淚眼盈眶的臉孔。「不行、不行！因爲我的關係，大家都死了」然後掙脫秋也手的榊祐子的臉孔。還有，直到剛才爲止，都還在追殺秋也等人的桐山和雄那冰冷的眼神。

我們失去了所有人。就連「存在」本身也失去了，大概，還有其他許多事物也都跟著失去了。

然而，事情並非到此爲止。

「川田。」

聽見秋也對自己說話，川田將變短了的香菸拿在手上抬起頭。

「總之，我幫你包紮傷口吧。」

川田笑道：「不用了。擦傷而已。你去看看典子同學的傷勢吧。」

接著說：「我去把桐山的武器撿起來。」一邊吸著已經變得更短的香菸，一邊朝上下顚倒的輕型客貨兩用車，邁步走去。

【殘存人數3人】

75

川田逕自走在前頭爬上山路。揹在肩上的背包裡面，放著自桐山的背包裡找到的武器。他並沒有特別讓秋也和典子拿那些武器。反正現在也已經不需要了。

秋也由左側扶著典子的身體，跟在川田後面。典子臉頰上的傷，姑且先用水清洗過後，用四片ＯＫ絆並排貼住。因爲川田建議不要胡亂縫合比較好。手上的傷，也用水洗後再一次重新纏上大手帕。川田則是快速幫自己包紮了一下。

雖然山裡頭已經變得昏暗，但因爲已經不需要在草叢裡穿梭，一路上比較起來還算走得輕鬆。腳下枯葉堆積得很高，已經變成腐葉土；一整個下午都在下雨的關係，顯得潮溼。

話說回來，自從川田丟下一句「我們上山」，快步向前走後，已經走了好長一段距離。

「川田。」

秋也出聲喊道，川田回過頭來。

「我們要到哪裡去？」

川田露出微笑。

「再一會兒就到。你們跟上來就是了。」

於是，秋也重新扶好典子，默默地跟在後面。

北野雪子和日下友美子遇害的那個展望台所在的山頂，還有山頂的南側早就已經列入禁區。川田停下腳步的地方，差一點就要進入那個區域，大約是在山地中腹稍高處。這麼說來，距離這裡稍微向下走一點，就是當初看見清水比呂乃射殺南佳織的地方。

「這裡就可以了吧。」川田說道。

斜坡上有一處高低落差地形，所以林木延伸到南側就停了下來。是一個視野開闊的地方。城岩中學三年B班的學生們展開激鬥的這座島，如今沉浸在日沒後的藍色天空，在眼底下一覽無遺。只是，最後的敵人，坂持那幫人所在的分校，被起伏的地形遮住，看不見。

秋也嘆了一口氣。然後問道：

「你帶我們到這裡做什麼？要怎麼樣才能逃得出去？」

川田看也不看秋也的臉笑著。

然後，說道：「先別管那麼多，你看那裡。」

秋也和典子一起轉頭看向川田所指的方向。

那是南方山地的另一頭。雖然周遭逐漸沉入昏暗的薄暮，仍可以看見海洋、幾座島，還有遠方有一個更大的陸地的影子橫在水平線上。

陸地上到處看得見亮光如煙霧般彌漫。如果更近一點看，應該可以分辨得出哪個是霓虹燈，哪個是灣岸道路的路燈吧。

如今，秋也已經明白這座島是位在高松市近海的沖木島。其他還有名爲女木島、男木島的島嶼，三座島呈南北排列，沖木島是離陸地最遠，也就是最北邊的島。這麼說來，南方山地的另一頭看到的小島是男木島，再過去就是女木島，而那片陸地是四國，香川縣。

川田說道：「雖然對我來說還不是那麼熟悉，不過那裡是你們生長的地方。城岩町是在——對了，在那個方向吧。這是最後一眼。看清楚一點。」

這是在說秋也等人逃到國外後，再也不可能回到那個地方的意思嗎？可是這樣未免——

秋也將目光拉回川田身上。

「你該不會就爲了這個原因，帶我們到這裡來吧？」

川田哼笑了一聲，說道：「哎，你別著急。」

然後，對典子說：「槍借我看。我得檢查一下。」

典子將還握在手上的史密斯威森點三八手槍交給川田。川田接了過來，打開彈筒，確認彈藥數量。記得沒錯的話，典子她在對桐山開了一槍之後，應該又重新裝塡過子彈。

川田並沒有把手槍交還給典子，就這麼用右手拿著，嘆了一口氣後，開口說了。

「你們兩個記得嗎？我好幾次說過，我只不過是單純需要伙伴而已，到後來，說不定什麼時候會殺了你們兩個也不知道。」

秋也挑起眉毛。川田確實說過這話，可是……？

「你是說過。」秋也答道：「不過……？」

「所以。」

川田說道。

「是你們輸了。」

川田將手上的史密斯威森點三八手槍，迅速瞄向秋也兩人。

【殘存人數3人】

76

秋也感覺到一個奇妙的表情出現在自己臉上。像是在笑、也像是感到詫異等兩種表情同時浮現的感覺。身旁的典子大概也是同樣的表情吧。

「你這是什麼意思？」秋也說道：「到這個節骨眼還在開玩笑？」

「我不是開玩笑。」

川田說道，喀嚓一聲立起擊鎚。於是秋也臉上的笑容消失了。右手臂裡，感覺到典子的身體緊張起來。

川田又說道：「如果你們想要的話，可以再多看看這個風景。我說過了，這是你們看的最後一眼。」

川田滿臉鬍渣的嘴角，浮現一個淺笑。這是到目前爲止，從來沒有看過的冷酷無情的笑容。

不知道哪裡傳來烏鴉的叫聲。是否在陷入夜晚晦暗的天空中飛舞著呢？

秋也好不容易才開口說話。不知是否感情上無法完全應對眼前的狀況，對他來說，聲音變得像要哭出來似的。

「你說什麼？你這話到底是什麼意思？」

「你還眞是搞不清楚狀況。」

川田稍微聳了聳肩，回答道：「我要殺了你們，優勝者就是我了。這麼一來我就是二連霸。」

秋也的嘴角顫抖著。騙人的吧？這一定是騙人的！

好不容易擠出話來：「別開……玩笑。難道、難道先前你所做所爲都是在演戲嗎？你、你不是很照顧我們嗎？甚至好幾次都還救過我們？」

川田冷靜地回答：「其實是你們幫了我才對。如果沒有你們的話，我早就被桐山打倒了吧。」

「你……那麼，關於慶子的話也都是騙人的嗎？」秋也語尾顫抖著，爲了要克制那個顫抖，聲調顯得有些用力。

「都是假的。」川田直接了當地回答。

「我去年參加過兵庫縣的計畫是眞的，大貫慶子這個女孩子也實際存在。可是我和那個大貫什麼關係都沒有。照片裡的女孩是我的女朋友，不過名字叫島崎京香，根本是另一個人。現在人也在神戶。雖然腦袋不太靈光──哎，瞧她無論如何都要我隨身帶著那張照片就知道了。不過，不管怎麼說，她在床上可是一流的。」

秋也吞了口口水。吹撫在肌膚上，接近初夏的微風，不知爲什麼感覺起來如此寒冷。接著語氣有些動搖地繼續說道：

「可是，那個鳥笛……」

川田也同樣乾脆地回答道：「那是剛好在雜貨店裡找到的。想說或許派得上用場。如今看來，也的確派上用場了。」

夜色漸漸地低垂。

川田繼續說道。「明白了吧？打從相信我的那一瞬間起，就註定你們的失敗。」

雖然川田都已經這麼說，但秋也還是無法相信。這怎麼可能？這怎麼……可能呢？

好不容易，秋也的腦袋裡閃過一個念頭。那是……也就是說……

在秋也開口之前，典子說話了。

「川田同學，你是在試探我們是不是眞的相信你嗎？因爲慶子她不相信你，所以你還是很在意，對嗎？」

川田聳聳肩。「哎呀呀，沒想到你們直到最後還相信我編出來的故事。」

這是最後的話語了。川田章吾以輕快的動作再一次拿起手槍瞄準，徐徐地扣下扳機。

兩發槍響之後，過了一陣子，夜幕完全籠罩大地。

【殘存人數1人／遊戲結束。

以上由城岩中學三年B班計畫實施本部參加者監視器確認無誤。】

77

川田章吾（男子五號）在柔軟的沙發上坐下。由於船正航行在波浪稍大的海上，身體感受到些微的晃動。

以小型警戒艇來說，這間船室算是非常舒適的了。天花板雖然低了點，但是整整有四張半榻榻米那麼大。房間中央有張矮桌，夾著桌子兩側各放了一張沙發，川田坐在離房門較遠的那張沙發上。

房間位在甲板之下，因此完全沒有對外窗，無從得知外界的狀況，時間應該已經過了晚上八點半左右。天花板上略顯昏黃的照明反射在桌面上的玻璃製煙灰缸上，不過川田身上卻連一根香菸都沒有了。

遊戲結束的那一刻，島上所有的禁區都得到解除，川田依坂持廣播的指示走到分校。分校前面赤松義生和天堂眞弓、教室裡國信慶時和藤吉文世的屍體都還放置原地沒有處理。

到此終於得以解下銀色項圈。拍完新聞報導用的錄影帶之後，在兵士的包圍下移動到港口。有兩艘船下錨停靠在港邊。除了優勝者專用船——另外還有一艘負責裝載屯守在分校裡的兵士們回程的運兵船。蠢蠢騷動的士兵們大多乘上運兵船，只有坂持說明遊戲規則時，陪同在教室裡的那三名士兵和坂持一起搭上川田的船。而留在島上的學生們屍體，明天會由指定的清潔業者前來收拾。在島上四處裝置的擴音器、分校的電腦設備，應該也會在兩、三天內撤走。基本上，統籌整個遊戲的軟體和資料庫，當然早就已經自電腦資料裡取走了吧。這一切不用說，和川田在十個月前，神戶市立二中的「計畫」結束後所經歷過的流程一模一樣。

如今，川田被要求待在這間房裡。現在應該是要通過沖木島南端了吧。這艘船會直接回到高松港，而運兵船的航向則會轉向西方，朝基地的方向前進。

喀嚓一聲，棒狀的門把轉動了。站在門前監視的士兵（是那個名字好像叫做「野村」的不起眼的傢伙）朝房裡看了一眼，旋即退至一旁，坂持金發出現了。坂持手裡拿著一個放了兩個茶杯的托盤，走進房裡說道：「嘿，等很久了嗎？川田。」野村在他背後，由走廊側關上門。坂持就這麼移動一雙短腿邁步走來，將托盤放在桌上。「來，這只是簡單的茶水，別客氣，喝吧。」坂持說道。接著，伸手將挾在左腋下的A4大小的公文袋取下，坐在川田對面的沙發上。將公文袋放在桌子靠向自己的一端，用手將及肩的長髮撥向耳後。

川田似乎對那份公文袋沒什麼興趣，只瞄了一眼後便看著坂持說道：

「有什麼事嗎？我想一個人靜一靜，我累了。」

「你呀，」坂持一邊將茶杯送到嘴邊，一邊苦笑。「對大人說話可不能這麼傲慢無禮哦。老師以前曾經對一個名叫加藤的學生傷透了腦筋，可是他現在也變成一個了不起的人了呢。」

「不要把我和你養的走狗相提並論。」

坂持眼睛睜大，顯出一副哎呀哎呀的表情，接著又露出笑容。

「噯，別這麼說嘛，川田。老師有些話想和你說。」

川田整個人舒服地靠在椅背，蹺著二郎腿，手撐在下巴上，不發一語。

「要從何說起才好呢？」

坂持放下茶杯，空下來的雙手互相摩擦著。

「對了、對了。」坂持眼睛為之一亮。「你應該知道『計畫』背地裡有進行賭局吧？川田。」

川田像是在看著穢物一般，眼睛一瞇，接著說道：

「有也沒有什麼好奇怪的，反正你們這群人的興趣都教人難以領教！」

坂持笑了。「然後啊，老師押在桐山身上。兩萬元。以一個老師的薪水來說，這可是個大數目。不過拜你所賜，老師輸慘了。」

「那可真是不好意思。」川田用一點都感覺不到不好意思的語氣說道。

坂持又笑了。接著說道：

「老師曾經對你們大家說過，你們脖子上的項圈會不斷地把你們所在的位置傳遞回來吧？」

這件事早就是眾所皆知，川田也沒有特地開口回話。

坂持盯著川田的眼睛瞧。「你和七原、中川一直都待在一起，最後背叛了那兩個人。事情是這樣子沒有錯吧？」

「不行嗎？」川田馬上答道：「這場幸福的遊戲，應該沒有規則可言才對。你說這話該不會是想要責難我吧？如果是這樣的話，我可要笑死了！」

聽到這裡，坂持臉上的笑顏又擴散開來。撥了撥頭髮，喝口茶，摩擦著雙手。

接著，坂持這次稍微以說悄悄話似的口吻說道：

「我說川田啊！這話本來不應該告訴你的，其實啊，那個項圈裡面內藏了麥克風哦。所以學生們在遊戲中所說的對話，全都傳到老師耳朵裡啦。我想可能你還不知道這點吧。」

對坂持的話一直愛理不理的川田，聽到這裡終於有了反應。蹙起眉頭，略抿著嘴唇。

「我怎麼可能……會知道啊？」川田說道：「那麼，我是怎麼欺騙他們的，你全都聽見囉？」

「嗯，是啊。」坂持點頭。「可是，你還眞過分哪，川田。『就算我們成功挾持了坂持，我看政府八成也會見死不救。』你說過這話對吧？其實我這個計畫責任官也是很了不起的職位。可不是隨便誰都能做的工作唷！」

川田無視於坂持的抱怨，問道：「爲什麼要和我說這些？」

「也沒什麼啦。」坂持答道：「只不過啊，我對你高明的演技十分佩服。所以才特別告訴你這些。」

「無聊。」

川田原本轉頭看向他處，但聽到坂持語氣略爲加強說道：「雖然演技高明……」又把臉轉了回來。

坂持繼續說下去：「老師我啊，有個地方覺得有些在意。」

「什麼地方？」

「爲什麼打倒桐山後不立刻開槍射殺那兩個人呢？你應該有機會才對。老師就是對這點十分不解。」

「原因就和我告訴他們的一樣。」川田順口答道：「我想讓他們看一下自己居住過的地方罷了。當做是黃泉路上的禮物。別看我這樣，我可是很重感情的人哪！畢竟，我是因爲有他們幫忙才能得到優勝。」

聽到這裡，坂持還是那副滿臉笑容的表情，不置可否地發出一句：「是嗎？」接著又喝了口茶。手裡拿著茶杯，靠在椅背上，再次開口說道：

「我說川田啊。老師把你去年參加神戶市立二中的『計畫』時的記錄調了出來。」

說完後，凝視著川田一會兒。川田只是回望著坂持，什麼也沒有說。

「然後啊，單就記錄來看，你和大貫慶子的確看不出來有什麼特別的關係。」

「你說大貫？我不是說那是我編出來……」

川田插嘴說道，可是坂持像是要阻止他說話似的，又接著說：「這和你……」川田只好閉嘴。

「這和你對七原他們說的一樣，你有兩次和大貫相遇——第一次只有一瞬間，第二次則是在你獲得優勝的前一刻，而且，大貫她已經死了。查看竊聽記錄後發現，你甚至連一次也沒喊過大貫的名字。你記得這些嗎？」

「這種事，我哪還記得啊？所以……我和大貫什麼關係也沒有。不是告訴過你了嗎？」

「可是啊，你第二次見到她的時候，至少在那裡停留了兩個小時呢。川田。」

「那只是剛好罷了。那裡是個適合藏身休息的地方。不，倒不如說因爲這樣我才會記得大貫的名字。那個女的死狀還眞是淒慘。」

坂持的嘴角依然浮現著笑意，不置可否地點頭。

「還有，你在十八個小時的遊戲時間裡，動作還眞快呢。大概是因爲會場有點狹小的原因吧。總之，你沒有對任何人說過話。不對，『住手』、『我不是敵人』之類的倒是說過……」

「不過是權宜之計罷了。」川田插嘴說道：「這也是當然的吧？」

坂持笑著，對川田說的話不予回應。

「所以，你到底是以什麼心境參與遊戲，我們根本無從得知。再說你四處移動得過於頻繁……」

「那是我第一次參加。不知道怎麼樣才算是聰明的做法。」

坂持又不置可否地點點頭。好像聽見什麼非常有趣的事物，嘴角堆著笑意。啜了一口茶，把茶杯放回桌面。

再次抬起頭後，說道：「話說回來，那個，照片呀，方便的話也讓我看看吧。」

「照片？」

「就是那個……你給七原和中川看過了嘛。大貫的照片。嗯，你說那其實是島崎的照片，對吧？」

川田的嘴唇扭曲。「爲什麼我非得把照片給你看不可？」

「沒關係啦。給我看嘛。不要拒老師於千里之外啦。拜託你了。好啦、好啦，我求求你。」

話說完，坂持兩手扶在桌子邊緣，低下頭來。

於是，川田不情願地把手繞到身後，摸了摸學生褲的臀部附近。眉毛向上挑。手放回來前面，什麼也沒拿著。

「沒了。」川田說道：「看來是和桐山作戰的時候搞丟了。」

「搞丟了？」

「嗯嗯，是真的。整個皮夾都搞丟了。哎，反正也不是什麼重要的東西。」

坂持突然大聲笑了出來。一邊笑，一邊說道：「原來如此。」抱著肚子，手拍在膝蓋上繼續笑著。

川田一臉莫名其妙看著坂持——不過就在此時，眼睛快速地瞇了一下。抬頭望向一個窗戶也沒有的房間天花板。

隔著軍用船厚實的隔壁，仍能清楚聽見一個小聲的引擎聲響。那和船上的引擎聲響明顯不同。

那聲響慢慢地變大。然後，超過某一點之後，聲響又慢慢地變小。很快就變得幾乎完全聽不見了。

川田的嘴唇稍微扭曲。

「你很在意嗎？川田。」

坂持說道。臉上已經沒有了笑容，只在嘴角上留下歪斜的笑容的形狀。

「那是直升機。」坂持說道。再一次伸手去拿茶杯，將杯裡剩下的茶咕嚕啜完，再把空了的茶杯放在桌面上。

「朝島上飛去，就是你們先前進行戰鬥的那座島。」

川田微微蹙著眉毛，這個小動作和先前的感覺相較，似乎有些不同的情緒夾雜在內。不過坂持無視於川田的反應，兩手抱胸躺坐在沙發上，不可一世的樣子。接著說了一件完全不相關的事情。

「我說川田啊。再告訴你一次關於那個項圈的事情吧。對了，那玩意兒眞正的名字叫做『瓜達卡納爾二十二號』。哎，這不是重點。記得你對七原說過，那玩意兒不可能會故障，對吧？」

看見川田沒有任何回應，坂持又繼續說道：

「事實上，就和你推測的一模一樣。那玩意兒每一個裡頭都有三重系統。也就是說，如果一套系統的故障機率是百分之一，那三重系統就是一百萬個裡頭才會出現一次故障。實際上機率應該更低才對。所以，你說的沒錯。任何人都不可能自那玩意兒底下逃走。如果試圖拆下來就會爆炸。那傢伙也就會當場斃命。哎，會想要這麼做的人少之又少。」

川田還是不發一語。

「不過啊，」坂持探出身子，「老師有點好奇。所以這次就請教了設計那玩意兒的防衛軍裝備品研究所。結果……」看著川田的眼睛。「居然只要是稍微對電子回路有點研究的傢伙，運用隨處可見的收音機裡面的零件，就可以輕易地把鎖打開。當然，那個人還得先知道項圈內部的構造才行。」

川田仍然一聲不吭。不過，在坂持的目光注視之下，像是突然想起來似的，接話說道：「那玩意兒的構造……」聲音很奇妙地不帶任何感情。「誰也無從得知。因此不構成問題吧？」

「嗯。」坂持微笑著點頭。「哎，總而言之，事情極爲單純，那個項圈如果用那種方法解開鎖的話，就會傳回那傢伙已經死亡的訊息。也就是說，如果，我是說如果，有學生可以不讓那玩意兒爆炸就拆解下來的話，那傢伙就可以平安無事的存活下來。只要等到遊戲結束，監視的人員也都撤走之後，不慌不忙地逃走即可。沒錯，就像你對七原說的一樣，遊戲在下午結束的話，依規定清潔業者第二天才會過來。時間相當充分嘛。哎，特別是這個時期，要游泳逃走也不是不可能。」

坂持用意有所指的眼神直盯著川田，川田這次立刻哈的一聲，再次躺坐回沙發。

「你這話一點意義都沒有。項圈內部的構造是機密吧。一個中學生怎麼可能會知道那些？」

不過，坂持說道：「不對。」於是，川田再次看向坂持的臉。

「問題就在那裡。老師對這些事情、那些事情、嗯，還有你的記錄的事情、那個瓜達卡納爾的事情，平常是根本不會想去調查的。最多只會覺得：哦哦，川田這傢伙眞是聰明。就讓事情告一段落。可是，這次在遊戲開始之前，總統府祕書處和防衛軍送來連絡文書。就在開始前一刻哦。二十日那一天。」

川田直盯著坂持的臉看。

坂持接著說：「三月分的時候，有駭客侵入政府的中央演算處理中心。」

稍微隔了一會兒，又說道：「基本上，入侵者還以爲自己神不知鬼不覺平安逃走了。那傢伙的技術水準相當高明，就算入侵時遇上管理者，急忙逃走前也沒有忘記要把登入記錄消除。可是……」

坂持又間隔了一會兒。川田什麼也沒回應。

「政府的系統可不是那麼好欺負的。另外還設有一層記錄所有動作的隱藏式記錄檔。基本上，一般是不會去調查那個檔案，管理者當時也不認爲有何異常，所以發現得很晚。不過，那傢伙的入侵還是被發現了。被發現了哪！」

川田緊閉著雙唇，看著坂持的臉。不過此時喉結上下微微動了一下，別人不知是否察覺得到。僅是微微一動。

「我先說好。」川田說道：「處理屍體的方式，我眞的是從業者那裡聽來的。剛好在喝酒的地方遇上的，彼此拿來當做閒聊的話題罷了。何況，先前那場遊戲和你一樣的責任官也說過，『計畫』很少會有以時間限制到期收場的。不然你可以去問那傢伙。」

坂持把自己的右拳放在鼻子下方，注視著川田。「你說這些做什麼？老師可沒有問你這些事情哦。」於是，川田的喉結又動了一次。這次動得略爲明顯一些。

坂持哼笑了兩聲，又回到原來的話題。「就是這麼回事。聽說被偷走的資料裡似乎有和『計畫』相關的部分。也就是說，包含那個項圈，瓜達卡納爾的技術資料也在裡面。爲什麼對方會偷取這麼無聊的資料呢？沒有意義嘛。就算對方把這個資料公布給一般民眾，政府也只要重新設計新的項圈就了事。不過，到目前爲止，還沒有被公布的跡象就是了。所以總結起來，可以這麼說吧？侵入者不知道爲了什麼理由，非常執著於那個資料。不是嗎？」

川田沒有任何回應。坂持呼的大吐了一口氣，拿起剛才放在桌上的公文袋。單手倒著甩了甩，把裡面的東西拿了出來。並排放在川田面前的桌上。

是兩張照片。黑白照片，兩張大小都約爲B5左右。其中一張照片幾乎沒有明暗對比，看不出照的是什麼；另外一張照片裡，則很清楚地可以看見一輛卡車，還有三個黑點以卡車爲中心散在四周。照片的角度是由卡車的正上方取景，那幾個黑點當然就是人頭了。

「看出來了吧？」坂持說道：「這是剛才你們三人的照片。就在打倒桐山之後拍的。是用人造衛星拍的哦，一般不會這麼做就是了。而老師要給你看的是另一張照片。怎麼樣？幾乎什麼都沒拍到吧？不過這是山的一部分哦。就是你開槍射殺那兩人時，開槍地點的照片。光線有點不夠，加上大部分都被樹林遮蔽住了，什麼都看不見。是啊，你聽見了嗎？什麼都看不見哪。」

兩人陷入沉默。雖然船身有些搖晃，但川田和坂持只是直盯著對方，一動也不動。

接下來，坂持長吁了一口氣，把長髮又撥到耳後。臉上露出微笑，用一種親切莫名的語氣說道：「我說，川田啊。」

「老師一直都有記錄這場遊戲進行的狀況哦。然後啊，你開槍把七原和中川，那兩人擊倒後，七原隔了五十四秒，中川則是過了一分三十秒才死亡。一般來說應該會當場斃命才對吧？你一人只打了一發子彈。爲什麼會有這段時間差呢？」

川田閉口不說話，不知他自己是否有意識到，現在他臉頰附近的肌肉顯得緊張。不過最後還開口了。

「這種情形也不是不可能吧？在我看來，他們兩個確實是當場死亡……」

「夠了，川田。」

終於，可以這麼說了。坂持打斷川田的話，語氣有些強硬。

「嗯？讓一切結束吧。」坂持繼續說道。注視著川田的眼睛，像是在曉以大義般輕點著頭。

接著說道。

「七原和中川還在那座島上。應該還活著，屏息凝氣躲在山裡。入侵政府電腦的人就是你，要不就是你的同伙。你知道要怎麼解開項圈。也知道老師在偷聽你們說話，所以你才故意演一齣把那兩人射殺的廣播劇。然後，再把兩人的項圈解開。不是嗎？你那時候的演技眞是逼眞。不對，直到現在爲止，你的演技也是一流的。」

川田只是凝視著坂持。因爲咬牙切齒的關係，嘴角整個扭曲起來。

坂持還是一臉笑意的繼續說道：

「你給了那兩人連絡地點的便條紙吧？是打算日後重新會合用的嗎？不過啊，已經不可能了。剛才的直升機啊，就是要到島上噴灑毒氣的。用的是最近剛開發出來的中毒性和糜爛性混合毒氣，名字叫做『大東亞壓倒性勝利二號』。監視船也會留在原地。七原和中川兩人沒救了。」

川田直盯著坂持，兩手用力抓著沙發扶手，手指深陷進合成皮革裡。坂持又長吁了一口氣，整個身體沉進沙發，撥了撥頭髮。

「這種事情以往沒有前例。正確說來，你並沒有獲得優勝。不過啊，老師常受到照顧的教育委員會一個重要幹部，下了重注在你身上。所以老師決定私下處理這件事。給那位先生做個面子，以後辦起事情會方便許多。所以，記錄上你還是優勝者。那兩個人也當做死在你手上。這樣滿意了嗎？嗯？川田。」

川田全身感到極度緊張，好像隨時就要顫抖起來。可是，當坂持將眉毛突然向上一挑時，川田像是要甩開什麼似的用力搖著頭，視線由坂持身上向地板方向移動。

「那些事……我一概不知情……」川田說道。兩手拳頭神經質地一下握緊，一下張開。目光快速地回到坂持身上，帶點激動的語氣繼續說：「噴灑毒氣就免了吧。只是浪費稅金罷了！」

坂持哼笑了兩聲：「是否浪費稅金，事後再調查就明白了。」

他又說道：「對了、對了。」迅速由懷裡拿出一把小型自動手槍，指向川田。川田的眼睛大張。

「關於你的部分，老師也決定要私下處理。你的思想太過危險，老師認爲讓你這樣的人活下來，對這個國家一點好處都沒有。腐爛的橘子得從箱子裡挑出來，而且是愈快愈好。你因爲在遊戲中負傷，到達醫院之前就已經死亡了。怎麼樣？啊啊，你用不著擔心，你如果有同伙，我們一定會設法揪出來。沒有必要特地對你進行偵訊。」

川田的視線緩緩地由槍口移向坂持的臉孔。「你——！」他開口喊道，怒氣終於爆發出來。見到川田的反應，坂持露出笑容。

「你這個混蛋！」

川田吼道。聲音裡包含了憤恨、絕望，或許還有些面對無法理解的事物時的恐懼感在內。其實川田很想衝上前去揪住坂持，但在槍口威脅下無法這麼做，只得兩手用力在膝上握緊拳頭。

「你，你沒有孩子嗎？難道你不覺得這個爛遊戲本身就很荒謬嗎？」

「孩子當然是有的。」坂持氣定神閒地答道：「你知道嘛，老師對那方面也是很有興趣的。現在已經有第三個囉。」

川田無視於坂持的玩笑話，叫道：

「既然如此，爲什麼……爲什麼你可以這麼不當一回事？你的孩子也有可能會參加這個爛遊戲呀！還是說、還是說，是這樣嗎？像你這種高級官僚的子女就可以免除參加遊戲嗎？」

坂持驚訝地搖搖頭。「沒這回事。你說什麼啊，川田。你應該仔細看過『計畫』實施要項了吧？任誰都沒有例外。當然啦，老師多少會鑽點小漏洞。比方說運用關係讓自己的孩子進入明星小學。畢竟老師也是人嘛！可是啊，就因爲是人，所以有必須遵守的規則。啊啊，原來如此，你沒能把那個檔案偷走吧。最高機密項目裡頭也有提到關於『計畫』的部分。那老師告訴你好了，『計畫』對這個國家來說是必要的。哎呀，說要進行實驗當然是騙人的。不過，你看，爲什麼我們要在地方電視台播放優勝者的影像？看到那副景象，的確可能會覺得對方很可憐，那個人說不定其實是不願意參加這種遊戲的。可是，那傢伙最後還是只能去和其他人戰鬥不是嗎？也就是說，結論是：誰也不能相信誰！大家都會這麼想吧？這麼一來，就不會有人試圖要合力發動政變，不是嗎？大東亞共和國以及國家的理想，就得以永遠存續下去。既然是爲了如此崇高的目的，當然大家都得平等地死去才行。關於這點，我們家的孩子都有好好教導他們。老大是女孩子，現在在唸小學二年級，她總是這麼說哦：『我要把生命奉獻給共和國。』」

川田的臉頰傳來陣陣抽搐。「你……腦袋有問題！」川田說道：「瘋子！爲什麼你可以過著這樣的生活！」聲音聽起來就像快要哭出來似的。「所謂的系統不過是方便政府行事罷了。我們可不是爲了系統而活的。如果你認爲這個國家的做法是正確的話，那你就是個瘋子！」

坂持等川田把話都說完。接著說道：

「我說川田啊。你還只是個孩子。你們自己也討論過關於這個國家的事情，我要你再認眞地思考一次。這個國家是了不起的國家。世界上沒有其他國家像我國如此繁榮。是啊，雖然要到國外旅行稍微有些限制，但工業輸出品的品質可是世界第一。說到國民平均總生產毛額，政府的宣傳字句也不是騙人的，全世界第一。不過啊，你聽好，要達到如此的繁榮，需要一個強而有力的政府，還要國民以這個政府為中心，團結一致才有辦法達成。因此某種程度的管制，經常是必要的。如果不這樣的話，總有一天會淪落為三流國家，就像那個美帝一樣。你應該知道吧？那個國家有毒品、有暴力，還有同性戀，搞得烏煙瘴氣。現在靠著過去累積的遺產還撐得下去，不過遲早會完蛋的。」

川田沉默了一會兒。，緊咬著牙齒。接著，多少冷靜了一點後說道：

「我有一句話。」

坂持的眉毛突然向上一挑。「什麼話？說吧。」

「就算你們都稱之為繁榮……」川田說道。聲音聽起來似乎有些疲倦，不過，在那底下還潛藏著某種力量。「但那永遠都只是冒牌貨。就算你現在在這裡殺了我，那個事實也不會改變。你永遠都只是冒牌貨。你只要——記得這點就好。」

坂持聳了聳肩。

「你的演說結束了嗎？嗯？」

話一說完，便把手槍一直線瞄準川田眉間。川田緊閉著雙唇，與其說看著槍口，倒不如說是直勾勾地盯著坂持的眼睛。或許是在表達「我已經做好覺悟了」也說不定。

「永別了，川田。」

坂持微微一點頭，像是在對川田行注目禮，接著動了放在扳機上的手指……

噠噠噠噠，一陣輕快地、像是打字機一般的聲響，震動了房間裡的空氣。

坂持的手指一瞬間停了下來。視線，還有——注意力，剎那間移向門的方向。

當坂持將目光拉回來時，川田的身影已經近在眼前。儘管前方有桌子阻隔，但川田還是進逼到眼前十公分的地方，如果不是變魔術，那就像是超能力者的瞬間移動一樣，速度就是那麼快。

噠噠噠、噠噠噠噠，那聲響持續在房間外響起。

坂持握著槍的右手，被川田的左手壓制著。坂持整個人不可思議地僵在原地，抬頭看著距離近到幾乎可以親吻到他的川田的臉。一頭長髮並不顯得特別凌亂，也沒有試圖掙脫川田的手，就這樣緊閉著雙唇看著川田的臉。

又傳來噠噠噠噠的聲響。

門打了開來。野村士兵才剛開口說：「有敵襲——」一見到這個場景，馬上就要舉起步槍。

川田左手就這麼抓著坂持的右手上的槍，如同跳探戈一樣將坂持的身體迴轉過去。一轉過去就連同坂持的食指一起扣下扳機，開槍射擊。在野村士兵心臟正上方打了三發子彈。野村士兵啊的一聲向後仰，當場倒地不起。噠噠噠噠噠的聲響，如今因爲門被打開了的關係，聽起來更大聲了一些。

接著，川田又注視著坂持的眼睛。在兩人緊靠著的身體之間，他緊貼在坂持下巴的右拳，略爲轉動似的動了動。

於是，坂持瞪大雙眼看著川田的臉，喀喀地吐出血來，由嘴唇上溢出來流到下巴，滴在地板上。

「我說過了，你是在浪費稅金。」

川田章吾再轉了轉拳頭。隨著這個動作，坂持的目光離開川田的臉，眼睛慢慢地向上翻。

當川田的身體離開坂持後，坂持整個人癱在沙發上。裸露出來的下巴下方，有一根茶色的棒狀物，像是奇特的裝飾品一般，突出在喉頭的部分。仔細一看，可以清楚分辨那東西的尾端有個ＨＢ字樣的金色刻印。當然，這就是那隻鉛筆，不管是川田也好、秋也也好，大家用來寫下「我們——要——互相殘殺」的那隻鉛筆。不過恐怕坂持金發連分辨出那東西原來是隻鉛筆的機會都沒有了。

川田瞄了坂持一眼，只取過坂持還握在手裡的手槍，插到自己褲子前方。接著跑到仰倒在地的野村士兵身邊，撿起步槍。連同皮帶上的備用彈匣也奪了過來，走出房門。依序打開走道右側的兩道房門，裡面是上下舖左右並排的寢室——一個人也沒有。

又傳來噠噠噠噠的聲響，這次聽起來距離很接近。在狹窄的走廊的另一頭，一名士兵自階梯上滾落下來。那具屍體是名叫近藤的士兵，或許是認爲遊戲已經結束，船內應該很安全而解除了武裝，身上只握著一把手槍。

川田避開近藤的屍體，整個人踩上階梯，抬頭向上看。

手裡拿著INGRAM Ｍ１０衝鋒槍的七原秋也（男子十五號）和中川典子（女子十五號）並肩低頭看著川田。兩人從頭到腳，全身都溼漉漉的。

78

「川田！」

看見川田平安無事出現在階梯下方，秋也放心地喊出聲。秋也聽見除了自己開槍之外的槍響，原本還擔心會不會來晚了一步。

川田手持由士兵身上奪來的步槍，快步跑上階梯。

「你不要緊吧？」

「嗯嗯。」川田點頭。「坂持老師死了。你把其他人都解決掉了嗎？」

「甲板上的都解決掉了。可是找不到那個叫野村的傢伙！」

「那就是所有人都解決了。野村已經被我打倒了。」

話一說完，川田自秋也和典子身邊擦身而過，在狹窄的通道上朝舵房所在的艦橋跑去。

看見通往艦橋的通道上有一人，舵房下的簡報室裡外則有兩人的屍體倒在地上。其中一人是名叫田原的士兵，其他都是船上的乘組員海軍水兵，有拿槍的只有田原一個人，而且還只是手槍。秋也的INGRAM衝鋒槍一陣掃射，就把那些士兵都打倒了。另外甲板上還躺了兩個人，是一開始就被打倒的兩個海軍水兵。

川田低頭瞄了一眼田原的屍體，手一邊扶在通往舵房的階梯扶手上，一邊說道：「你下手一點都不留情呢，七原。」

「嗯嗯。」秋也點頭：「是啊。」

踏上階梯來到舵房，看見房內一隅，有兩個秋也先前才剛打倒的乘組員倒在地上。不知是因爲流彈，還是因爲子彈貫穿了乘組員的身體，隔在夜晚的黑暗與秋也等人之間的玻璃上開了幾個洞。

船目前正通過一座點綴著人家燈火的島嶼旁邊（這大概是女木島吧）。秋也原本擔心槍聲不知道會不會傳到那座島上，甚至傳到四方海洋的遠處。唉，突如其來的槍聲在這個國家也算不上什麼新鮮事，說不定根本用不著擔這個心。

川田凝神注視著前方。秋也和典子順著他的視線，看見正好有一艘像是運沙船的船隻由前進航線的右側逐漸靠近過來。川田握著舵輪，微妙地操作一旁突出來的橫桿之類的東西。

一邊操作著手裡的東西，川田問道：「你們兩個沒感冒吧？」

「嗯嗯。」

「典子同學呢？」

「我不要緊。」典子點頭。

川田又凝視著前方。眼前，那艘運沙船已經又逼近了許多，他說道：「不好意思，我都只做些輕鬆的工作。」

「這是哪兒的話。」秋也來回看著川田的手邊和前方的船，答道：「現在的我，赤手空拳是對付不了拿著槍的坂持的。我們不過是適材適所罷了。」

在眾人的注視下，運沙船的船影變得愈來愈大。可是，過了一會兒，兩船平安無事地交會。運沙船的燈火，逐漸遠去。

「呼。」

川田鬆了一口氣，手放開舵輪。然後，在一個秋也看不懂是什麼用途的計器上，連續按了幾個並排在上面的複雜按鈕。盯著那個儀表板看了一會兒，確認其中一個發光二極體的燈光熄滅後，這次換成拿起無線電對講機。擴音器裡傳來對方的聲音。「這裡是備戰瀨戶海上交通中心。」聽起來內容是這麼說的。

川田回應。「這裡是防衛軍海軍船籍ＤＭ２４５—３５６８。請確認本船目前所在位置。」

「ＤＭ２４５—３５６８，無法確認。請問有何狀況?」

「ＤＰＳ航行裝置發生異常。需要停船一個小時修理。請代向其他船舶通告。」

「了解。請回報目前所在位置。」

川田邊看著剛才那個計器上顯示的資料，一邊口頭回報。然後切斷無線電。

當然，這個動作是爲了要爭取把船移動到他處的時間。川田再把手放在舵輪上，這次是大力向左迴轉。隨著大幅度變更航向造成的搖晃，也傳達到秋也的身上。

川田一邊謹慎地轉動舵輪，一邊說道：

「坂持那傢伙，果然還是察覺到了。幸好我有事先叫你們上船。」

秋也點頭。伴隨這個動作，前髮尾端滴下一滴水滴。

正是如此。川田在那座山裡朝空中扣下兩次扳機後，將手指放在嘴唇前，對瞠目結舌的兩人示意。再由口袋裡拿出地圖，翻到背面用鉛筆振筆疾書。天色已經變得很暗，不容易看見所寫的字句，但秋也兩人還是接過看了。接著，川田便將兩人的項圈解下。只用了不知哪裡拿來，看起來像是收音機零件；還有連接在上面的電線；再來就是小刀和一隻小小的一字起子這些工具而已。然後，川田又自背包裡拿出不知何時準備好的，用竹子和繩索做成的簡易繩梯。接著繼續寫出這樣的字句：「你們趁機潛入我搭的船。現在已是夜晚，應該沒問題。先到海上再繞回港口。看到下錨的鎖鍊就把這東西掛在上面。抓緊別放開。等船拉起錨開始移動之後，登上甲板，先藏身在船尾的逃生用具後面。等待時機，再跳出來攻擊他們。」

當然，船隻乘著風浪加速前進的狀態下，攀在那條簡陋的繩梯上被拖著走可不是輕鬆的工作。由梯子上端移動到距離還有數十公分的甲板上也相當困難。秋也左手無法動彈的狀況下，身手實在無法如此靈活。然而，典子不顧自己的手傷先行爬上甲板，再半拉著秋也上來。秋也雖然相當訝異典子令人意外的體力，但無論如何，兩人總算爬上了甲板。

「可是，」秋也說道：「既然要這麼做，早點告訴我們不就好了？」

川田把舵輪轉回右邊，輕巧地聳聳肩。

「事先知情的話，你們的反應多少會有些不自然。不好意思。」

說完後，將手離開舵輪。如今，船航行的方向，只看見一片漆黑的大海。以目前來說，沒有任何可能交會的船影。川田又開始確認起幾個像是計量表的東西。

「你眞厲害。」典子說道：「居然能夠侵入政府的電腦。」

「是啊。」秋也也表示同意。「從頭到尾，你的所做所爲都是在演戲嘛。」

聽到這裡，川田側臉向著兩人，笑了一下。「不過最後還是被拆穿了。雖不中亦不遠矣。」

川田似乎對計器上的顯示數據感到滿意，總算是離開了那塊區域。走向倒在地上的士兵身邊。秋也和典子看著他要做什麼，接著川田便在對方的口袋裡翻找了起來。

「呿！」川田說道：「最近連防衛軍的傢伙也開始禁菸啦？」

這才知道川田是在找香菸。

不過，川田在另一名士兵胸口的口袋裡，找到一盒被揉爛了的BUSTER。雖然菸盒上沾染了血跡，不過川田毫不在乎地抽出一根菸叼在嘴裡，點上火。靠在舵輪的基座旁邊，瞇著眼睛，彷彿十分享受地吐出一口煙。

看著那樣的川田的臉龐，典子說道：

「如果人太多的話，就不能用這個方法逃走了。」

川田輕輕地點頭。

「妳說得沒錯。而且還得是晚上才行。事到如今，再去想那些也沒有用。我們現在還活著，這就夠了不是嗎？」

秋也點頭。「正是如此。」

接著，川田說：「你們兩個去沖個澡吧。」

「淋浴室在階梯前面。雖然小了點，不過應該有熱水。衣服就剝下這些傢伙身上的來換就好了。」

秋也點頭，把INGRAM放在牆邊的矮桌上，抱著典子的肩膀。「我們就這麼做吧，典子。妳先去沖澡，萬一重複感冒就不好了。」

典子點頭，於是兩個人都朝階梯的方向走去。

「七原。」川田喊住他們，說道：「還是先等一下好了。」把香菸捻熄在舵輪基座下。「我先教你們船的操縱方法。」

秋也稍微揚了揚眉毛。原本想說船的操縱都交給川田處理就好。但想了想之後，川田他也會想要沖個澡吧。在那段時間，秋也和典子就必須負責操縱。

秋也再點了一次頭，和典子一起回到川田所在的舵輪基座前面。

川田嘆了一口氣，手輕輕拍在舵輪上。

「現在，船是以手動模式前進。你們應該也清楚最好不要隨便切換到自動航行模式比較好吧。接下來是這個，」川田指了指基座旁的拉桿。「這是類似油門兼剎車的東西。向前推的話，速度會提升，向後拉則是減速。很簡單吧？還有……你們看這個。」

川田指著設置在舵輪正上方的圓型計量表。細細的指針，向左邊傾斜著。周圍是數字和指示方位的英文字母。

「這東西叫電羅經。可以用來確認方位。嗯，那裡有張海圖。」

於是，川田指出一條由女木島東方的現在位置、穿越諸島嶼到本州去的航路。目的地設在岡山縣某處不顯眼的海岸比較好，川田建議。接著也簡單說明了雷達和測深器的用法。

然後，川田稍微摸了摸下巴。「哎，雖然只是概略的說明，但只要知道這些，就能讓船隻動起來。聽好，在海上是靠右側通行的。還有，船沒有辦法立刻停下來。接近海岸前，記得要把速度降到最低。明白了嗎？」

秋也又把眉毛揚了揚。心想：川田爲什麼連靠岸的方法都要教給我們呢？不過，還是點了點頭。

川田又說了：「我交給你們的紙條，還帶妥在身上嗎？那上面其實仔細寫了連絡的方式。」

「嗯嗯，我還帶著。不過……你當然會和我們一起去，對吧？」

川田沒有立刻回答秋也的問題，拿出塞在口袋裡的香菸，叼上一根煙，把打火機的火靠近。菸是馬上點著了，可是那個時候，秋也察覺到一件怪事。川田拿著打火機的手，微微顫抖著。

在一旁的典子也看見了，眼睛睜大。

「川田……」

「你們兩個說過。」

川田嘴裡叼著香菸，像是要打斷秋也似的說著話。用顫抖的手，將打火機放在舵輪的旁邊。

「問我要不要一起去合眾國。」如今用顫抖不已的手，把香菸拿離嘴邊，吐出一口煙霧。「關於那件事，我想過了。不過……」

川田話說到一半停下，又把菸叼回嘴裡。跟著又拿離嘴邊，吐出煙霧。

「我看我不需要回答你們了。」

突然間，川田的身體滑落下來。頭無力下垂，膝蓋著地。

79

「川田！」

秋也跑到川田身邊，右手臂架著川田的右手臂，支撐著他的身體。典子也跑到他身邊，在另一側抓著川田的左手臂。

川田的身體失去力量，很沉重。秋也這才注意到川田的學生服背後溼了一整片。背後靠近脖子下方開了個小小的洞。是桐山！桐山開槍打過來的那一發子彈，川田說「只是擦傷」。爲什麼？爲什麼不立刻治療呢？或者說，川田已經知道那是致命傷了嗎？不對，也許是……川田爲了要照原訂計畫讓秋也兩人搭上這艘船，才故意不讓兩人知道的呢？

川田在兩人手中，身體就這麼慢慢地下滑，一屁股癱坐在地上。

「我好睏。讓我睡覺。」川田說道。

「不行、不行、不行！」秋也叫道：「我們到附近的醫院去！先治療你的傷……」

「別開玩笑。」川田笑了，和房內一端倒地的兩個士兵一樣，就這麼倒在地上。

「求求你。」秋也膝蓋跪地，手按在川田肩上搖著。「起來啊。」

「川田同學。」典子哭了。

「典子！」秋也以強硬的口吻說道。典子嚇了一跳，看著秋也的臉。「不要哭！川田他不會死的！」

「七原。不要爲這種無聊的事情責罵典子同學。」川田以平穩的聲音安撫著秋也。「要對女孩子溫柔一點。」他補充說道。「還有，唉，我、我要死了，不好意思。」

話才一說完，川田的臉色漸漸變得蒼白。隨著臉色的變化，橫過左眉上方的傷痕，如同蜈蚣一樣變得又紅又黑，整個浮現出來。

「川田……」

「你、你們的邀約怎、怎麼辦……」川田說道。頭部微微地顫抖。不過，還是動了動嘴唇，繼續說道：「我、我還在考、考慮……不、不不、不過、過，我要謝、謝謝、謝你們、們……」

秋也用力搖頭，只是注視著川田的臉。一句話也說不出口。

川田舉起顫抖的右手。「永、永永……別、別了、了。」

秋也握著川田的手。

「典、典、典典子……小姐、也……」

典子淚眼盈眶地握住川田的手。

秋也已經明白川田他就快要死了。不，其實他早就知道了，只是到現在才接受罷了。只能接受這個事實了。秋也思考著該對他說的話。找到了一句。

「川田。」

川田的目光自典子身上游移到秋也那兒。

「我會代替你徹底摧毀這個國家！我一定要摧毀這個國家，可惡！」

川田露出笑容。手自典子的手上無力地落在自己胸膛。典子跟著在川田的胸口緊緊地握住那隻手。

川田閉上眼睛，又像是微微地笑了。接著說道：「我我、我說過、了、了……七、七、七原。你你用不著……做那那、那、那種事。沒、沒沒關、係係係、係，只只只、要……要你你、你們、們們兩個……活活、活下去……就、就、就好。要、要要、像這次……一樣，兩、兩、兩兩兩人人、人彼此……此、此互、互信、互……互愛愛，相、相相互、互扶助……」

川田說到這裡，深吸了一口氣。眼睛已經不再張開。

「……這是我的心願。」川田清楚地說道。

這是最後一句話了。川田已經沒有了呼吸。自舵房天花板落下奇特的黃色光亮，照在川田那張變得完全蒼白的臉上。他的表情十分平靜。

「川田！」秋也叫道。想起還有要說的話。「你會和慶子相會的！你和她一定會很幸福的！你……」

太遲了。川田的耳朵已經什麼都聽不到了吧。然而，他臉上的表情，是那樣地安詳。

「可惡！」秋也的嘴唇顫抖著，連帶說話的語尾也跟著顫抖。「可惡！」

典子還握著川田的手，哭泣著。

秋也也同樣將川田那厚實的手掌握在手裡，然後，想起一件事，翻找川田的學生服口袋。有了！那個紅色的鳥笛。秋也把鳥笛塞進川田的右手，讓他握住。然後自己的手再由外側包住——接下來，秋也終於也哭了出來。

【終章】在大阪・梅田

混雜的人們在大阪梅田的地下鐵總站裡，因爲各自的理由而忙碌地朝四處移動。隔著中間寬闊的階梯，並排著兩座手扶梯，七原秋也（香川縣城岩町立城岩中學三年B班男子十五號）自其中一座手扶梯向下移動時，耳邊傳來「以下是在香川縣所發生的『計畫』責任教師遇害事件後續報導。」的聲音。秋也搭在身旁的中川典子（同班級女子十五號）身上的右手臂，不自覺地出力，停下腳步。

手扶梯旁，和手扶梯同高的巨大電視螢幕裡，出現一位年約五十歲左右、頭髮三七分的主播的特寫鏡頭。

秋也和典子一同往大螢幕前進。星期一剛過傍晚六點，學生及穿著西裝的上班族，一大群等待與人會合的人集中在這裡。秋也和典子現在身上穿的都不是學生服。秋也穿著牛仔褲、印刷圖案襯衫及牛仔外套，典子也穿著牛仔褲配上深綠色的POLO衫，上面還披著一件灰色的薄連帽運動外套（不過，兩人的球鞋都還是原來那雙，洗過後再穿上）。秋也脖子上綁著繃帶，藏在外套的立領下；典子的左頰貼著大型的OK絆，但是拜壓低戴著的黑色皮革棒球帽所賜，應該不至於會引人注目。典子走路時雖然還會稍微拖著右腳，但那也不會過於顯眼。秋也右手調整了一下揹在尚無法動彈的左肩上的側背包揹帶。

川田留下的紙條寫著一個醫生的名字，和那醫生在神戶市內的住址。

看到那間在商店街後巷裡的小診所，不禁讓人聯想到川田的老家恐怕也是給人同樣的感覺吧。一位看起來才二十多歲的醫生沒多說什麼，很快地把兩人迎了進去，幫兩人治傷。那醫生說：「川田的父親和我死去的父親是大學的學長學弟關係。我也很受川田的父親的照顧。」醫生人面似乎很廣，才剛讓兩個人躲藏在自宅的隔日，也就是昨天，他就把逃亡海外的事情全部安排妥當。「章吾爲了預防萬一，留下些錢財在這裡，我就是用了那些錢。」首先要從和歌山的小漁村坐漁船到太平洋，然後再換乘韓半民國的船。「雖然從韓半民國到美國是沒什問題，不過，得先看能不能順利搭上那艘船。」醫生一臉擔心地說道。秋也兩人當然也沒有別的選擇了。

今天，自醫生家出發前，典子和家裡通了電話。正確地說，爲了防止竊聽，典子先打電話到別班的好朋友家，麻煩朋友傳遞訊息，再請家人由公共電話打來醫生家。秋也在那段期間，稍微離開典子的身邊，但典子哭泣的聲音，一直在醫生家裡放置電話的走廊上傳來。秋也自己已經決定不和慈惠館連絡。只是在心中默默對安野老師等人表達感謝和道別。然後，還有新谷和美也是。

主播繼續報導著：「這次事件中，『計畫』實施場地的香川縣沖木島上，因爲防衛軍的直升機噴灑毒氣的關係，現場勘驗必須延後。在事件發生兩天後的今天下午，終於得以進行勘驗，結果確認有兩名學生下落不明。」

畫面轉換。那座島，望遠攝影機由海上拍到警察及士兵正在秋也等人彼此拚死戰鬥的那座島上進行調查。在同樣的遠鏡頭下，看見港口的畫面。屍體堆積成山。一瞬間，秋也少說也認出那堆屍山裡的兩個人。在由學生服及水手服所堆成的黑色小山邊緣，內海幸枝和國信慶時兩人面朝著攝影機。在毒氣噴灑下，兩人的臉孔還能乾乾淨淨，一定是因爲兩人都是在屋內死去的關係。秋也緊握著還能活動的右拳。

「下落不明的是香川縣城岩中學三年級的七原秋也同學及中川典子同學兩人。」畫面又轉換成兩人並排的大頭照特寫鏡頭，用的是貼在學生手冊上的同一張照片。秋也移動視線，看來周遭盯著大螢幕看得入迷的人們，並沒有察覺到秋也他們。

接著，出現一個四周幾乎看不到人家、山地直逼近海岸線的畫面。攝影機鏡頭拉近後，看見一艘漆成軍方塗裝的小型巡邏艇擱淺在沙灘附近的淺灘上，也可以很清楚地看到警察和士兵出現在沙灘上。基本上，這是之前發現船隻的場景，所以是舊畫面。「在這次事件中，負責執行香川縣計畫的坂持金發教師所搭乘的船隻，二十四日早上被發現在岡山縣牛窗町的海岸觸礁。船上還發現坂持教師和專守防衛軍的田原時彥陸軍一等士官等九名士兵，以及在這次計畫中優勝的川田章吾同學的屍體。」畫面上出現坂持留著長髮的大頭照。「警察與防衛軍正朝向事件可能發生的原因進行調查，今天得知有兩名下落不明的兩位學生，線索很可能就在兩名學生身上，兩人行蹤……」

主播繼續報導著，但秋也被畫面吸引住了。

「優勝者川田章吾→發現屍體」一段簡短的影片打上這樣的字幕。這類事情本來最多只會在香川的地方新聞中，用無聊的字句寫著「獲得優勝的男同學」簡單了事罷了。秋也兩人在神戶的醫生家裡看過好幾次新聞報導，都只有播出川田的大頭照而已，這段影片還是第一次看到。

川田被兩側的士兵架在中間，直勾勾地看著攝影機。然後……

在那十秒左右的簡短影片的最後，川田咧嘴笑了起來，右手豎大拇指，在攝影機面前舉了起來。

周遭一起聚精會神看著畫面的人群中，開始吵雜地批評起來。也許，在他們眼中川田像是在炫耀自己的勝利。

然而，事實當然不是如此。秋也茫然地看著已經切回主播的畫面，一邊思考著。

那是，川田給秋也及典子的訊息嗎？當川田站在政府的攝影機前的時候，就已經知道自己命不久矣了嗎？又或者，那只是他獨特的反諷呢？

怎麼也弄不懂的。就像川田曾經說過的一樣。

緊接著，又再一次播出秋也和典子的大頭照。

「請民眾通報……」

「走吧，典子。愈快愈好！」

秋也輕聲說道，右手牽起典子的左手，一起背對大螢幕向前走去。

「川田同學，」兩人牽著手走著時，典子開口說：「秋也你回來前——就是秋也你還在幸枝她們那裡的時候，對我說了。」

秋也傾著頭，看著右邊的典子的臉龐。

典子抬頭看向秋也，在帽子陰影下的眼裡流著淚。「他說能交到好朋友眞是太好了。」

秋也迅速轉頭向前，點點頭。只是，點點頭。

等著看起來像是學生的六、七人團體從面前橫越之後，再次邁步向前走，秋也說：

「典子。我會永遠和妳在一起。我和川田約好了。」

感覺典子點了點頭。

「現在，只能逃走。但總有一天，我一定要摧毀這個國家。並非不遵守和川田的約定。而是爲了川田、爲了妳、爲了我、爲了慶時、爲了大家，我要摧毀這個國家！到那時，妳會幫我嗎？」

典子用力握住牽著秋也的手，清楚地說。

「當然！」

二個人離開人群，過了一會兒，出現在自動售票機前面，典子看著售票機上的價位表，從口袋中掏出零錢數著，在售票機前排隊準備要買兩人的車票。

秋也一個人佇立著，等待典子買票。很快就輪到典子。典子拿著零錢投入投幣口。

秋也不經意看向左邊。

秋也感覺到自己的眼睛瞇了起來。那裡是車站的中央大道入口方向，在計程車和自用車交錯的道路的另一邊，可以看到大阪的高樓大廈底部，在這樣的背景下，有一個身穿黑色制服，身型瘦長的男子筆直往這方向走來。他巧妙地閃躲著往來人潮，不過，視線卻直盯著秋也的方向。

當然，那個制服是警察的制服。在頭頂帽子的中央，有個金色的桃子標誌閃耀著光芒。

秋也靜靜伸出右手按在外套下插在牛仔褲背後的貝瑞塔Ｍ９２Ｆ型手槍，邊找尋逃走的路線。位於警官過來的反方向的中央大道，也有馬路經過。只要到了那裡，就可以攔到車子……

秋也對著剛好拿著票回來的典子低語：「火車不能坐了，典子。」

典子似乎明白發生了什麼狀況。迅速回頭，看到警察，張大了眼睛。

「從那邊出去。」

秋也說話時，警察開始跑過來。

「跑，典子！盡全力跑！」

說完後，和典子一起奔跑時，秋也想起好像在哪裡聽過這句話。

轉頭向後瞄了一眼，看見警官手裡拿著槍。秋也拔出貝瑞塔手槍，警察旋即開槍。砰、砰。兩發子彈，雖然是水平方向射擊，但很幸運的，秋也兩人，還有在車站裡的人群都沒有人中彈。不過，四周傳來幾聲慘叫，人潮中有幾個人趴在地上，也有連槍聲自哪裡傳來都不知道的人四散胡亂逃跑。警官放下槍後，再次追上來時，撞到抱著購物袋的胖歐巴桑，跌得很慘。歐巴桑也跌倒在地，從購物袋裡滾出來的青菜及小菜之類的小包裝滑落一地。

秋也看見那個情況後，馬上轉回頭來。

然後，和典子一起並肩逃跑，一瞬間，浮現出某種想法。慘叫聲、自己奔跑的腳步聲、大聲喝令不准動的警官的聲音，全部都消失在遙遠的地方，滿腦子只剩下那個想法。

那也許是一個與眼前情況格格不入的寧靜的想法。而且那已經算是——模仿他人的作品。但心裡還是想著。

典子，只要兩人在一起，就算帶著哀傷依然可以活下去吧。我要愛著妳。有一天，雖然不知道會是何時，但是我們會抵達我們眞正想要去的地方。然後在那裡，我們可以散步在陽光裡。不過，看來在那之前，我們一定得要不停地向前跑！

很快地，慘叫聲、怒吼聲再次回到耳中。還有典子略感紊亂的呼吸聲、自己的心跳聲。

這會持續著，毫無疑問會持續著。

ＯＫ，這次我就投入遊戲吧。

直到我們勝利爲止，繼續到底。

再一次，【殘存人數2人】。不過當然，他們將與你們所有人同在。